LE SENS COMMUN

georges mounin

introduction
à la sémiologie

✩m LES ÉDITIONS DE MINUIT

introduction
à la sémiologie

du même auteur

AVEZ-VOUS LU CHAR ?, N.R.F., « Les essais », 1946.

LES BELLES INFIDÈLES — Essai sur la traduction, Cahiers du Sud, 1955.

MACHIAVEL, Club français du livre, 1958.

SAVONAROLE, Club français du livre, 1960.

POÉSIE ET SOCIÉTÉ, P.U.F., 1962.

LES PROBLÈMES THÉORIQUES DE LA TRADUCTION, N.R.F., 1963.

LA MACHINE A TRADUIRE, Ed. Mouton, *La Haye*, 1964.

MACHIAVEL, P.U.F., 1964.

LYRISME DE DANTE, P.U.F., 1964.

TEORIA E STORIA DELLA TRADUZIONE, Ed. Einaudi, *Turin*, 1965.

FERDINAND DE SAUSSURE, Ed. Seghers, 1968.

CLEFS POUR LA LINGUISTIQUE, Ed. Seghers, 1968.

LA COMMUNICATION POÉTIQUE, N.R.F., 1969.

HISTOIRE DE LA LINGUISTIQUE DES ORIGINES A 1900, P.U.F., 1967.

LA NOUVELLE POÉSIE FRANÇAISE, vol. 12 (Anthologie), Librairie de Saint-Germain-des-Prés, 1970.

georges mounin

introduction
à la sémiologie

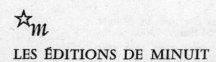

LES ÉDITIONS DE MINUIT

introduction

Notre époque est devenue sous les yeux des hommes de ma génération l'époque du prêt-à-porter, puis du prêt-à-jeter, l'époque de la consommation accélérée, comme tout le monde le sait. Mais elle est devenue cela aussi dans le monde des idées, et presque personne ne s'en rend compte. A peine nées, les théories originales sont commercialisées culturellement par le journalisme, diffusées comme des produits nouveaux, usées comme eux, puis rejetées au profit d'une autre nouveauté, sauf dans le cercle étroit de ceux pour qui ce n'étaient pas des sujets de conversation mais des instruments de travail scientifique. Nos marées intellectuelles, phénoménologie, existentialisme, structuralisme, linguistique, durent cinq ou dix ans, puis vont mourir dans les limbes de l'ouï-dire ou même de l'avoir-ouï-dire.

La sémiologie en est au second de ces stades, celui de la diffusion commençante. Comme elle n'est pas seulement un mesmérisme quelconque du xxᵉ siècle, mais la science générale de tous les systèmes de communication par signaux, signes ou symboles, elle représente un apport durable, d'importance d'ailleurs très variable, pour à peu près toutes les sciences humaines. Loin des incantations thaumaturgiques auxquelles donne lieu le mot supposé magique, il a paru utile d'esquisser l'image modeste et solide des principes et des méthodes qui sont vraisemblablement destinés à survivre à tous les bavardages du moment.

La sémiologie est suffisamment délimitée quand on parle d'elle comme de la science générale de tous les systèmes de communication. Elle s'oppose de la sorte, pour des raisons théoriques et méthodologiques, aux tentatives d'appliquer peut-être un peu moutonnièrement ses démarches à toutes sortes d'objets, où ce qu'on étudie n'a pas été d'abord démontré comme étant un type de communication mais seulement un ensemble de faits significatifs. On ne présentera donc ici qu'un premier inventaire de ce qu'est la *sémiologie de la communication*. Ce qu'on appelle sans doute précipitamment la *sémiologie de la signification*, ou bien recouvre tout simplement la théorie de la connaissance, l'épistémologie, ou bien s'attaque, avec un outil qui n'est pas fait pour cette tâche,

7

à l'étude des significations spécifiques soit de faits sociaux, soit de faits esthétiques. Trois articles, sur Barthes, Lévi-Strauss et Lacan, cherchent tout juste, à cet égard, à montrer les dangers qui s'attachent à transporter sans prudence les concepts et surtout les termes linguistiques dans d'autres domaines.

Même dans les limites d'une sémiologie de la communication, le présent recueil est loin de se vouloir exhaustif en tant que recensement. D'un territoire immense, l'auteur ne décrit ici que ce qu'il croit assez bien connaître. La lacune la plus sensible, au point de vue historique et peut-être théorique, est l'absence d'une bonne étude sur Charles Sanders Peirce, logicien américain mort en 1914, dont la théorie générale des signes est sans doute unique. Toutefois, l'interprétation de sa doctrine, compliquée par une terminologie très lourde, et de plus fluctuante, reste difficile. Il n'est d'ailleurs pas sûr qu'elle soit décisive pour la sémiologie de la communication. Nous manquons sur Peirce, non pas de l'article moderne de vingt pages, qu'il faudra bien se décider d'écrire, mais d'un ouvrage qui soit vraiment une introduction à sa bonne lecture [1].

On s'étonnera peut-être aussi que Thomas Sebeok soit à peine mentionné. Il est, avec Morris et même plus que Morris, l'auteur américain le plus dynamique en ce qui concerne la propagation de la « sémiotique ». Il est surtout remarquable par une tentative de classification universelle des sémiotiques. On pourrait selon lui les classer d'après leurs sources (inorganiques ou non, avec langage ou non, surnaturelles ou non, organismes complets ou parties d'organismes comme le cœur, etc.), et même d'après leurs pseudo-sources (astrologie, etc.). Ou bien par leurs récepteurs (intra-spécifiques, ou inter-spécifiques : entre homme et Dieu par exemple). Ou bien par les canaux de transmission (acoustiques, gestuels, chimiques, optiques, mixtes, etc.). Une telle classification présente un intérêt, bien qu'elle soit *a priori* extrinsèque aux systèmes, puisqu'elle est antérieure à la découverte de la structure de ceux-ci. Mais son principal défaut, à mes yeux du moins, est de confondre sous le nom de communication des phénomènes qui, comme on l'aura vu par les quelques exemples ci-dessus, sont franchement hétérogènes.

Bien qu'une vingtaine de pages soient consacrées aux abeilles et aux corbeaux, on aura peut-être aussi le sentiment que la communication animale n'a pas ici la place qui lui reviendrait de droit, du fait de l'importance théorique et métho-

---

1. Consulter *The Philosophy of Peirce, Selected Writings,* éd. par Justus Buchler, Londres, Kegan Paul & Rouledge, 1ʳᵉ éd. 1940, 2ᵉ réimp 1950, XVI-386 p.

dologique qu'elle mérite, et de sa valeur exemplaire au point de vue propédeutique. Et c'est vrai. Mais en 1970, après Von Frisch et son disciple Martin Lindauer, le problème de la communication chez les seules abeilles devrait être réinventorié complètement du point de vue sémiologique, même si quelques points essentiels semblent acquis (toutefois, la communication dans l'essaimage est encore à bien analyser) [2]. Quant à la communication animale dans son ensemble, elle exigerait désormais la spécialisation à long terme d'un authentique sémiologue. Il n'était pas question ici d'autre chose que de signaler la façon moderne de poser l'un des problèmes les plus adultérés de la « philosophie du langage ».

Si l'on ne s'est pas étendu sur la sémiologie du cinéma, c'est parce que, grâce aux *Essais sur la signification au cinéma* de Christian Metz, chacun pourra mesurer la complexité des problèmes sémiologiques qui s'y posent ; et Metz sait très bien qu'il est loin de les avoir résolus, ou même seulement posés toujours de façon adéquate. Si l'on s'est refusé le plaisir facile de mettre en pièces la *Scénographie d'un tableau* de Jean-Louis Schefer (*Le Seuil,* 1967), c'est parce que René Passeron dans ses *Clefs pour la peinture* (*Seghers,* 1969) fournit une réponse à la question de savoir si et comment on peut aborder un tableau d'un point de vue sémiologique correct. Et si l'on ne parle pas de sémiologie de la musique, c'est parce qu'on renvoie à Robert Francès, ou Georges Saint-Guirons, qui suggèrent sans prétention quelques cheminements d'approche. De plus, dans ces trois domaines, cinéma, peinture et musique, je ne crois pas qu'*ipso facto* le simple amateur que je suis ait des clartés sémiologiques particulières.

Cette énumération de lacunes très volontaires, on pourra sans doute la compléter par d'autres, qui le sont ou non. Pourquoi ne pas parler de Mukařovský, de Mikel Dufrenne, de Francastel et de Panofsky ? Parce que le temps de l'encyclopédisme est sans aucun doute déjà passé pour une sémiologie responsable [3].

Dans un tout autre ordre d'idées, faut-il défendre la tournure obstinément pédagogique qui est celle de l'esprit de l'auteur, toujours persuadé qu'on ne répétera jamais assez les notions dites élémentaires, qui sont aussi les notions fonda-

---

2. Voir Martin Lindauer, *Communication among Social Bees,* Cambridge Mass., Harvard University Press, 1961.
3. Le gros volume (374 pages) publié par Umberto Eco sous le titre *I sistemi di segni e lo strutturalismo sovietico* rassemble vingt-neuf articles remarquables, sans commune mesure souvent avec les aimables essais qu'on nomme en France sémiologie. Il mériterait un long examen, lui aussi (Milan, éd. Bompiani, 1969).

vaste science des signes que Saussure a postulée [...] sous le nom de sémiologie » (*Mythologies,* p. 217). Six ans plus tard, il définit toujours la sémiologie, dans le cadre de laquelle il insère ses « Eléments », comme « la science de tous les systèmes de signes » (*Communications 4,* 1964, p. 92). Et les références à Saussure continuent de foisonner sous sa plume.

Mais Buyssens aperçoit nettement que « cette école française penche pour *une conception modifiée de la sémiologie :* " La linguistique n'est pas [dit Barthes] une partie même privilégiée, de la science générale des signes, c'est la sémiologie qui est une partie de la linguistique : très précisément cette partie qui prendrait en charge les grandes unités signifiantes du discours ». Cette citation de Barthes est en effet cruciale. Et Buyssens en conclut justement que, « ainsi conçue, la sémiologie s'approprie un domaine qui, jusqu'à présent, relevait de la stylistique ou de l'exégèse littéraire " » (*La communication et l'articulation linguistique,* p. 13-14).

Prieto, dans son article « Sémiologie » du volume *Langage* de l'Encyclopédie de la Pléiade, analyse en quoi consiste cette modification du concept de sémiologie. « D'après Buyssens, la sémiologie doit s'occuper des faits perceptibles associés avec des états de conscience, produits expressément pour faire connaître ces états de conscience, et pour que le témoin en reconnaisse la destination : son objet se limiterait donc aux faits que nous appelons des *signaux.* Barthes, par contre, étend le domaine de la discipline à tous les faits signifiants, y incluant ainsi des faits comme le vêtement, par exemple, que Buyssens laisse expressément en dehors. La distinction, dont l'importance est emphatiquement mise en relief par les auteurs mentionnés, entre la *véritable communication* et la *simple manifestation,* ou entre la *communication* et la *signification,* peut également nous fournir la clé de la différence qui sépare les tendances qu'ils représentent. Pour Buyssens, ce serait la communication, pour Barthes la signification, qui constituerait l'objet de la sémiologie » (*ouvr. cit.,* p. 94) [4].

Prieto ajoute très pertinemment que « l'intérêt d'une sémiologie de la signification semble évident sans plus » ; mais que « celui d'une sémiologie de la communication est beaucoup plus grand qu'on ne pourrait supposer », puisqu'il s'agit « du besoin de savoir ce qu'est la communication en général ». Prieto

---

4. Nous ne traiterons pas ici des trois sémiologies de G. G. Granger, qui sont un raffinement, croyons-nous, surtout sur la sémiologie de la signification (*Essai d'une philosophie du style,* Armand Colin, 1968, p. 141-143).

pense même « que la sémiologie de la signification devra trouver dans la sémiologie de la communication un modèle beaucoup plus approprié que celui que lui fournit la linguistique ; et que si elle s'est jusqu'à présent servie, pour amorcer ses recherches, de concepts dégagés de la linguistique, c'est exclusivement à cause de l'inexistence d'une sémiologie de la communication suffisamment développée » (*ibid.*, p. 94). A nos yeux, l'importance de cette page est capitale et le restera longtemps pour tout chercheur en sémiologie (même si c'est par différence avec les modèles de la sémiologie de la communication, plutôt que par ressemblance, qu'on pourra cerner la spécificité des faits sociaux analysés par Barthes).

Le problème fondamental posé par Buyssens et Prieto, c'est de savoir si une recherche — tout à fait légitime — sur des faits qui ressortissent à la « sémiologie de la signification » peut postuler que les principes, les concepts et les méthodes mis au point par la sémiologie de la communication sont *a priori* adéquats dans ce nouveau domaine, sans avoir démontré auparavant que — par exemple — la mode est communication, et surtout communication du même type que les langues naturelles, ou le code de la route. Si la réponse est non, les emprunts précipités à la linguistique, ou même à l'esquisse de sémiologie saussurienne, aboutissait à faire passer le chercheur à côté de la spécificité véritable de ce qui est peut-être le système de la mode — par exemple.

Le transfert des mots *structure* et *système* d'un domaine à l'autre ne fait pas problème. Si l'on accepte qu'ils désignent tous deux, avec des extensions variables, des ensembles d'éléments qui sont interdépendants par les relations qu'ils entretiennent, tout est structure, tout est système ; et chaque science est la recherche des structures spécifiques à l'œuvre dans un domaine défini.

Il n'en va pas de même pour le concept de *communication*. Buyssens a le premier mis l'accent sur le fait capital : « La sémiologie, écrit-il, peut se définir comme l'étude des procédés de communication, c'est-à-dire des moyens utilisés pour influencer autrui *et reconnus comme tels par celui qu'on veut influencer* » (*ouvr. cit.*, p. 11). Ces moyens reconnus comme tels par le récepteur de phénomènes produits par un émetteur, ce sont des signaux ; et toute sémiologie correcte repose sur l'opposition catégorique entre les concepts cardinaux d'*indice* et de *signal*. Des analyses remarquables de Buyssens (*ouvr. cit.*, p. 12, 16-17, 19-20), Prieto a extrait une définition scientifique de l'indice : c'est « un fait immédiatement perceptible qui nous fait connaître quelque chose à propos d'un autre [fait] qui ne l'est pas [perceptible] » (*Sémiologie,*

p. 95). Le signal est une espèce d'indice très particulier. C'est, dit Buyssens, un indice « conventionnel », c'est-à-dire « un moyen reconnu [par le récepteur] comme un moyen » (*ouvr. cit.*, p. 12, 18, 20). C'est un indice produit *volontairement* par l'émetteur pour manifester une intention au récepteur (*ibid.*, p. 16-17). « Le fait perceptible associé à un état de conscience est réalisé volontairement et pour que le témoin en reconnaisse la destination » (*ibid.*, p. 20). Bref, à l'opposé de l'indice, le signal est « l'acte par lequel un individu, connaissant un fait perceptible associé à un certain état de conscience, réalise ce fait pour qu'un autre individu comprenne le but de ce comportement et reconstitue dans sa propre conscience ce qui se passe dans celle du premier » (*ouvr. cit.*, p. 20). On interprète un indice, et l'interprétation en sera variable avec les récepteurs, selon leur intuition, leur compétence, etc. On décode un signal, et le décodage en est univoque pour tous les récepteurs en possession du code de communication. Prieto a condensé fortement ce concept dans la définition suivante : « Le signal peut être défini comme un indice artificiel, c'est-à-dire comme un fait [perceptible] qui fournit une indication *et qui a été produit expressément pour cela* » (*Messages et signaux*, p. 15). En posant *a priori* qu'un vêtement est un signe, et qu'il participe d'un système de communication, Barthes esquive probablement la partie la plus passionnante, et la plus fructueuse, de l'analyse de ce qui se passe effectivement. Ce vêtement, ou cet objet, ce geste, cette image, ce spectacle, ce roman, qu'il saisit avec une intuition particulièrement fine de psycho-sociologue, sont très probablement des indices, ou contiennent *aussi* des indices. Et ces indices ont très probablement des significations — qui plus est, des significations non manifestes, latentes, différentes de leur usage ou de leur signification patente ou apparente. Leur appliquer — parce qu'on les a baptisés d'office signes ou systèmes sémiologiques — un modèle d'explication par la communication risque presque à coup sûr de faire passer à côté du mécanisme, probablement beaucoup plus complexe, de leur fonctionnement psychologique et sociologique réel.

Cela ne signifie pas pour autant qu'il soit toujours facile de tracer, dans la vie sociale, la frontière entre les phénomènes qui relèvent réellement d'une sémiologie de la communication et ceux qui n'en relèvent pas. On a déjà mentionné les réserves de Saussure concernant certains de ces phénomènes. Mais il faut savoir que c'est au point de départ qu'on va se fourvoyer définitivement si, à propos d'une famille de phénomènes donnés, on oublie de se poser la question : Y a-t-il intention de communication ? Assortie aussitôt de cette autre, non moins fondamentale : Comment prouver qu'il y a intention de communication ?

« La distinction entre un signal et un indice qui n'est pas un signal, écrit Prieto, semble toujours pouvoir être faite dans la pratique ; mais, en l'état actuel des connaissances, il est malaisé de donner une définition rigoureuse du signal, en déterminant quelle est la différence spécifique qui le caractérise à l'intérieur de la classe des indices » (*Sémiologie,* p. 95-96). En fait, même dans la pratique, il n'est pas toujours facile de démontrer l'existence d'une intention de communication, surtout précisément dans les domaines où Barthes voudrait étendre la sémiologie, c'est-à-dire là où le code est inapparent, peut-être inexistant, toujours non détecté jusqu'ici en tant que tel (théâtre, peinture, cinéma, comportements sociaux variés). Dans *Messages et signaux,* Prieto voit bien que, pour qu'il y ait signal, il faut « que le récepteur se rende compte du propos qu'a l'émetteur de lui transmettre un message ». Mais, pensant aux codes bien identifiés, il pose un peu rapidement que « la réponse est bien simple : le signal, du fait même qu'il est produit, indique au récepteur ce propos de l'émetteur » (*ouvr. cit.,* p. 11 ; cf. aussi p. 28). Prieto sait très bien, certes, que le problème peut être très complexe, et que sa réponse postule une connaissance *acquise* du code, qui devient alors reconnu comme tel dans tous les messages construits d'après lui (*ouvr. cit.,* p. 32, et surtout 34). Autrement dit, l'intention de communication n'est relativement facile à mettre en évidence que là où il y a eu apprentissage social du code en tant que tel (*ouvr. cit.,* p. 58).

On mesure — à ces exigences méthodologiques élémentaires d'une saine sémiologie — combien pourrait être complexe l'analyse des significations non manifestes d'une pièce de théâtre ou d'un roman, analyse pour laquelle il faut affirmer que nous sommes encore totalement dépourvus d'instruments spécifiques à l'heure actuelle. Dans les pages qui suivent, parce qu'on croit que la sémiologie de la communication doit servir au moins de propédeutique, on ne traitera que de systèmes de *communication* (non linguistiques).

1970

les systèmes de communication
non linguistiques et leur place
dans la vie du XXᵉ siècle

1

Traditionnellement, les ouvrages de linguistique générale accordent une place aux moyens permettant de communiquer sans recourir au langage articulé. Mais cette place reste extrêmement réduite : il s'agit généralement de quelques pages, liées presque toujours à l'histoire de l'écriture plutôt qu'à celle du langage, où se trouvent décrites les écritures pictographiques et les écritures idéographiques, illustrées par quelques exemples bien connus, hiéroglyphes égyptiens, caractères chinois ; ou bien les langages par gestes des Indiens d'Amérique. Tout se passe comme si tout le monde était persuadé que ces systèmes de communication caractérisent des stades révolus, et des cas marginaux. Une telle façon d'écrire amène à cette attitude ambiguë : inclure les systèmes de communication non fondés sur le langage articulé dans une histoire et dans une théorie du langage, mais en même temps les exclure pratiquement de toute histoire et de toute théorie du langage.

Cette attitude traditionnelle, et contradictoire, se trouve à la fois combattue, et peut-être expliquée, par une autre plus récente, qui propose d'exclure, de la linguistique proprement dite, l'étude des systèmes de communication que les hommes emploient pour communiquer sans recourir au langage ordinaire [1]. Cette démarche nouvelle tire toutes les conclusions méthodologiques, et terminologiques, impliquées par la formule

---

1. C'est l'attitude d'Emile Benveniste qui dans le titre même de son article de *Diogène*, I (1952), distingue *communication* animale et *langage* humain, tandis que dès la première phrase, il pose : « Appliquée au monde animal, la notion de langage n'a cours que par un abus de termes ». C'est l'attitude aussi d'André Martinet, qui insiste sur le fait que nous n'avons « aucun intérêt à appeler *langue* n'importe quel système de signes arbitraires » (*Travaux du Cercle linguistique de Copenhague*, 5, 1949, p. 32).

saussurienne qui fondait la sémiologie. Tout au plus y ajoute-t-elle une insistance, plus nette qu'aucune autre jusqu'ici, à ne pas mêler la science étudiant les systèmes de communication basés sur des signes originellement toujours phoniques (qui est la linguistique) avec la science étudiant l'ensemble des systèmes de communication (qui sera la sémiologie).

Les pages qui suivent ne se proposent évidemment pas de combler la lacune signalée par Ullmann encore il y a six ans [3]. Mais elles partent simplement du fait que notre langage actuel, ordinaire ou scientifique, a fini par nous enfermer dans un univers linguistique qu'il avait d'abord modelé par sa terminologie même inconsciemment — nous détournant d'observer toutes sortes de systèmes de communication non linguistiques ; nous empêchant peut-être aussi d'apercevoir que certains de ces systèmes de communication non linguistiques, après avoir été statistiquement négligeables pendant des siècles, ont insensiblement pris ou repris une extension très digne d'étude. En bref, ces pages essaient de vérifier si les systèmes de communication non linguistiques ne sont pas tenus pour plus marginaux qu'ils ne le sont réellement, quand on les restreint soit aux exemples déjà cités, soit à quelques codes de signaux optiques ; et de vérifier si l'homme d'aujourd'hui ne communique pas beaucoup plus qu'on ne le croit par le moyen de ces systèmes de communication non linguistiques. L'idée qu'on voudrait illustrer, c'est que la sémiologie semble en être au moment où sa constitution comme science ne va plus pouvoir être remise à plus tard.

2

Les définitions et les distinctions méthodologiques qui viennent d'être rappelées et soulignées invitent donc à constituer la sémiologie comme telle en cessant de la confondre avec la linguistique. Elles fournissent une terminologie sans équivoque, qui permettra d'esquisser le panorama des systèmes de communication non linguistiques qu'on propose ici. On s'abstiendra donc d'appeler *langue* (à l'opposé de Saussure lui-même, continué par le *Vocabulaire* de Lalande et le *Lexique* de Marouzeau) n'importe quel « système de signes distincts correspondant à des idées distinctes ».

Qu'est-ce alors que ces systèmes de communication non linguistiques ? Eric Buyssens, tout en continuant de les nom-

---

3. *Précis de sémantique française*, Berne, A. Francke, 1952, p. 13 · « La sémiologie entrevue par de Saussure reste toujours à faire. »

mer des « langages autres que les langues » en fournit un inventaire en moins de cent pages dans son *essai de linguistique fonctionnelle dans le cadre de la sémiologie* — c'est le sous-titre de son ouvrage [4]. Sa tentative conduit à classer les procédés de communication non linguistiques selon trois critères. Il y a des procédés de signalisation *systématiques,* lorsque les messages se décomposent en signes stables et constants : c'est le cas de la signalisation routière avec ses disques, ses rectangles et ses triangles, constituant des familles bien définies de signaux. Mais il existe aussi des procédés *a-systématiques,* dans le cas contraire : une affiche publicitaire utilisant la forme et la couleur afin d'attirer l'attention sur une marque de lessive — ou même la série des affiches différentes employées successivement pour cette même marque de lessive. D'autre part, il est des procédés de signalisation dans lesquels il existe un rapport *intrinsèque* entre le sens du signal et sa forme : ainsi, la signalisation des magasins par des enseignes, chapeau, parapluie, tête de cheval, etc. ; mais d'autres procédés dans lesquels entre sens et signe il n'existe qu'un rapport *extrinsèque,* arbitraire, ou conventionnel : ainsi, la croix verte qui signale une pharmacie. Enfin certains procédés de signalisation construisent un rapport *direct* entre le sens du message et les signes qui le transmettent, tandis que d'autres intercalent entre le sens et le premier système de signes un autre, ou plusieurs autres procédés de substitution du premier : la parole est un procédé de signalisation direct (il n'y a rien qui s'interpose entre les sons perçus et les significations qu'on leur accorde) ; mais le Morse est un procédé substitutif : on repasse du signe en Morse au signe en écriture phonétique, puis du signe en écriture phonétique au signe phonétique, pour atteindre le sens. Ces trois séries de critères aboutiraient à découper toute sémiologie en huit grandes classes de procédés de signalisation : les systématiques intrinsèques directs, et les systématiques intrinsèques substitutifs ; les systématiques extrinsèques directs, et les systématiques extrinsèques substitutifs ; les a-systématiques intrinsèques directs, et les a-systématiques intrinsèques substitutifs ; les a-systématiques extrinsèques directs, et les a-systématiques extrinsèques substitutifs. En fait, il serait difficile d'indiquer des exemples pour chacune de ces classes ; et le tableau de classement qu'on pourrait tirer des analyses instructives de Buyssens apparaît encore aujourd'hui comme empirique et

---

4. *Les Langages et le discours, essai de linguistique fonctionnelle dans le cadre de la sémiologie,* Bruxelles, Office de publicité, 1943, 98 p. Réédité sous le titre : *La Communication et l'articulation linguistique.* P.U.F., 1967. Voir le compte rendu plus loin, p. 235

tout ensemble hypothétique, avec plusieurs cases vides ou presque vides.

Dans le panorama qu'on va tracer des procédés de communication non linguistiques au xxᵉ siècle, on s'inspirera de ces vues récentes. A Buyssens on prendra l'observation qu'il existe des procédés de signalisation a-systématiques. A Martinet, l'idée de bien distinguer les procédés de signalisation qui s'articulent *seulement* dans « une succession d'unités dont chacune a une valeur sémantique particulière »[5], à la différence du langage au sens linguistique du terme — caractérisé, lui, par sa *double articulation* : « une première articulation [qui] s'ordonne en unités minima à deux faces (les « morphèmes » de la plupart des structuralistes), une seconde en unités successives minima de fonction uniquement distinctive (« les phonèmes »)[6]. A Martinet, de même, on empruntera l'idée de distinguer nettement aussi les procédés de signalisation qui se bornent à transcrire le langage articulé, ce qui fait qu'ils n'ont généralement « pas d'autonomie réelle », et que « ceux qui s'en serviraient seraient nécessairement amenés à faire coïncider au moins certains idéogrammes avec les mots de leur langue au sens propre du terme »[7]. (Ce sont ceux que Buyssens appelle des procédés substitutifs).

Il reste à préciser qu'on n'emploiera pas l'adjectif *idéographique* automatiquement comme synonyme de *non linguistique*. En effet, l'expression *langage idéographique* appliquée à des systèmes de communication non linguistiques introduirait la confusion qu'on ne veut plus commettre entre linguistique et sémiologie. D'autre part, même une expression comme *système idéographique* impliquerait des signes qui ne soient jamais liés *à la fois* aux idées qu'ils transcrivent et aux équivalents vocaux de ces idées dans le langage ordinaire : il y a système autonome vrai de communication non linguistique idéographique quand la lecture d'un dessin, par exemple, constitué d'une cuillère et d'une fourchette entrecroisées, ne passe pas par l'intermédiaire du mot phonique *restaurant*. De telles opérations psychologiques existent peut-être ; une sémiologie sortie de l'enfance apportera sans doute beaucoup de faits à vérifier dans ce domaine ; mais c'est une question d'avenir, ce n'est pas un postulat qu'il faille poser sans démonstration.

5. « La double articulation linguistique », dans *Travaux du Cercle linguistique de Copenhague*, 5 (1949), p. 33.
6. « Arbitraire linguistique et double articulation », *Cahiers F. de Saussure*, 15 (1957), p. 108.
7. « La double articulation linguistique », art. cit., p. 35. Les deux articles cités ont été réimprimés dans *La linguistique synchronique*, P.U.F., 1965.

3

Un premier groupe de procédés de communication se trouve
à cheval entre linguistique et sémiologie : celui des procédés
de signalisation *substitutifs* du langage parlé, sans autonomie
réelle à l'égard de la communication linguistique. Ils supposent
tous (ainsi les écritures — exemple classique — alphabets
phonétiques, ou Braille, ou des sourds-muets, de la marine,
des télégraphies, des cryptographies) que, pour obtenir la signification du message, on repasse par les sons du langage parlé.
Cette opinion de Buyssens et de Martinet se trouve être aussi
celle d'Istrine quand il dit « que l'écriture est un moyen de
communication entre les hommes, complémentaire du langage
articulé [...], reflétant d'une manière ou de l'autre le langage
articulé, et servant à la transmission de ce langage et à sa
fixation dans le temps »[8]. C'est le point de vue de Jespersen
également dans l'article « Language » de l'*Encyclopaedia Britannica,* lorsque, traitant du langage visuel, il écrit : «Aussitôt
qu'il se dégage de l'écriture pictographique-idéographique, il
devient dépendant du langage parlé et se développe en représentation plus ou moins fidèle des sons du langage : les langages écrits avec lesquels nous sommes familiarisés sont par
conséquent des langages *secondaires* liés aux langages parlés
qui leur servent de fondations. La même chose est vraie du
langage par gestes, alphabétique, artificiel, qu'on enseigne parfois aux sourds-muets ».

Avec ces exemples, nous sommes encore dans l'optique traditionnelle chez les linguistes. Il y a cependant d'autres exemples. Les enseignes ne jouent plus le même rôle d'idéogrammes
qu'autrefois, certes, mais elles sont loin d'être mortes : le
collier des bourreliers, les grands ciseaux des couteliers, le
fer-à-cheval des forgerons, le plat à barbe ou la queue de crins
des coiffeurs, la tête de cheval des boucheries chevalines, le
cigare des débits de tabac, le chapeau des chapelleries, le
parapluie des marchands de parapluies, le cadran des horlo-
gers, le panonceau doré des notaires, la croix verte des phar-
macies, le caducée des voitures médicales vivent encore bien.
Ces formes anciennes de l'*enseigne* nous empêchent peut-être
de dénombrer les modernes que nous ne nommons pas enseignes, bien qu'elles en soient : des lunes, des étoiles variées par
le nombre de branches et la couleur, un poulain qui rue, une
coquille Saint-Jacques, un zèbre, une vache, une cigogne, un

---

[8]. « Relations entre les types d'écriture et la langue » dans *Recherches internationales à la lumière du marxisme,* Paris, Ed. de la Nouvelle
Critique, V-VI, 1958, p. 35-60.

pingouin, toutes sortes de lions, l'hippogriffe et la gargouille, un aptéryx, un bonhomme en caoutchouc, une montagne, un bébé, signalent tous les carburants, tous les lubrifiants, des cirages, des laines, des apéritifs, et toutes sortes de produits. Il existe donc une infinité d'enseignes toutes modernes, des vignettes, des panonceaux, que les intéressés lisent sur les façades d'une agglomération sans y penser (par exemple, les panonceaux de recommandation des multiples guides et clubs professionnels ou nationaux qui signalent les hôtels, et dont on peut compter jusqu'à dix encadrant la même porte).

Quantités de notions et d'informations que nous utilisons et *lisons* quotidiennement sont véhiculées de la sorte. Tels sont les signes conventionnels utilisés par les horaires de chemins de fer : une cinquantaine d'idéogrammes à dessin reconnaissable (service-autocar, train automoteur, bar, buffet, restaurant, dimanches et fêtes, sauf dimanches et fêtes) de sigles-idéogrammes (location possible, hôtesse, sans bagages, etc.), de signes idéographiques arbitraires (billets d'avance, arrêt, descente, supplément, etc.). Beaucoup de ces signes sont déjà d'usage international (wagons-lits, voitures-couchettes, gare-frontière, pullmann, lundi, mardi, etc.) ainsi qu'on le voit dans les publications du Centre d'information des Chemins de fer européens.

Beaucoup de guichets des aérogares offrent un verre dépoli lumineux qui nomme par idéogrammes à silhouettes reconnaissables la quinzaine d'objets jouissant de la franchise-bagages (manteaux, parapluies, livres, journaux, biberons, jumelles, appareils photographiques, etc.). Toute une chaîne de grands hôtels de la côte africaine occidentale imprime des serviettes de restaurant sur lesquelles on peut lire les menus de la même façon [9].

Les guides touristiques utilisent également tout un jeu d'idéogrammes à dessins-silhouettes immédiatement intelligibles sans traduction dans les langages parlés. Le *Guide Michelin 1958 Italie* en quatre langues (italien, français, allemand, anglais) ne contient que 30 pages d'éclaircissements en quatre langues, contre 250 pages entièrement composées de noms propres italiens, de chiffres, et de signes lisibles indépendamment de la langue du possesseur du guide, grâce à plus de

9. Ces « dictionnaires de signes » sont appelés à se développer bien plus, semble-t-il, que celui, publié par les organisations touristiques américaines, dont parle *Paris-Presse* du 31 octobre 1958 (il s'agirait des schémas des 72 gestes les plus courants pour désigner la nourriture, le logement, les moyens de transport et les femmes).

150 idéogrammes dont un tiers à dessin reconnaissable (vins en carafe, garage gratuit ou payant, hôtels divisés en six classes, restaurants cinq classes, points de vue quatre classes, silence, chauffage, dépannage, tennis, golf, etc.). La chose est encore plus frappante quand on rouvre un guide imprimé voici vingt-cinq ans, *l'Italie septentrionale, y compris Ravenne, Florence, Pise, manuel du voyageur* par Karl Baedecker (Leipzig, 1932, 19e édition), qui ne présente aucun signe idéographique autre que l'astérisque (curiosité) et † (mort en...), parmi quarante abréviations (du type : *rest :* restaurant ; *fav. app :* favorablement apprécié). (Et pourtant le vieux dictionnaire allemand Sachs-Villatte utilisait déjà très abondamment les idéogrammes, pour des raisons d'économie typographique, dès 1911.)

Tel est ce premier groupe de systèmes de communication qu'on hésite à nommer non linguistiques, en ce sens qu'ils écrivent presque toujours, dans une écriture un peu particulière, un mot de la langue première de l'individu parlant ; mais déjà débordent la linguistique proprement dite (et la pure et simple écriture), puisqu'ils sont des signes plurilingues, quelquefois universels, un signe donné — la silhouette d'un autocar — équivalant à la totalité des mots qui désignent un autocar dans la totalité des langues parlées du monde. D'un autre point de vue, la frontière entre linguistique et sémiologie passe entre ceux de ces systèmes, les écritures proprement dites, qui reproduisent graphiquement la double articulation du langage parlé (phonèmes et monèmes) et ceux qui, comme les codes chiffrés commerciaux, militaires et diplomatiques, ne la reproduisent déjà plus, bien qu'ils permettent de la retrouver. Quant aux signes comme ceux des enseignes, des aérogares, des horaires de chemins de fer et des guides, ce qui importe le plus, ce n'est pas qu'ils soient à dessins reconnaissables (*sèmes* intrinsèques de Buyssens) ou non (*sèmes* extrinsèques de Buyssens) ; c'est le fait qu'ils constituent un procédé de communication qui ne connaît que l'articulation première du langage, en unité de sens. Il est aussi important de se demander si ce sont des procédés de communication *systématiques* ou *a-systématiques* (de Buyssens). Construisant leurs messages au moyen de monèmes isolés, par énumération simple, additionnés côte à côte, ils évoquent un moyen de communication plus pauvre en structure que le plus pauvre des langages qu'on appelle ironiquement télégraphiques : indiquons pourtant que des notions analogues au pluriel, au comparatif, au superlatif, au futur ont trouvé le moyen de s'exprimer dans les guides touristiques (la classe, l'agrément des hôtels et des restaurants, l'étendue d'un point de vue sont marqués par des signes doublés, triplés, quadruplés, quintuplés ; les travaux en cours, par un trait discontinu). Ces procédés, qui ne construisent presque jamais de syntagmes sauf ceux-ci, seraient donc à cheval entre procédés de communication vraiment systématiques (au sens structuraliste du terme, ici), et les a-systématiques.

4

Un deuxième groupe devrait comprendre tous les procédés de communication *systématiques*. Et le premier de ces procédés, c'est l'emploi des chiffres. Tous les linguistes le savent, le mentionnent en passant, mais ne s'arrêtent jamais. Par exemple, Istrine note que, « dans les systèmes alphabétiques européens actuels [d'écriture], on utilise largement les idéogrammes, les chiffres par exemple, les signes mathématiques ». Sans plus [10]. Il vaut la peine de s'arrêter pourtant sur ce point, pour considérer que la place relative des chiffres et des nombres, dans les communications humaines, n'est pas une constante éternelle : *nous utilisons beaucoup plus de renseignements chiffrés qu'il y a un siècle, infiniment plus qu'il y a dix ou vingt siècles* [11]. Nous lisons les temps, les dates, les heures, les adresses, les cotes, les indices, les paginations, les ordinations de toutes sortes, les températures de toutes sortes, les pressions, les vitesses, les consommations d'eau, de gaz et d'électricité, les débits d'essence, les poids des balances automatiques, les prix des caisses enregistreuses, tous les jours et tout le jour. Nous lisons plus d'informations personnelles quotidiennement sur des cadrans, des voyants, des jauges, des tickets, des fiches, des relevés, des bordereaux, des compteurs, que nous ne recevons de lettres.

Le système de communication constitué par les chiffres [12] joue à plein dans les horaires. Ainsi l'horaire des autocars Aix-Marseille, une page de format 11×14, apporte 201 informations, données par 201 nombres ; et la feuille imprimée ne

10. Voir aussi M. Cohen : « Les nombres peuvent toujours s'écrire *en toutes lettres*. Mais ordinairement on se sert de chiffres, qui sont des notations idéographiques, lisibles en langues différentes » (*L'Ecriture*, Paris, Ed. Sociales, 1955, p. 101).
11. Voir L. Hogben, *Les Mathématiques pour tous*, Paris, Payot, 1947, Ch. I, II, III ; G. Friedmann, « L'Homme et le milieu naturel », dans *Les Annales d'histoire sociale*, II, 1945, p 109-110 ; Lucien Febvre, *Le Problème de l'incroyance au XVIᵉ siècle*, Paris, 1942, p. 426-434.
12. Voir, d'André Martinet, « De la variété des unités significatives », dans *La Linguistique synchronique*, Presses Universitaires de France, 1965, p. 168-179.

contient (les noms propres Aix, Avignon, Marseille exceptés) que quatre mots dont les deux premiers peut-être superflus : *horaire, départs, semaine, dimanche.* Ici, c'est le langage qui sert d'auxiliaire au procédé de communication non linguistique.

Si l'on ajoute aux chiffres les signes ou symboles mathématiques (qui multiplient la quantité de propositions qu'on peut énoncer au moyen de nombres), on aperçoit que le calcul est un moyen de communication non linguistique extrêmement répandu, dont il est tentant de mesurer la place relative dans les publications scientifiques et techniques. A titre d'indication, le livre de P. Février-Destouches intitulé *La Structure des théories physiques* (Paris, P.U.F., 1951) contient une *Table des symboles* utilisés dans l'ouvrage : elle occupe vingt pages (p. 397-417) et mentionne 407 symboles, répartis en onze catégories typographiques, exprimant 67 familles de notions logiques, physiques et mathématiques.

L'article de T. Takabayasi, « Relativistic Hydrodynamics of the Dirac Matter », extrait du Supplément de *Progress in Theoretical Physics* (Tokyo, 1957) comporte 80 pages de texte, de format 26×18, avec une capacité de 3 360 lignes de typographie en langage ordinaire dans le corps d'imprimerie choisi. En fait, elles en contiennent seulement 1 654, contre 840 lignes exclusivement occupées par des symboles de calcul ; mais ces 840 lignes de calculs tiennent la place de 1 706 lignes de caractères typographiques ordinaires : plus de la moitié de la superficie typographique est donc occupée par des calculs exprimés en idéogrammes indépendants de la langue naturelle employée dans la communication (l'anglais) — sans compter les signes ou expressions mathématiques inclus dans les lignes de typographie en langage ordinaire.

Le même genre de comptage effectué sur vingt pages prises au hasard dans les *Principes des calculatrices numériques automatiques* de P. Naslin (Paris, Dunod, 1958), donne des résultats analogues. Ces vingt pages, de format $16,5 \times 11$, donneraient dans le corps choisi 39 lignes par page, soit 780 lignes de texte ordinaire. En fait, elles en contiennent seulement 330, environ les 3/7 de l'espace typographiquement utilisable, le reste étant occupé par des signes et des symboles mathématiques ou graphiques. Ces exemples illustrent des ordres de grandeur non rares, et ne visent qu'à mettre en évidence la part inattendue des idéogrammes indépendants des langues naturelles, dans des textes où nous ne pensons jamais à les voir.

Un pas de plus, et nous abordons les systèmes non linguistiques (et sont-ils encore *auxiliaires* du langage ordinaire ?) que les logiques symboliques ont bâtis pour leur usage, et que

Robert Blanché caractérise ainsi : « Le symbolisme n'a d'intérêt logique que dans la mesure où il est lié à la création d'une langue artificielle [...] Cette *langue,* système de signes écrits, de caractères, n'a aucun rapport avec la langue, organe de phonation. La lecture à haute voix, qui exige traduction dans une langue naturelle, en est souvent malcommode et risque toujours de trahir. C'est sur une telle *caractéristique* [13] que repose la possibilité du calcul. L'écriture d'une langue muette ne saurait être phonétique : c'est nécessairement une idéographie » [14]. Réserve faite pour l'emploi du mot *langue* dans un sens figuré, que le logicien lui-même perçoit comme inadéquat dès qu'on sort de sa valeur d'image, on est en face d'une définition claire de la logique symbolique comme système de communication non linguistique, grâce auquel tous les logiciens du monde qui connaissent la notation polonaise des idéogrammes de Russell peuvent lire, indépendamment de leur langue, le théorème suivant :

$$
\begin{array}{ll}
2.01 \quad CCpNpNp & [p \supset \bar{p}. \supset .\bar{p}] \\
1.3 & p/Np \times 1.01 = 2.02
\end{array}
$$

Avant de quitter la description de ce second groupe de procédés non linguistiques et *systématiques,* il faut encore mentionner les systèmes d'idéogrammes universels qui définissent les unités de mesure et les grandeurs scientifiques (même s'ils sont devenus des idéogrammes par une internationalisation de mots du langage ordinaire). Le plus connu de ces systèmes n'est autre que le tableau des abréviations normalisées du système métrique, qui ne contient pas moins de 67 symboles universels (arithmétique, longueurs, superficies, volumes, contenances, poids). Les systèmes d'unités physiques (MTS, CGS, MKSA) contiennent à leur tour au moins 285 symboles universels, exprimant soit des unités (au nombre de 175) soit des grandeurs (110), concernant tous les secteurs de chaque province de la physique : masse, temps, mécanique, électricité, magnétisme, calorique, optique (en tout 37 sections de notions distinctes, et d'unités correspondantes exprimées dans des symboles qui représentent les mots français suivants : hertz, sthène, newton, dyne, joule, erg, watt, bar, pièze, pascal, barye, ampère, volt, ohm, coulomb, farad, henry, weber, maxwell, gauss, thermie, calorie, frigorie, candela, nit, stilb, lumen,

---

13. Ici le mot *caractéristique* a le sens qu'il avait déjà dans la *Caractéristique universelle* de Leibniz.
14. *Introduction à la logique contemporaine,* Paris, C. A. C., 1957, p. 14-15.

bougie, phot, lux, dioptrie, var) [15]. La chimie actuelle offre un vocabulaire encore plus normalisé, de milliers de symboles combinables selon des lois systématiques rigoureuses (qui sont l'expression idéographique des lois objectives de la chimie), et dont Bruno Migliorini admire dans sa *Linguistica* la rigueur structurale en fait de nomenclature.

Ce deuxième groupe de procédés non linguistiques autorise une première observation, très importante on veut le croire : beaucoup plus que ne le laissent apparaître les ouvrages qui les mentionnent épisodiquement, ces procédés tiennent une grande place dans notre vie quotidienne au xxe siècle. Même *auxiliaires* du langage, ils ont cessé d'être marginaux.

De plus, ce sont bien des procédés *systématiques* au sens où Buyssens entend le terme : ils découpent le message en signes stables et constants. Mais il faut les entendre aussi comme des *systèmes* au sens structuraliste du terme, ce qui n'était pas tout à fait le cas pour les procédés du premier groupe. Ils sont combinables autrement que par juxtaposition pure d'idées séparées : les chiffres et les nombres, les signes et les symboles des unités et des grandeurs y constituent l'équivalent des « mots pleins » du langage ordinaire, tandis que les signes et symboles du calcul (dits *opérateurs*) y constitueraient l'équivalent des « mots vides » ; la détermination des valeurs des chiffres par position, de son côté, fait penser aussi à une syntaxe — l'ensemble de ces moyens constituant des systèmes véritablement structurés, traduisant des notions très structurées elles-mêmes, et non plus des signaux toujours isolés, même quand cn les lit à la suite, comme ceux du premier groupe.

Ce sont bien des systèmes non linguistiques également, dans la mesure où ils ne recourent qu'à la première articulation du langage ordinaire : ils se traduisent en nos langues monème par monème, jamais phonème par phonème [16], — à la différence des écritures (phonétique, sténographique, braille, morse, etc.). Chacun de leurs signes est toujours une unité de sens, et rien qu'une unité de sens : *1958, $\sqrt{2}$, $p < q$, kWh,* sont bien des *idéogrammes*, si l'on accepte de définir un idéo-

---

15. V. *Principales dispositions concernant les principes d'écriture, les unités de mesure et les symboles des grandeurs,* fascicule de documentation (FD) X N. 02.005, mai 1953, édité par l'Afnor (Association française de normalisation). 26 pages dont 8 concernant les symboles. Ce fascicule est le résumé de treize autres plus spécialisés. Il est destiné à l'enseignement jusqu'aux baccalauréats.

16. Impossible d'assimiler la décomposition des nombres en chiffres à celle des mots en phonèmes : le chiffre est déjà, toujours, une unité de sens. (Il faudrait examiner à part le cas, complexe, des numéros de téléphone, de comptes chèques postaux, de la sécurité sociale.) Voir, plus loin, p. 99, 105, 135 pour les numéros de téléphone.

gramme [17] comme un signe globalement représentatif d'une idée, qui peut être lu directement sans passer par son équivalent sous forme de mot phonique dans aucun langage parlé. La définition du *Lexique* de Marouzeau (« Signe représentatif d'une idée propre aux langages idéographiques ») n'est pas utilisable ; celle de M. Cohen dans *L'Ecriture* (« Un caractère ou un ensemble de caractères représentant une notion qui par aileurs est exprimée par un mot [phonique] unique, pouvant donc se lire dans une langue [parlée] quelconque ») lie encore la lecture de l'idéogramme à sa traduction dans une langue parlée — ce qui réintroduirait les systèmes de communication non linguistiques dans la linguistique en tant que systèmes substitutifs, en tant qu'écritures un peu particulières du langage parlé.

Cette discussion sur la définition de l'idéogramme introduit le vrai problème posé par ce deuxième groupe de systèmes non linguistiques : peut-on vraiment dire qu'ils sont non linguistiques ? Qu'ils ne sont plus des systèmes substitutifs, à la différence de ceux du premier groupe ? Peut-on dire qu'ils ont une autonomie réelle par rapport au langage parlé, c'est-à-dire qu'ils *peuvent ou pourraient* être lus sans repasser par leurs équivalents en mots des langages parlés, comme on vient de le postuler dans la définition ci-dessus proposée de l'idéogramme ? Dans l'état où se trouve la future sémiologie, la sagesse consiste à reconnaître honnêtement qu'il s'agit là d'un problème sérieux de psycholinguistique. Indiscutablement, l'idéogramme est un signe très différent du *mot* des langages parlés, d'abord parce qu'il ne connaît que la première articulation du langage parlé. De plus, si, pour chaque individu, l'idéogramme n'a pas d'autonomie réelle par rapport au mot correspondant de la langue parlée de cet individu (quand je vois l'idéogramme *5,* je lis le mot phonique *cinq*), d'un autre côté, pour l'ensemble des hommes, ce même idéogramme est autonome par rapport à tous les langages parlés : quand ils écrivent *5,* ils lisent *cinq, five, fünf, pende, khamsa,* mais leurs lecteurs enregistrent la même notion quelle que soit la forme phonique, différente de celle de l'émetteur, sous laquelle ils la lisent en la recevant. Peut-on, par conséquent, répondre *oui* à la question posée par André Martinet, de savoir s'il existe des *systèmes idéographiques parfaits,* c'est-à-dire absolument déta-

---

17. On notera que pour Champollion les signes idéographiques sont ceux qui représentent l'objet même : « signe idéographique ou idéogramme (signe d'écriture *grámma,* qui retrace la forme *idéa,* des êtres ou des choses) ».

chables de tous équivalents phoniques pour les individus qui les utilisent [18] ?

Tout ce qu'on peut dire est que ces systèmes de communication du second groupe, que nous continuerons à nommer non linguistiques (parce qu'ils ne sont fondés que sur la première articulation du langage ordinaire), posent bien le problème. La psychopédagogie des mathématiques apportera des éléments de réponse, avec le développement systématique, à l'école, de méthodes intuitives ou concrètes de calcul, lesquelles visent, à ce qu'il semble, à sauter le maillon du langage parlé quand il s'agit d'établir des rapports entre une réalité mathématique et son expression mathématique. La psychopédagogie des langues vivantes et celle du bilinguisme suggèrent aussi qu'on étudie de près l'acquisition puis la perte du vocabulaire des nombres en langues étrangères. Il est acquis très vite par tout le monde, presque indépendamment de la langue étrangère. Il résiste souvent très longtemps chez les bilingues à l'absence totale d'exercice dans la langue première. Mais il suffit aussi d'avoir enseigné pour savoir que les élèves qui lisent déjà couramment la langue étrangère butent encore sur la lecture des nombres, insérant spontanément, dans le tissu de la lecture en langue étrangère à voix haute, une lecture de nombres en français (quitte à s'arrêter, se reprendre aussitôt, non sans tâtonner). Les spécialistes distinguent donc entre bilinguisme subordonné, cas du langage appris par l'intermédiaire d'une autre langue, ou méthode indirecte (on passe de la chose *livre* au mot français *livre,* puis, de celui-ci, au mot russe *kniga*) — et bilinguisme pur, cas du langage appris sans intermédiaire d'une autre langue, ou méthode directe (on passe de la chose *livre* au mot russe *kniga* sans référence même mentale au mot français *livre*). Cette analyse suggère que le système de communication non linguistique constitué par les chiffres et les signes mathématiques pourrait être étudié dans la même lumière, et faire apparaître une étape d'acquisition par la méthode indirecte au moyen du langage parlé ; puis une étape de maîtrise, dans certains cas, sans recours au langage parlé (comme lorsqu'on atteint le stade : *penser* en langue étrangère). Ceci expliquerait ce que disent les logiciens et les mathématiciens eux-mêmes sur leur usage de ces systèmes de

---

18. « Il n'est pas difficile [...] de concevoir un système où les unités de contenu se confondraient avec celles de l'expression, et qui, par conséquent, ne connaîtraient qu'une articulation unique [...], un langage qu'on ne parlerait plus mais qu'on continuerait d'écrire au moyen d'un système idéographique parfait. » Martinet, « La double articulation linguistique », art. cit., p. 35.

communication — pleinement non linguistiques alors — sans
recours au langage parlé [19].

Seule une extension des recherches sémiologiques aura la
possibilité de vérifier si l'on passe ainsi par gradation (quant
aux systèmes eux-mêmes peut-être ; et quant à leur usage par
les individus) des systèmes de communication non linguistiques
substitutifs aux systèmes directs, établissant des rapports entre
idées et signes sans passer par le langage parlé. Ce sera le
seul moyen d'aborder et de résoudre le problème soulevé par
M. Cohen avec beaucoup de prudence quand il écrit que, « s'il
s'agit de la partie apparemment la plus haute de la mentalité,
à savoir le raisonnement, elle semble indépendante de l'expression par le langage » [20].

5

La signalisation routière aurait dû trouver place dans notre
second groupe de procédés de communication non linguistiques,
mais elle a pris une telle importance, sociologiquement parlant,
qu'on a préféré l'examiner à part. Il s'agit d'un système de
communication fait de signaux conventionnels, à dessins reconnaissables ou non, largement internationaux, d'usage quotidien
pour une grande masse des hommes du xxᵉ siècle. Un automobiliste enregistre, en moyenne, à sa droite dans le sens de
la marche, 200 à 250 signaux sur 100 kilomètres de route
départementale, 300 à 400 signaux sur 100 kilomètres de
route nationale à grand trafic, et jusqu'à 500 signaux par
100 kilomètres en y comprenant les traversées de ville : le
trafic en ville à lui seul utilise entre 800 et 1 000 signaux sur
100 kilomètres — en comptant seulement les panneaux de
signalisation du code de la route, qui ne sont pas les seuls
signaux de la circulation [21]. Le dépouillement de la plus récente
édition d'un manuel à l'usage des candidats au permis de
conduire amène à constater que l'ensemble des procédés de
communication utilisés par la circulation routière totalise au
moins 400 signaux distincts : 230 informations fournies par
les plaques minéralogiques (département, nationalité), 87 panneaux de signalisation routière à dessins reconnaissables ou
conventionnels appartenant à cinq catégories sémantiques (dan-

---

19. Voir les références données par M. Cohen, *Pour une sociologie
du langage,* Paris, Albin Michel, 1956, p. 50 et surtout 58-59, note 4.
Voir aussi Robert Blanché, *Introduction à la logique contemporaine,
op. cit.,* p. 135, note 1.
20. « Faits linguistiques et faits de pensée », *Journal de psychologie,*
1947, p. 400.
21. Comptages effectués en 1958.

ger, stop, interdiction, obligation, stationnement), plus 25 ou 30 signaux par feux (rouges, verts, orange, clignotants de direction, freinage, marche arrière, déboîtage, position nocturne, gabarit, convois exceptionnels), plus une vingtaine de signaux distincts constitués par les voies matérialisées (passages cloutés, bandes jaunes continues ou non, cérames jaunes ou rouges de non-stationnement), plus cinq signaux concernant la nature du transport, sans compter les panneaux dits de localisation, et d'orientation concernant l'itinéraire ; sans compter non plus les signaux optiques susceptibles d'être donnés à bras par les agents de la circulation fixes ou roulants, ni les avertisseurs sonores (qui n'ont pas été utilisés pour donner naissance à des signaux *codés,* pour d'évidentes raisons) [22]. Un conducteur sur route est en communication constante avec tout un réseau d'inter-informations constitué par sa route et ceux qui s'y déplacent dans les deux sens, au moins autant que le radiotélégraphiste d'un avion, auquel on ne penserait jamais à le comparer.

La signalisation routière est donc un système non linguistique riche et complexe, véritablement systématique par le classement des différents signaux en catégories. C'est un système de communication non linguistique, indiscutablement par le fait que tous ses signaux n'utilisent que la première articulation du langage, et sont des unités de sens. Et sans doute également par le fait qu'il permettra d'étudier, lui aussi, des cas où la liaison entre sens et signal est directe, et non substitutive. Il s'agit en effet de signaux destinés à créer des réflexes moteurs qui n'ont pas intérêt à se trouver retardés par un passage en traduction même mentale dans la langue parlée. L'expérience des auto-écoles tendrait à montrer que les esprits « à tournure intellectuelle » (ceux qui cherchent toujours à faire leur apprentissage au moyen du langage parlé) sont avantagés dans la partie de l'examen qui consiste en interrogations orales sur le code, où la traduction des signes routiers en langage ordinaire est l'aptitude fondamentale ; mais désavantagés (au début) dans les réactions de conduite, ralenties par un recours obstiné à la retraduction linguistique des signaux du code. Le système non linguistique constitué par la signalisation routière doit donc connaître, lui aussi, variable avec les individus, une étape d'acquisition indirecte au moyen du langage parlé (système substitutif), avant d'être un système direct de communication non linguistique reliant les stimuli aux réactions sans passer par le langage parlé.

---

22. Voir plus loin, p. 155, « Une analyse sémiologique du code de la route ».

6

Mais l'homme moderne a multiplié et perfectionné des moyens de communication fondés sur des systèmes moins visibles, parce que les signaux qu'ils nous transmettent et les choses qu'ils nous disent ne correspondent plus avec l'extension de notre notion du mot *signal* et du mot *dire*. Il est besoin d'un moment de réflexion pour apercevoir que toute cartographie est un système de communication non linguistique : les cartes géologiques, les cartes météorologiques sont lues grâce au code universel de conventions graphiques qui permet de traduire en propositions ou notions les indications qu'elles portent. Comme la *lecture* des cartes d'état-major est rigoureusement codifiée dans les légendes qui les accompagnent (et qui en constituent à la fois le vocabulaire et la grammaire), les cartes routières offrent un système d'idéogrammes que tout le monde aujourd'hui lit couramment. Le tracé cartographique proprement dit contient à la fois des catégories topographiques (rivières, reliefs, forêts, agglomérations, rivages, etc.) et des indications relationnelles qu'on pourrait appeler des équivalents de syntagmes (situations réciproques, distances, orientations, directions). Toute *échelle* est déjà de soi-même un opérateur logique idéographique. Sur ce tracé, les signes, idéogrammes à dessins reconnaissables ou conventionnels, ajoutent d'autres catégories de monèmes. La carte Michelin comporte une légende de 73 signes distincts (dont le quart est constitué d'idéogrammes à dessins très schématiques, et le reste de signes arbitraires utilisant des formes et quatre couleurs). Une partie de ces symboles est franchement internationale. Il faut donc prendre conscience que la consultation d'une carte routière est la lecture d'un véritable texte, qu'un orienteur entraîné peut traduire et traduit en fait à haute voix, pour le conducteur, en langage ordinaire ; tandis qu'on peut se demander si la lecture muette d'une carte est toujours un système de communication substitutif du langage parlé, ou bien s'il n'y a pas là aussi, pour des lecteurs intuitifs exercés, véritable système de communication non linguistique direct.

Des cartes, on passe aux plans de tous ordres : ce sont également de longs textes idéographiques, qui véhiculent des centaines et des milliers d'informations (très structurées), lues et déchiffrées comme des pages de langage ordinaire. Ces systèmes de communication non linguistiques ont pris une extension considérable avec l'âge industriel, et l'on peut affirmer que toutes les provinces de la technique ont à leur disposition un système idéographique complet, souvent universel (l'arbre généalogique au sens propre du mot, le blason [23], furent des ancêtres de ces systèmes). Guilbaud souligne, après Buyssens, que les schémas de montage et d'assemblage sont des systèmes de communication non linguistiques (il dit : de symbolisation graphique) largement popularisés par l'électrotechnique et la radio [24]. Mais il faut ajouter tout le dessin industriel, surtout sous ses formes normalisées, tous les calques, tous les *bleus,* qui sont lus partout, quels que soient le pays et la langue d'origine : toute la documentation technique concernant les véhicules et les moteurs, par exemple. En Afrique française, une station de tracteurs agricoles où seul le mécanicien-chef est français dépanne couramment des tracteurs Allys-Chalmers, américains, sur la lecture de schémas dont les rares indications en langage ordinaire sont en anglais, du niveau d'une classe de cinquième (qui ne sont pas lues généralement par les ouvriers). Le cas n'est pas rare en France d'un chantier naval achetant en Norvège un lot complet de plans et schémas pour la construction d'un pétrolier livrable à la Chine (et les fautes de lecture sont relativement rares : un exemple, à ma connaissance, est celui d'un atelier, disons de tôlerie, qui avait lu toutes les cotes du dessin norvégien, chiffrées en *yards,* comme des mètres). Il suffit de nommer côte à côte les diagrammes, les organigrammes, les sociogrammes, pour suggérer la prolifération croissante de ces systèmes non linguistiques dans les disciplines les plus éloignées des mathématiques pures et appliquées où ils sont nés [25].

Avant de quitter ce domaine, il est nécessaire de signaler que l'école développe de plus en plus l'apprentissage et l'utilisation de ces systèmes de communication non linguistiques : il suffit de comparer la place faite aux schémas d'expériences dans un manuel de physique ou de chimie, la place faite aux diagrammes économiques et démographiques dans un livre d'histoire ou de géographie, il y a un siècle et de nos jours. Dans l'*Atlas universel et classique de géographie etc.* de Drioux et Leroy, édité chez Belin en 1887, il n'y avait qu'un seul diagramme (superficies comparées) pour 94 cartes 22×32 ; dans l'*Atlas* qui sert de complément au *Nouveau dictionnaire encyclopédique* en 6 volumes de J. Trousset

---

23. Voir plus loin, p. 103 : « Sémiologie et linguistique, l'exemple du blason ».
24. *La Cybernétique,* Paris, P. U. F., 1957, p. 18. Pour le dessin industriel et ses signes conventionnels normalisés en général, voir M. Norbert, *Cours de dessin industriel,* etc., 3ᵉ partie, t. I, Uzès, Editions de la Capitelle, s. d. (1956).
25. Voir plus loin, p. 226, la remarquable description qu'a donnée Jacques Bertin, quelques années plus tard, de cette sémiologie graphique.

(1897), pour 105 cartes 16×24 et 8 cartes doubles, il n'y avait pas un seul schéma ou diagramme. En regard, l'*Atlas classique* Gallouédec et Maurette, édité par Hachette (tirage de 1933-34), offre 202 graphiques, schémas ou diagrammes, pour 96 cartes 18×24 ; sans compter l'utilisation, nouvelle, de cartons schématiques pour visualiser des notions nouvelles en géographie (densités, répartition des races, langues, religions, productions, températures, pluies, géologie, débits des voies de communication, superficies comparées par surimpression, zones de végétation naturelle). Il faut cette description détaillée pour comprendre l'intérêt des quelques recherches de G. Maugé sur « La représentation du mouvement et la schématisation »[26]. Etudiant des représentations graphiques de mouvements par des sujets de quatre à plus de vingt ans, non scolarisés, d'âge scolaire primaire, secondaire, supérieur, intellectuels spécialisés (médecins, juristes, philosophes, mathématiciens, linguistes, etc.), il aboutit à constater : d'abord que la prédominance des représentations schématiques croît avec l'allongement de la formation scolaire et intellectuelle ; puis, qu'il y a nette influence du type d'études (et de manuels utilisés) sur le genre de présentations graphiques employées par le sujet. Sans doute apporte-t-il ainsi, de manière indirecte, et sans l'avoir du tout voulu, l'une des premières tentatives de mise en évidence de la place des moyens de communication non linguistiques dans la pensée de l'homme moderne.

Ces systèmes de communication non linguistiques, constitués par les cartes, plans, diagrammes et schémas de toute sorte, pourquoi les avoir décrits comme un troisième groupe distinct ?

Ce sont bien des systèmes non linguistiques en ce sens que nous n'y découvrons toujours que la première articulation du langage parlé : chaque fragment de tracé sur une carte Michelin (la largeur du trait jaune de la route, qui augmente par bonds de façon discrète ; et la ligne bleue des rivières qui ne présente pas ce caractère) ; chaque signe (trois chevrons pour une côte entre 10 et 16 % de pente) ; ou la hachure conventionnelle indiquant le bronze dans la coupe d'une machine-outil, — sont toujours des unités de signification. L'analyse du trait dans le dessin industriel ne fait jamais apparaître quelque chose qui serait analogue à la deuxième articulation en unités distinctives non signifiantes telles que les

26. *Journal de Psychologie*, IV-VI-1955, p. 243-252. Voir aussi P. Guillaume, « La Compréhension des dessins », *ibid.*, VII-IX-1953, p. 278-298.

phonèmes : les différences de traits, verticaux, horizontaux, obliques, plus ou moins épais, les différents pointillés et traitillés, ne sont pas des espèces de « phonèmes » graphiques [27] : ils ont toujours un *sens* conventionnel, (et non pas une valeur distinctive privée de sens) [28].

Ce troisième groupe est bien composé de *systèmes* (de Buyssens) en ce sens que les signes et tracés traduisent d'une manière stable et constante des unités de sens (cimetière, passage sous niveau, route pittoresque ; ou bien : prise de courant, triphasé, pas-de-vis, etc.). Ce sont des systèmes au sens structuraliste aussi, parce que ces mêmes signes sont combinables selon des règles relationnelles, exprimées par les échelles et les conventions graphiques (exemple : une silhouette d'un centimètre exprime un million d'habitants).

Si l'on constitue ces systèmes en un troisième groupe distinct, c'est parce qu'ils présentent un caractère entièrement nouveau par rapport aux groupes précédents. La linguistique structurale avait mis en évidence l'importance du fait que le langage est une succession de signes *lus dans le temps*. C'est ce que traduisaient les expressions saussuriennes *chaîne acoustique, chaîne parlée, caractère* linéaire *du signifiant*. La conséquence de ce fait, c'est que le fonctionnement du langage est indissolublement lié au temps — que l'émission et l'audition d'un message, la lecture d'un texte, ne peuvent se faire que sur la trame du temps. C'est la succession dans le temps qui constitue l'indispensable *portée* sur laquelle vient s'inscrire la double articulation linguistique — le fait que, par exemple : *le bouta hors,* et *hors le tabou* sont compris comme deux textes différents, par la succession différente des syllabes et des monèmes. Or le troisième groupe de systèmes non linguistiques n'offre plus ce trait. La lecture des cartes, plans, graphiques et diagrammes de tous ordres est une lecture qui se fait *sur la trame de l'espace ;* une lecture dont l'ordre des signes dans le temps n'est plus la clé systématique. Ce qui compte pour lire ces documents qui (à la différence de ceux du langage) sont perçus globalement dès le premier coup d'œil, c'est une analyse d'éléments d'espace [29], de relations

---

27. Voir plus loin, p. 135, « Quelques observations sur la notion d'articulation en sémiologie ».

28. Sur les symboles du dessin industriel normalisé — plus de 150 pour les traits, hachures, cotes, signes de façonnage, de boulonnerie, de visserie, de tuyauterie, de soudure, de rivetage —, voir P. Poignon, *Les Documents du dessinateur,* Sarreguemines, M. Pierron éd., 1948.

29. Même si un ordre de lecture lié au temps se révèle privilégié, parce que lié à la logique propre à l'objet du document : par exemple, un schéma numérote l'ordre des opérations de montage des pièces d'un poste de radio.

à l'abscisse, à l'ordonnée, à des directions privilégiées, de relations entre positions des signes dans l'espace graphique. (En un certain sens imagé, ces textes sont lus comme le poème de Mallarmé *Jamais un coup de dés* ou les *Calligrammes* d'Apollinaire, dans le cas où nous en déchiffrerions la signification non par le langage parlé qu'ils utilisent, mais seulement par la configuration typographique qu'ils ont tenté d'employer comme moyen de communication poétique non linguistique). Il s'agit là probablement d'une ligne de séparation qui sera capitale dans une sémiologie générale.

7

Pour être complet, notre panorama doit encore étudier les utilisations modernes de l'image « artistique » comme moyen de communication non linguistique. Laissons de côté les arts graphiques eux-mêmes, dont il n'est pas dit qu'il serait oiseux de les analyser comme procédés de communication non linguistique (et nous le faisons quand il s'agit d'une œuvre d'art ayant pour nous surtout valeur de document : comme Elyane Métais quand elle écrit son « Etude comparative d'expressions graphiques d'*étendues concrètes* canaques »)[30].

Laissons également de côté les rébus et les dessins sans légendes qui sont des jeux de mots idéographiques bien connus, d'intérêt purement anecdotique. Il reste toute l'*illustration*. Ce mot, dans la culture actuelle — résultat de l'histoire bi-millénaire d'une technique du dessin associé à l'écriture — n'a presque plus jamais vraiment de sens didactique et pédagogique : il offre presque toujours un sens à dominante esthétique. Une illustration, pour nous, décore un livre : elle ne véhicule pas essentiellement des informations (les anecdotes sur les illustrateurs qui n'ont pas lu ou pas suivi le texte, ou l'ont violé, sont infinies). Tout au plus admettons-nous que l'illustration dans les livres scolaires ou techniques *complète* le texte. Or, il suffit de prendre ce recueil de 6200 gravures que constitue le *Petit Larousse illustré* (de l'édition 1924) pour apercevoir assez vite que l'image y tient une place fonctionnelle plus importante souvent que notre définition courante du mot *illustration* ne le laisse penser. Si cette publication peut supporter les critiques justifiées que reçoivent de toutes parts ses définitions en langage ordinaire (par exemple, celles du *guépard,* du *léopard* et du *lynx,* de la *panthère* et du *serval :* on pourrait en citer mille

---

30. *Cahiers internationaux de sociologie,* 15 (1953), p. 115-131.

autres séries), c'est parce que, pour le lecteur, dans ces cas-là, la véritable définition, c'est le dessin. Le *Catalogue-album* de la Manufacture française d'armes et cycles de Saint-Etienne, avec ses 25 000 gravures (en 596 pages), constitue également un instrument conçu pour fonctionner presque sans l'aide de la langue dans laquelle il est rédigé (comme le montre son extraordinaire diffusion dans l'Afrique Noire analphabète, par exemple).

Mais cette utilisation de l'image comme procédé de communication non linguistique mérite aussi d'être étudiée dans le domaine immense de la publicité proprement dite. Le mot *publicité* lui-même, depuis cinquante ans, recouvre déjà des images de caractère assez différent, qui sont déjà les moments d'une histoire. Une collection d'un bon affichiste comme celle de Mauzan permet de constater l'évolution sensible : tout se passe comme si la publicité d'abord avait essayé d'utiliser l'intérêt *artistique* des images pour attirer l'attention, et conçu l'affiche comme une œuvre d'art faite par un artiste, au service d'une marchandise. Les affiches de cette première époque (Capiello, Mauzan) [31] sont caractérisées par la recherche esthétique (de qualité très variable) au service d'une psychologie rudimentaire de la vente. L'affiche, au fond, devait attirer l'attention comme une œuvre d'art attire l'attention. Le progrès de la psychologie de la publicité conduit à cette conception très différente, de plus en plus idéographique ou pictographique : que l'image publicitaire doit être une *information*. Pour illustrer cette évolution, il suffit de regarder les murs, et de compter le nombre des affiches centrées sur la reproduction très fidèle de la marchandise : tous les détergents, les savons, les appareils de chauffage, les produits alimentaires, etc. centrent leurs affiches sur l'image typique, grossie, toujours très reconnaissable, soit de leur produit, soit de l'emballage typique (forme et couleur) de leur produit. Le texte est presque éliminé des grandes images ; il est remplacé par de véritables pictogrammes (le four électrique avec son rôti tout chaud, le plat de spaghetti fumant, le bœuf qui tient dans sa gueule une dernière goulée de légumes illustrant la composition du pot-au-feu tant célébré).

Les prospectus et dépliants variés démontrent peut-être encore mieux cette utilisation de l'image, par la publicité, comme procédé de communication non linguistique. Ainsi deux prospectus édités en français par deux marques inter-

---

31. Voir le catalogue, noir et couleurs, d'A. Lancellotti, *Mauzan, affiches, œuvres diverses,* Milan-Rome, Tumminelli, s. d. Voir aussi Lo Duca, *L'Affiche,* P.U.F., 1951.

nationales de réfrigérateurs. L'un consiste en un dépliant formant quatre pages 25×38. Les deux pages intérieures offrent une surface de 1 900 cm², dont 460 cm² sont occupés par sept photos représentant des appareils, trois photos de détails, un schéma. Le texte, en regard, n'occupe que 142 cm², dont 78 pour le texte proprement dit, 64 pour les titres. Et ce texte (dans une surface de prospectus égale à huit pages de roman 12×18) ne compte que 272 mots, c'est-à-dire la valeur d'une page. Le second prospectus est un feuillet donnant deux pages 30×46, occupées par neuf photos d'appareils ouverts, photos qui prennent une surface de 1 160 cm² sur 2 760. Le texte du verso consiste en sept phrases, totalisant 122 mots seulement, l'équivalent de dix lignes dactylographiées. Le recto comporte 144 mots de texte non rédigé, n'utilisant que 17 termes différents (aménagée, brut, capacité, clayette, contre-porte, dosseret, dimensions, équipé, *freezer,* glace, *givrator, hydrator,* libres, roulantes, *table-top,* tiroir, utile). Par contre la mise en scène photographiée de chaque appareil ouvert fournit des renseignements qui répondent à des centaines de questions (longueurs, largeurs, profondeurs, compartimentages, supports, utilisations des casiers, contenances concrètement définies grâce à l'utilisation de 88 objets distincts, photographiés en couleurs, dans les diverses parties des appareils ouverts). L'acheteur éventuel peut répondre, sur le vu d'une de ces photos dont la mise en scène est conçue de façon scientifiquement didactique, à des questions aussi diverses que celles-ci : le casier à bouteilles inférieur est-il assez haut pour recevoir un flacon de vin d'Alsace ? Est-il assez large pour une bouteille de champagne ? Combien de sodas peuvent tenir sur le casier moyen de la contre-porte ? Peut-on loger quatre kilogrammes de fruits sur la clayette inférieure ? Peut-on mettre le lait sur la clayette supérieure ? Un plat à rôtir avec son rôti tient-il sous le givrator ? Comment fonctionne le casier à œufs ? etc. Il s'agit en réalité de la photo consciemment utilisée comme un croquis, fournissant autant d'informations qu'un croquis : comme un pictogramme très complexe, mais très parlant[32].

Ce quatrième groupe de procédés appellerait les mêmes remarques que les précédents quant à son caractère non linguistique. Mais, au contraire des précédents, il illustrerait bien ce que Buyssens (ou les structuralistes) appellent un procédé de communication *a-systématique* : les messages n'en sont pas décomposables en signes stables, constants dans les messages du même ordre : ce sont bien des pictogrammes.

32. Voir aussi Lo Duca, *L'Affiche, op. cit.,* p. 59 et 92.

au sens de ce mot chez Istrine. Enfin, comme les procédés du troisième groupe cette fois, ils se lisent aussi, non pas sur la trame du temps, mais sur celle de l'espace, c'est-à-dire dans un ordre déterminé par la position des détails dans l'espace typographique — et non suivant l'ordre, inexistant, de leur énoncé dans le temps.

8

Les notes qui précèdent n'ont pas la prétention de révolutionner quoi que ce soit dans le domaine de la linguistique. Notamment sur le problème des rapports entre la langue et la pensée, on peut toujours souscrire à la thèse, classique en psycho-linguistique, que « l'idée chère à bien des gens, qu'ils peuvent penser et même raisonner sans langage, est une illusion »[33]. On peut toujours souscrire aussi à cette autre thèse, implicite en linguistique générale, que les procédés de communication non linguistiques ont été des moyens de communication rudimentaires, et très insuffisants, toujours des moyens *auxiliaires ;* et que le langage parlé reste de loin la forme essentielle de communication entre les hommes (la parole, comme l'avait dit Molière, étant « le plus intelligible de tous les signes ») et celle qui a joué le rôle historiquement fondamental dans le développement de la pensée. Benveniste indique à cet égard un véritable programme de travail à réaliser quand on voudra bien marquer les limitations des procédés de communication non linguistiques, par rapport à la linguistique, lorsqu'il énumère — dans son article de *Diogène* sur le langage des abeilles — les caractères de ce code de signaux qui le différencient de nos langues, « la fixité du contenu, l'invariabilité du message, le rapport à une seule situation, la nature indécomposable de l'énoncé, sa transmission unilatérale ».

Il n'est donc pas question d'opposer (ne serait-ce que philosophiquement) la sémiologie à la linguistique. Il est simplement raisonnable aujourd'hui de ne pas oublier, comme nous l'enseigne l'épistémologie génétique, que les catégories de la pensée et les fonctions mentales, elles aussi, ont une histoire ; et que les moyens de communication non linguistiques, qui ont pris un grand développement dans notre civilisation actuelle, s'intégreront de plus en plus dans cette histoire[34].

(1958)

33. E. Sapir, *Le Langage,* Paris, Payot, 1953, p. 22.
34. Cet article, écrit en 1958, a été publié dans le *Bulletin de la société de linguistique de Paris,* tome 54, fasc. 1, 1959, p. 176-200.

communication linguistique humaine
et communication non linguistique animale

1

Pendant longtemps, le mot *langue* et le mot *langage* ont, empiriquement, désigné tous les moyens employés pour communiquer, gestes, dessins, signes vocaux, codes de signaux de toutes sortes.

Malgré Ferdinand de Saussure écrivant qu'une science ne peut vraiment se donner ses méthodes que lorsqu'elle a clairement défini, c'est-à-dire délimité, son objet, pendant longtemps encore les traités de linguistique ou bien ne définissent pas la langue, estimant que la notion va de soi (comme Jespersen), ou bien donnent des définitions très lâches qui ne cadrent plus avec la pratique linguistique actuelle. C'est le cas pour celle de Sapir : « Le langage est un moyen de communication purement humain et non instinctif pour les idées, les émotions et les désirs, par l'intermédiaire d'un système de symboles sciemment créés »[1]. C'est le cas pour ce qu'on peut considérer comme étant celle de Bloomfield : s étant un stimulus non linguistique, R une réaction non linguistique, *r* la réaction linguistique au stimulus s chez le locuteur, et *s* la réaction linguistique de l'auditeur à *r*, Bloomfield dit que « le langage permet à une personne [l'auditeur] de produire la réaction R quand une autre personne [le locuteur] éprouve le stimulus s »[2]. Ces deux définitions couvrent aussi bien les faits de langue proprement dits que le système de stimuli employés par les Ponts et chaussées pour que les automobilistes réagissent aux feux rouges, orange et verts. C'est le même cas pour celle de Saussure : « Une langue, c'est-à-dire un système de signes distincts correspondant à des idées distinctes »[3]. (Bien qu'il ait, sans doute le premier,

---

1. *Le Langage, op. cit.,* p. 16.
2. *Language,* Londres, Henderson and Spalding, 1955, p. 25, trad. f^se. *Le Langage,* Paris, Payot, 1970.
3. *Cours de linguistique générale,* Paris, Payot, 1916, p. 26-27

proposé de séparer soigneusement la linguistique, étude des langues humaines au sens ordinaire du mot, de la *sémiologie,* étude de tous les systèmes de signes linguistiques ou non linguistiques, Saussure hésite toujours à réserver le mot *langue* au langage articulé.) H. O. Coleman était logique avec l'usage établi de toute une époque quand il enregistrait encore en 1938, dans l'*Encyclopaedia Britannica,* l'idée « qu'une langue est un système servant à faire tout signal requis » et quand il en déduisait que la philosophie souffre d'une illusion tenace, celle selon laquelle « le langage est nécessairement la parole » [5] (terme sous lequel il entend le langage articulé).

2

C'est donc assez récemment que les linguistes ont éprouvé le besoin de redéfinir avec plus de précision l'objet de leur science. C'est la démarche, par exemple, adoptée systématiquement par André Martinet. « La linguistique, écrit-il, est traditionnellement présentée, sinon définie, comme la science du langage. Reste à savoir, naturellement, ce qu'on entend par langage. » Il pose aussitôt que « dans le parler ordinaire le langage désigne proprement la faculté qu'ont les hommes de s'entendre au moyen de signes vocaux » [6]. Pour lui, « ce langage humain qui se réalise sous la forme de langues diverses est bien l'objet exclusif des recherches proprement linguistiques ».

Il en découle que la tâche de la linguistique est de « déterminer les traits qui caractérisent le langage humain en l'opposant à toute autre forme de communication que le linguiste en tant que tel ne se reconnaît pas la compétence d'observer et de décrire » [7]. C'est ainsi que, parlant de l'arbitraire du signe, André Martinet poursuit : « Est-ce à dire toutefois que nous ayons intérêt à appeler *langue* n'importe quel système de signes arbitraires ? Il n'est pas douteux que les lumières de couleurs diverses qui règlent la circulation forment un système de signes arbitraires au sens saussurien du terme. Or l'examen d'un tel système peut faire partie de l'ensemble de recherches sémiologiques, mais il n'a rien à voir avec la linguistique » [8].

Martinet souligne donc « qu'il reste normal d'inclure la mention du caractère phonique de l'expression dans la défi-

5. *Supplément,* 1938, p. 379.
6. « La double articulation linguistique », *art. cit.,* p. 30.
7. *Ibid.,* p. 30 et 31

nition du langage » [9]. Et le mot *langue* indiquera seulement des systèmes de communication fondés sur l'emploi de signes phoniques, oraux, ou vocaux, comme on les nomme le plus généralement. Ce sera toujours la signification de l'expression *langage parlé,* même quand on considère le langage parlé sous sa forme écrite, l'écriture n'étant qu'un second code, pour traduire le langage originellement parlé sous une forme visuelle qui n'a pas d'autonomie réelle par rapport à la forme phonique. Ce sera toujours la signification de l'expression *langage articulé,* sur laquelle il faut s'arrêter un moment.

Le mot *langage articulé* mérite en effet, comme aime à le dire Martinet, d'être regardé de très près dans son origine et son histoire, ainsi que dans ses emplois. L'expression, née avant toute analyse scientifique du langage, apparaît comme désignant des sons stables et constants produits par la voix humaine de telle sorte qu'on y reconnaît des signes ou mots distincts, par opposition aux cris *inarticulés* qu'émettent les animaux, les enfants avant la parole, les malades, les fous, les monstres. Pour nous tous, aujourd'hui, *langage articulé* n'est plus un tour imagé, l'expression ne signifie rien d'autre que langage oral, ou vocal, ou parlé, c'est-à-dire originellement né de signes produits par la voix.

Mais, à cette vieille expression vidée de tout sens imagé, l'analyse scientifique récente a rendu deux sens au lieu d'un. « Le langage humain peut être décrit comme doublement articulé — articulé tout d'abord sur les deux plans du contenu et de l'expression, puis de nouveau sur celui de l'expression seulement » [8]. « Une première articulation s'ordonne en unités minima à deux faces (les *morphèmes* de la plupart des structuralistes), une seconde en unités successives minima de fonction uniquement distinctive (les phonèmes) » [8].

Tirant immédiatement les conclusions théoriques qui découlent de ces vues aujourd'hui acceptées universellement dans la pratique de l'analyse des langues, sinon dans la terminologie commune, Martinet continue : « Présentée comme un trait que l'observation révèle dans les langues au sens ordinaire du terme, la double articulation fait [...] aisément figure de truisme. Ce n'est guère que lorsqu'on prétend l'imposer comme critère de ce qui est langue ou non-langue que l'interlocuteur prend conscience de la gravité du problème. Et pourtant, s'il est évident que toutes les langues qu'étudie en fait le linguiste s'articulent bien à deux reprises, pourquoi hésiter à réserver

8. *Ibid.,* p. 32, 37, 33.
9. A. Martinet, « Arbitraire linguistique et double articulation », *art. cit.,* p. 108.

le terme de langue à des objets qui présentent cette caractéristique ? Regrette-t-on d'exclure ainsi de la linguistique les
systèmes de communication qui articulent bien les messages en
unités successives, mais ne soumettent pas ces unités elles-
mêmes à une articulation supplémentaire ? Le désir de faire
entrer la linguistique dans le cadre plus vaste d'une sémiologie
générale est certes légitime, mais en perdra-t-on rien à bien
marquer, dès l'abord, ce qui fait, parmi les systèmes de signes,
l'originalité des langues au sens le plus ordinaire, le plus banal
du terme ? » [10]. *Nous trouvons ici, enfin, la claire séparation,
fondée sur la nature des choses étudiées, qui passe entre les
langues et les moyens de communication non linguistiques, et
qui, par conséquent, doit aussi passer entre linguistique et
sémiologie.*

Cette définition plus rigoureuse des mots *langue* et *langage*
élimine beaucoup d'usages anciens de ces deux termes. Cette
élimination ne se fait plus sur une base arbitraire, la volonté
de séparer le domaine de la communication humaine de celui
de la communication animale *a priori,* par exemple ; ou la
volonté de séparer les systèmes de communication qui utilisent
la voix, d'avec tous les autres qui ne l'utilisent pas, sans savoir
si cette différence extérieure (système de signes vocaux d'une
part, de signes non vocaux d'autre part) ne dissimulerait pas
une parenté plus profonde de tous ces systèmes de communication entre eux. C'est, répétons-le, la nature des choses
étudiées qui fournit enfin la séparation. Tant qu'on n'avait pas
aperçu la *double articulation* des langues humaines, ou tant
qu'on n'avait pas saisi toute sa signification, il était naturel de
parler du « langage » des abeilles aussi bien que du langage
des hommes : les définitions de Sapir, ou de Saussure, ou de
Bloomfield, ont reflété le niveau que la connaissance des langues atteignait à leur époque.

Aujourd'hui, il est naturel que notre connaissance enrichie
se reflète dans une terminologie plus nuancée. « Le langage
qu'étudie le linguiste, écrit maintenant Martinet, c'est celui de
l'homme. On pourrait s'abstenir de le préciser, car les autres
emplois que l'on fait du mot *langage* sont presque toujours
métaphoriques : le *langage des animaux* est une invention des
fabulistes ; le *langage des fourmis* représente une hypothèse
plutôt qu'une donnée de l'observation ; le *langage des fleurs*
est un code comme bien d'autres » [11]. De la même manière,

---

10. *Ibid.,* p. 109.
11. A. Martinet, *Linguistique générale.* Cours polycopié de la F.G.E.L.,
Paris, année 1958-1959, fasc. I, p. 1 (1re éd., A. Colin 1960, p. 10,
sous le titre : *Eléments de linguistique générale*).

Benveniste, étudiant les problèmes posés par l'ouvrage de Karl von Frisch sur les abeilles, intitule son article : « Communication animale et langage humain » — l'opposition des deux substantifs et des deux adjectifs étant voulue, car dit-il, « appliquée au monde animal, la notion de langage n'a cours que par un abus de termes » [12].

3

Nous nous proposerons maintenant de nous référer à ce dernier texte, parce qu'il veut « marquer brièvement en quoi la danse des abeilles est ou [...] n'est pas un langage » [13], afin d'analyser les résultats d'une recherche récente sur les moyens de communication chez les corvidés [14].

L'auteur, Philippe Gramet, de l'Institut national de la recherche agronomique, s'est proposé d'étudier, et d'enregistrer les «fonctions de la voix » (p. 49) chez les corbeaux (soit enregistrements directs, en pleine nature, soit enregistrements faits en studio sur des bêtes capturées — pour obtenir des cris de détresse par exemple), afin d'utiliser ces enregistrements par la suite comme moyens d'effarouchement acoustique, c'est-à-dire comme moyens de protection des cultures dans les territoires infestés de corbeaux. L'auteur, qui n'ignore peut-être pas les réserves des linguistes actuels à l'égard d'un emploi trop lâche du mot *langage,* évite de parler d'un « langage des corbeaux ». Mais, à propos des « fonctions de la voix » chez les corbeaux, il parle de *message,* de *vocabulaire,* et de *contenu sémantique.*

4

L'étude de Benveniste arrivait à la conclusion que, chez les abeilles, il y avait bien communication : production, d'une part, et compréhension de l'autre, d'un véritable message — sur la base de deux signes distincts, véritables bien que rudimentaires, l'un signifiant la distance, et l'autre l'orientation du gisement de miel.

Les expériences de Philippe Gramet mettent en évidence également, chez les corbeaux, l'existence d'un processus de

---

12. *Art. cit.,* p. 1.
13. *Ibid.,* p. 5.
14. « Recherches acoustiques sur les corbeaux », dans *La Nature,* février 1959, p. 49-55.

communication, par une méthode typiquement bloomfieldienne
Etant admis, comme le propose Bloomfield, que la signification
d'un énoncé, c'est « la situation dans laquelle un locuteur émet
cet énoncé, ainsi que le comportement-réponse que cet énoncé
tire de l'auditeur » [15], on vérifie que la récurrence de certains
énoncés distincts (ici, des cris différenciés de corbeaux) correspond toujours à la récurrence des mêmes *comportements-
réponses* de la part du groupe ainsi alerté.

Si l'on tient compte ici des analyses de Buyssens concernant
l'acte de communication [16], reste à considérer si ces cris des
corbeaux-sentinelles et les comportements-réponses du groupe
sont un fait de communication vrai : s'il y a réflexe behaviouriste pur (cri-envol, comme : brûlure au doigt-rétraction mus-
culaire brusque du bras), ou bien *signe* conventionnel, « expres
sion de la collaboration sociale » [16].

Les expériences répondent qu'il y a signe :

a) D'abord parce que : « Des émissions même de forte puissance réalisées à l'aide d'enregistrements des bruits les plus
divers ne troublent pas les corbeaux, ce qui tend à prouver
qu'un bruit sans contenu sémantique n'a pas de valeur de
signal » (Gramet, p. 54).

b) Ensuite, parce que : « Il a été possible d'attribuer à ces
divers signaux plusieurs comportements caractéristiques, chacun d'eux étant lié à un type précis d'enregistrement et n'appa-
raissant que dans ce cas-là » (Gramet, p. 54).

Donc, chez les corbeaux, comme chez les abeilles, il semble
bien qu'il y ait message, et communication : comme la danse
des abeilles, les cris des corbeaux prendront place dans une
sémiologie générale, ou science des systèmes de signaux.

5

Mais Benveniste marque six aspects de la communication
chez les abeilles, qui la distinguent du langage humain.

a) « Le message des abeilles consiste entièrement dans la
danse, sans intervention d'un appareil *vocal,* alors qu'il n'y a
pas de langage sans voix » (article cité, p. 60).

La communication chez les corbeaux n'appelle pas cette
objection puisqu'il y a là, comme chez les hommes, une « fonction de la voix ».

---

15. L. Bloomfield, *Language, op. cit.,* p. 139.
16. Dans *Les Langages et le discours, op. cit.,* ch. II. A, 8 à 12.

b) « Le message d'une abeille n'appelle aucune réponse de l'entourage, sinon une certaine conduite qui n'est pas une réponse » (article cité, p. 6).

Rien, dans l'article de Gramet, n'indique qu'on ait enregistré chez les corbeaux des réponses vocales spécifiques.

c) « Le message d'une abeille ne peut être reproduit par une autre qui n'aurait pas vu elle-même les choses que la première annonce » (p. 6). « L'abeille ne construit pas de message à partir d'un autre message » (p. 6).

C'est un trait différent du précédent, qui s'oppose à la possibilité pour le langage humain d'être un système de communication *relayée,* selon le terme de Bloomfield [17]. Rien, ici encore, dans l'article de Gramet, n'indique l'existence chez les corbeaux de communications relayées.

d) « Le contenu du message [...] se rapporte toujours et seulement à une seule donnée » (Benveniste, p. 7). (En fait, il y a plutôt deux données distinctes ; orientation, distance.) Chez les corbeaux, nous trouvons au contraire un nombre plus élevé de données distinctes. Gramet parle du « vocabulaire très précis » des espèces sociales chez les oiseaux : chez les corbeaux, par exemple, ce vocabulaire « précise à quelle espèce appartient l'oiseau repéré, et renseigne donc simultanément sur le mode d'attaque qui est à redouter. Les *sentinelles* apprécient de plus l'importance ou l'imminence du danger. Elles communiquent ces renseignements en émettant tel ou tel signal. Les autres corbeaux, à la perception de ces indications, réagiront de façon stéréotypée, ce qui autorise donc à parler de cris d'alarme, d'alerte, d'effroi, ou d'envol » (p. 49). « Il fut ainsi possible durant la reproduction des freux d'enregistrer une quinzaine de signaux nettement distincts » (p. 49).

e) Dans la danse des abeilles, Benveniste voit « un symbolisme particulier qui consiste en un décalque de la situation objective » tandis que dans les langues des hommes « il n'y a pas de rapport nécessaire entre la référence objective et la forme linguistique » (p. 7).

On aborde ici les problèmes sémiologiques fondamentaux. Dans la communication chez les abeilles, telle qu'elle est décrite dans la cinquième édition du livre de von Frisch, il faut distinguer plusieurs types de messages, ou parties de messages (ou d'énoncés).

— D'abord ceux qui communiquent la distance. Ce sont : des *rondes* pour indiquer le butin dans un rayon de cinquante

---

17. *Language, op. cit.,* p. 28.

à cent mètres à partir de la ruche ; et des *danses frétillantes* en forme de huit, au-delà de cent mètres. Un premier problème est de savoir si ces deux types de signaux sont des « sèmes intrinsèques » ou des « sèmes extrinsèques » selon la terminologie de Buyssens. Rappelons qu'il appelle sèmes intrinsèques des signaux où la nature des *signifiants* (les mots) s'apparente symboliquement à la nature des *signifiés* (les choses) : une longueur sur la carte représente une longueur réelle, une surface sur la carte représente une surface réelle, une silhouette stylisée mais reconnaissable d'autocar représente un autocar. Dans les sèmes extrinsèques, le rapport entre *signifiés* et *signifiants* est arbitraire : une croix verte représente une pharmacie. Si les signaux des abeilles sont des sèmes intrinsèques, on peut parler d'un symbolisme particulier qui décalque une situation. Mais les exposés de von Frisch [18], en dépit de leur valeur, sont souvent teintés de finalisme naïf, et même d'hagiographie apicole ; ils doivent être réinterprétés du point de vue sémiologique. « La danse frétillante, écrit-il (p. 159), et son parcours rectiligne plein de fougue, la ronde et ses orbites circulaires, semblent inviter à l'action avec une clarté tellement symbolique qu'elle nous étonne ; la première invite les abeilles à se précipiter au loin, la seconde à chercher dans les environs immédiats de la ruche ». En fait, l'analyse sémiologique des choses est moins simple. On peut admettre (avec un risque d'anthropomorphisme) que la ronde est un sème intrinsèque qui « cartographie » symboliquement les environs immédiats de la ruche. Mais la danse frétillante en forme de huit ? Il est difficile d'apercevoir par quel processus elle calquerait symboliquement la représentation de la distance.

D'abord, von Frisch a démontré qu'il s'agit moins d'une représentation de la distance que d'une représentation du temps nécessaire pour couvrir cette distance : selon qu'il y a vent arrière, vent debout, vent nul, la représentation varie *pour une même distance sur le terrain* (p. 153). Nouveau problème, car la danse frétillante en huit ne symbolise pas non plus le temps réel du parcours au moyen d'un temps conventionnel : temps de danse plus ou moins long, pour un parcours plus ou moins long. Le signal constitué par une danse frétillante en huit offre une unité de durée fixe, une quinzaine de secondes, avec « une régularité étonnante, tout au long des jours et des années, et dans les différentes colonies » (p. 151). Et la distance

---

18. On se référera ici à l'édition française : Karl von Frisch, *Vie et mœurs des abeilles,* traduit par André Dalcq, d'après la 5ᵉ éd. allemande, qui introduit quelques corrections. Paris, Albin-Michel, 1955.

à parcourir est exprimée par la vitesse d'exécution d'un nombre variable de *huits* en quinze secondes : six *huits* pour cinq cents mètres ; cinq, pour mille mètres, etc... Mais il n'y a pas non plus corrélation symbolique (intrinsèque, directe) entre la distance à parcourir et la vitesse de la danse : au contraire, l'accroissement de la distance est exprimé par un ralentissement de cette vitesse de danse. Ceci pose encore un problème d'interprétation sémiologique, non envisagé, ou non traité par von Frisch : savoir si, effectivement, la vitesse réelle des abeilles au travail ralentit avec les distances parcourues (alors, la danse serait un sème intrinsèque) ; ou si cette vitesse est sensiblement uniforme quels que soient les parcours réels. (Une dernière hypothèse de von Frisch, selon laquelle la jauge des distances ne serait ni le temps ni la vitesse, mais la dépense énergétique, n'est pas explicitée dans l'ouvrage. Et, du point de vue des linguistes, c'est dommage : toute l'analyse sémiologique en cause est suspendue à cette ultime explication.) Entre le *signifiant* que constitue la danse frétillante en huit, et le *signifié* « distance », on ne voit donc pas jusqu'ici de rapport qui puisse être décrit sans hésiter comme un rapport-calque [19].

— Mais la communication de l'orientation du butin, dans le message, appelle des observations de même ordre, et peut-être plus nettes. Les abeilles ici disposent de deux sortes de signaux. Soit certains aspects d'une danse horizontale, sur la planche d'envol, au soleil. Soit d'autres aspects d'une danse verticale, sur la face d'un rayon, dans le noir de la ruche. Dans les deux cas, le type de la danse est le même, une danse frétillante en huit. Quand elle est dansée horizontalement à la vue du soleil, sur la planchette d'envol, elle semble être un sème intrinsèque de Buyssens : en effet, l'axe de la danse est alors un axe horizontal, qui fait un angle par rapport à la direction du soleil, angle qui décalque exactement celui de la direction du butin par rapport à la direction du soleil. Von Frisch indique que cette sorte de danse « paraît être phylogénétiquement la plus ancienne » (p. 153). Mais dans l'obscurité la danse de l'abeille indique autrement la direction du butin par rapport

---

19. J. Lotz avait déjà proposé avant Benveniste une interprétation linguistique de la danse des abeilles (*J. A. S. A.*, t. 22, 1950, p. 715 et ss. ; et *Word*, vol. 7, 1952, p. 66-7). T. A. Sebeok y est revenu sans aucun progrès dans *Readings in the Sociology of Language*, édité par J. Fishman, La Haye, Mouton, 1968, p. 14-29. Le travail important, et troublant, est ici celui de Martin Lindauer, *Communication among Social Bees*, — troublant par tout ce qu'il apporte sur la danse dans l'essaim pour la recherche d'une nouvelle ruche. L'examen général de la communication chez les abeilles est à reprendre de fond en comble (1970).

à la direction du soleil : en se référant à la verticale, cette
fois, de deux façons différentes. L'axe de sa danse orienté par
rapport au zénith du rayon signifie que le butin est dans la
direction du soleil ; l'axe de sa danse orienté par rapport au
nadir du rayon signifie que le butin est dans la direction
opposée au soleil. On ne peut pas dire avec certitude que ce
double codage symbolise ou décalque une donnée objective,
qu'il la mime seulement, qu'il la reproduit à une autre échelle.
Au regard de ce que notre analyse peut actuellement, il y a
transposition plus conventionnelle, plus arbitraire que dans le
cas de la danse horizontale.

— Enfin, la danse des éclaireuses, informant l'essaim des
nouveaux emplacements éventuels qu'elles ont explorés, danse
dont von Frisch dit aussi qu'elle semble obéir à « des normes
très strictes » (p. 170), pose et posera probablement des problèmes analogues à mesure qu'on en démêlera mieux les éléments.

Lorsque John Lotz, allant dans le même sens que Benveniste,
dit que la danse des abeilles « cartographie » (*maps out*) les
alentours de la ruche, et que cette danse est une « image »
(*icon*) de la réalité [20], nous voyons tout ce qu'il y a de vrai dans
ses formules ; mais nous nous demandons s'il ne passe pas
trop vite sur ce qu'il y a déjà de convention dans les signaux
constitués par la danse des abeilles : le fait qu'il y ait deux
signes, ronde et danse frétillante, pour un même contenu
sémantique apparent, la distance ; la *forme en huit* de la
danse frétillante afin d'exprimer des parcours en ligne droite ;
l'utilisation doublement curieuse de la verticale pour communiquer des notions qui n'ont de sens qu'à l'horizontale [21]. La
conclusion provisoire où l'on pourrait arriver, c'est que la danse
des abeilles a peut-être déjà franchi le stade où le message
cartographie, pour ainsi dire à l'échelle, une communication
topographique ; et que cette danse contient déjà, probablement, des éléments caractérisés par un certain arbitraire de
certains *signifiants* par rapport aux *signifiés*.

Les cris des corbeaux, eux, du fait même qu'ils sont des
signaux *phoniques,* ne sauraient s'opposer, semble-t-il, par ce
caractère de pure mimique gestuelle, au langage humain. Toutefois, dans ces premiers matériaux de Gramet, bien des traits
devront encore être analysés : comment, par exemple, les

_____

20. V. son compte rendu de l'ouvrage de von Frisch, *Word,* VII
(1951), p. 67.
21. Von Frisch a noté (p. 159) qu'un des rares échecs de ses expériences a porté précisément sur l'incapacité des abeilles à communiquer
la notion d'altitude (butin placé au haut d'un pylone à la verticale de
la ruche).

corbeaux précisent-ils à quelle espèce appartient l'oiseau repéré ? N'y a-t-il pas une espèce d'imitation reconnaissable, de décalque — de mimique phonique — du cri caractéristique de l'agresseur éventuel ? (Et l'existence d'oiseaux imitateurs du chant d'autres oiseaux, comme l'hypolaïs polyglotte, ne rend pas absurde *a priori* cette supposition).

f) Enfin, « le message des abeilles ne se laisse pas analyser. Nous n'y pouvons voir qu'un contenu global [...] Il est impossible de décomposer ce contenu en éléments formateurs » (Benveniste, p. 7).

Ici, c'est toute la question dernière du caractère *discret* des unités linguistiques humaines, et du caractère non discret des signaux utilisés par les abeilles, qui se trouve posée. On sait que la linguistique actuelle insiste de plus en plus sur ce trait : le fonctionnement du langage est lié au fait qu'il est décomposable en unités discrètes, c'est-à-dire discontinues, différentielles, dénombrables. Les messages des abeilles, et ceux des corbeaux, se laissent-ils analyser en unités plus petites que le message global, ou bien ce message global est-il, lui-même, la plus petite unité possible dans ces systèmes de communication ? Le cas échéant, de quelle sorte seraient ces unités : des unités de première articulation, des signes saussuriens à deux faces, une face signifiante et la face signifiée (comme les sept unités de : *j'ai un horrible mal de tête*) ; ou des unités de seconde articulation, distinctives et non signifiantes (comme les seize unités de : j/e/œ/n/o/r/i/b/l/m/a/l/d/t/ɛ/t/) ?

La possibilité de systèmes de communication différents d'une langue humaine uniquement en ceci qu'ils seraient des systèmes soit de signes privés de la seconde articulation (en unités distinctives non signifiantes), soit même de messages non articulés en signes (en unités à deux faces de la première articulation), découlait des analyses du langage faites par Saussure, Jespersen et Bloomfield[22]. On la trouve clairement formulée à plusieurs reprises chez Martinet. « Qu'on essaie un instant, dit-il, d'imaginer ce que pourrait être une *langue* à signifiants inarticulés, un système de communication où, à chaque *signifié,* correspondrait une production vocale distincte, en bloc, de tous les autres *signifiants* »[23]. Il s'agit ici d'un système de communication où les messages seraient articulés en signes (première articulation), mais où les signes ne seraient pas décomposables en unités distinctives non signifiantes (deuxième articulation) : par exemple, « un système

22. Voir notamment *Language*, ch. XI, Sentences-types (pp. 170-183).
23. A. Martinet, « Arbitraire linguistique et double articulation », *art. cit.,* p. 110.

idéographique parfait » [24], non parlable, non lisible avec la voix. Mais Martinet conçoit aussi des faits de communication, des « productions phoniques » qui n'utilisent pas les unités de première articulation, bien qu'elles soient produites au moyen de la seconde articulation : « Si je ressens tout à coup, dit-il, un violent mal de tête, je puis réagir phonétiquement par un « aïe !». Mais une réaction proprement linguistique serait, par exemple, « la tête me fait mal », dans laquelle j'utiliserais cinq signes, dont chacun, en particulier, pourrait être employé dans d'autres circonstances. Notre définition [du concept de langue] exclurait un moyen d'expression qui serait réduit à une collection de productions phoniques du type interjectionnel » [25]. L'analyse de ces productions phoniques échappant à la première articulation conduit Martinet à bien marquer par où leur emploi n'est pas proprement linguistique : c'est parce que ce groupe de sons vocaux, de cris courts ou longs, « joue toujours, à lui seul, le rôle d'un énoncé complet » : dans la mesure où c'est encore un mot, c'est « un mot-phrase » ; malgré les apparences, ce n'est plus un signe, partie d'un message : c'est un message entier. Ces analyses revêtent, pour le linguiste, une grande importance, parce que, par opposition, se trouve soulignée, démontrée, la valeur fonctionnelle de la *double articulation* des langues humaines. D'où cette attention portée par des linguistes comme Martinet, après Bloomfield, aux formes marginales, incluses dans nos langues, mais qui résistent d'une manière ou de l'autre à l'analyse linguistique désormais classique : les exclamations, les interjections, les termes d'appel (*'sieu, 'dame, 'zelle*), les énoncés de commandement, de réponse (*oui, ouais,* etc.). Or, il se trouve que l'étude de ces espèces de productions phoniques qui diffèrent, *par leur nature même,* du reste du langage, que l'étude de ces mots-phrases nous aide puissamment dans l'analyse de la nature des signaux animaux.

Revenant, à la lumière de ces analyses, sur notre problème (si le message des abeilles se laisse ou non analyser, ou si, au contraire, nous n'y pouvons voir qu'un contenu global), que trouvons-nous ?

Le système de communication des abeilles semble contenir une première articulation, puisqu'il communique, dans un même message, au moins deux unités signifiantes : la distance et la direction du butin. Chaque signifié semble avoir un

24. A. Martinet, « La double articulation linguistique », *art. cit.,* p. 35.
25. A. Martinet, *Actes du VIᵉ C. I. L.,* Paris, Klincksieck, 1949, p. 178. Voir aussi *Economie des changements phonétiques,* Berne, 1955, ch. I. 19 à I. 21.

signifiant distinct : pour la direction du butin, c'est l'axe de la forme en huit de la danse ; pour la distance, c'est en première approximation la cadence de cette danse. La distance elle-même semble à son tour disposer de deux signifiants distincts opposant les deux signifiés *proche* et *lointain :* la ronde, et la danse frétillante en huit. La direction, dans le cas de communication dans le noir, offre, elle aussi, deux autres signifiants distincts opposant les deux signifiés *direction du soleil* et *direction contraire :* orientation vers le zénith, orientation vers le nadir. En fait, en dépit des faits qu'on vient d'énumérer, le problème est entier : les « signes » qu'on peut isoler dans la danse des abeilles ne sont pas des unités discrètes, au sens où l'analyse linguistique actuelle utilise ces termes. Elles ne sont pas successives dans le temps, d'une part ; elles ne sont pas non plus nettement discontinues, d'autre part. L'indication de la distance et l'indication de la direction sont formellement distinctes, mais temporellement confondues. La représentation du fait physique continu : *distance,* est réalisée par le moyen d'un signe apparemment continu, la danse en huit, et nous ne savons pas comment l'abeille perçoit, ni si elle perçoit, les unités que nous découpons anthropologiquement dans ce continu : six figures de danse en forme de huit, cinq, quatre, trois, deux figures, en l'espace de quinze secondes. L'analyse sémiologique se trouve donc en face d'un système de communication dans lequel on aperçoit des messages décomposables en unités dont certaines (axe de la danse, et forme en huit, ou ronde) sont des unités distinctes, discontinues — discrètes — mais dans l'espace ; tandis que les autres (vitesse des figures en huit) sont des unités distinctes dans le temps, successives, mais avec des valeurs (apparemment) continues.

En fin de compte, en l'état actuel des connaissances — ou plutôt des publications — sur cette question, dans le système de communication chez les abeilles, on peut penser que l'unité la plus petite est le message global, l'énoncé complet : chaque message s'oppose à tous les autres globalement, comme le sens (esthétique) d'un ballet dansé sur les planches d'un théâtre s'oppose par le sens à tous les autres ballets. Mais ce cas des abeilles est passionnant parce qu'il permettra peut-être, à des entomologistes armés de notions d'analyse linguistique, d'apercevoir et de décrire un système de communication dans lequel on saisit le passage du décalque au signe arbitraire, du message global au message articulé : car la danse frétillante en forme de huit, la danse horizontale et la danse verticale, la danse axée sur le zénith et la danse axée sur le nadir, semblent à la fois des messages et des moules à messages, des messages et des signes ; ou peut-être des classes de messages devenues plus ou moins des classes de signes. Nous ne sommes pas encore dans un système de communication à signifiés articulés, mais nous ne sommes plus non plus dans un de ces systèmes imaginés par Martinet, dans lesquels, « à une situation déterminée, à un fait d'expérience donné, correspondrait un cri particulier. »

6

Mais chez les corbeaux ? Les expériences de Gramet fournissent des informations plus différenciées, mais qui ne semblent pas plus aisément interprétables. Tout d'abord, on a vu qu'elles identifient une quinzaine de cris différents par le contenu sémantique, — tel au moins qu'il peut être défini par la méthode bloomfieldienne des situations [26]. (L'expression *contenu sémantique,* paraît, de ce fait, correctement employée.)

De plus, deux autres types d'expériences provoquent l'intérêt du linguiste :

— Le premier type de ces expériences consiste à émettre des enregistrements à l'envers « selon la technique du contrepoint à l'écrevisse » (Gramet, p. 54). Le résultat de ces expériences est formulé comme suit : les corbeaux réagissent « de façon nuancée » (Gramet, p. 54). La chose peut être interprétée comme si chaque énoncé (chaque cri spécifique) était en soi un message inanalysable complet — quelle que soit sa longueur, un mot-phrase. Et ces expériences peuvent indiquer que le contenu sémantique du mot-phrase est lié à l'ordre des sons perçus (soit « phonétiquement », soit « prosodiquement »).

— Le deuxième type d'expérience consiste à fabriquer des messages artificiellement, mais avec des voix de corbeaux réelles, et des énoncés réels, en découpant (dans des bandes d'enregistrement) des séquences de sons qui sont ensuite émises selon de nouveaux schémas de montage, différents de l'ordre des sons réellement enregistré. Les expériences semblent avoir surtout cherché le racourcissement des messages naturels (ou peut-être leur division en unités sémantiques plus petites que le message complet ?). Voici la conclusion : « De toute façon, si l'intégrité du message n'est pas conservée, dans la plupart des cas l'émission ne déclenche pas de réaction

26. On a laissé de côté, dans cet examen, l'*interspécificité* des messages ; corbeaux réagissant aux cris de détresse du geai, corneilles américaines au cri du goéland, quand ils vivent dans les mêmes biotopes (p. 54). L'auteur ajoute que « de telles réactions [...] ne se manifestent pas [...] si les voisinages ne sont qu'occasionnels » (p. 55).

apparente des corbeaux. De nombreux essais réalisés à l'aide de signaux artificiellement réduits le confirment » (Gramet, p. 54).

Il est difficile d'interpréter la signification de ces expériences au point de vue sémiologique : si les cris spécifiques sont dans chaque cas des messages globaux, des énoncés complets, toute mutilation leur enlève leur sens. Il semble donc bien que ce sens (ou contenu sémantique) soit rigoureusement lié à une suite de productions phoniques — qui seraient ici des unités distinctives non signifiantes : nous aurions un système de communication privé d'unités de la première articulation (puisque la plus petite unité signifiante est chaque fois le message global indécomposable), mais fonctionnant au moyen d'unités de la seconde articulation (puisque la moindre altération des productions phoniques *successives* altère ou probablement détruit le message).

7

La conclusion de Benveniste sur la danse des abeilles est que « ce n'est pas un langage, mais un code de signaux » (p. 8). « Tous les autres caractères, dit-il, en résultent : la fixité du contenu ; l'invariabilité du message, le rapport à une seule situation, la nature indécomposable de l'énoncé, sa transmission unilatérale » (p. 8).

Concernant les corbeaux, les expériences de Gramet sont exposées dans un compte rendu qui n'est pas fait du point de vue du linguiste, ni à l'intention des linguistes ; les expériences de von Frisch ne l'étaient pas non plus d'ailleurs. Mais les unes et les autres fournissent assez de renseignements pourtant pour nous intéresser vivement. Par exemple, et sans ironie, n'importe quel bloomfieldien de stricte observance devrait être passionné par cette application tout expérimentale des procédures de Bloomfield concernant l'établissement du sens à partir des situations. Peut-être même qu'un distributionaliste devrait être tenté par ces enregistrements de cris de corvidés qui forment un *corpus* et qui contiennent un *système* infiniment moins vaste que la plus pauvre des langues humaines (et cela dans un domaine où tout recours au *sens* préalablement connu est impossible).

8

En outre et surtout, l'étude des cris des corbeaux, comme de la danse des abeilles, démontre *a posteriori* l'efficacité des analyses proposées par la linguistique structurale — l'efficacité d'une définition du langage incluant ces deux traits nouveaux et fondamentaux : le caractère discret des unités constituantes, et la *double articulation.*

Sur la base des définitions anciennes de Saussure, de Bloomfield et de Sapir (ou du mathématicien Carnap, selon qui une langue est « un système de signes avec les règles de leur emploi »), il n'aurait pas été possible d'analyser s'il y avait différence de nature entre les langues humaines et les systèmes de communication des animaux : seule la définition structurale du langage, qui n'a pas été conçue expressément pour être la solution de ce problème, apporte (et c'est une vérification de sa validité) les éléments de discrimination fondamentaux.

L'absence d'énoncés-réponses n'est pas vraiment discriminante entre langue et moyen de communication non linguistique : le mécanicien de chemin de fer répond au signal optique fermé (panneau de couleur ou lumière colorée) par un signal acoustique (coup de sifflet défini), sans qu'il y ait autre chose que code, et non langue. L'absence d'énoncés *relayés* [27] n'est pas non plus discriminante : l'automobiliste qui voit la lampe rouge du frein s'allumer sur le véhicule qui le précède donne un coup de frein lui-même, allumant ainsi son feu rouge arrière de freinage, et transmettant l'information dans la file qui le suit, sans qu'il y ait langue. La pauvreté sémantique elle-même n'introduit pas une vraie différence de nature sémiologique entre le système de communication des hommes et celui des corbeaux. Ces trois caractères (*b, c, e,* dans l'analyse de Benveniste) marquent des degrés sur le chemin qui va des systèmes de communication les plus rudimentaires jusqu'aux langues. Les caractères *a* et *d* (dans l'analyse de Benveniste), eux, ne peuvent pas s'appliquer aux « fonctions de la voix » chez les corbeaux. Mais l'absence d'unités discrètes *et* l'absence de la double *articulation* (qui seule rend compte de l'infinie variété des messages possibles avec un nombre extrêmement réduit d'unités distinctives, et qui fonde, en le stabilisant, l'arbitraire du signe), suffit, seule, à nous empêcher pour l'instant de parler de langage des abeilles et de langage des corbeaux.

(1959)

---

27. Les descriptions, non scientifiques certes, des comportements vocaux des carnivores qui chassent en groupe (loup, renard) inciteraient à chercher s'il n'y a pas des communications animales avec réponse, et même avec relais.

la semiotique de charles morris

L'ouvrage (*Signs, Language, and Behavior*, New York, Prentice-Hall, 1946) est déjà ancien. Sa première édition est de 1946. Mais une présentation moins développée avait été publiée en 1940. Vite connu en Amérique, où il a eu quatre éditions entre 1946 et 1950, il a pénétré très lentement en Europe, où il n'attira d'abord que l'attention de quelques cercles de sociologues. Il a dès 1949 été traduit en italien (chez Longanesi). Il atteint une sorte de notoriété en France aujourd'hui, peut-être avec un quart de siècle de retard, pour la bataille spécifique dans laquelle il était à sa place (qui était sans doute une bataille proprement américaine : la réinsertion de la sémantique, bannie par Bloomfield, dans le corps de la linguistique). Dans la sémiologie européenne actuelle, il ne peut guère être lu sans contresens autrement que comme le témoin d'une étape historique dépassée.

Les chapitres les plus intéressants pour le linguiste et le sémiologue sont les chapitres I (« Signes et comportement », p. 1-31), II (« Langage et comportement social », p. 32-59), III (« Les modes de signification », p. 60-91), V (« Les types de discours », p. 123-152), VI (« Les formateurs et le discours formatif », p. 153-186). Un appendice sur la sémiotique [1] de Platon jusqu'à Peirce, Tolman et Hull (p. 285-310), offre l'intérêt d'un panorama et frappe par la présence d'un trait longtemps caractéristique de la culture scientifique américaine, son provincialisme, même si la province est vaste, c'est-à-dire son isolationnisme : en effet, Saussure est totalement ignoré dans ce panorama. D'autres chapitres, sur l'adéquation, la vérité et la validité des signes, l'importance individuelle et sociale des signes, l'objet, le but et l'importance de la sémiotique, s'ajoutent à ce noyau.

1

Le chapitre I, dont le titre est explicite — « Signes et comportement » —, propose une terminologie de base, à partir

---

1. Morris nomme la science générale des signes, qu'il veut fonder, la *semiotics*. La meilleure traduction française reste : sémiologie. Le terme *sémiotique* a pénétré en français tantôt pour désigner la sémiologie en général — usage à déconseiller —, tantôt pour désigner un système de communication non linguistique particulier : le code de la route est une sémiotique, la peinture en est peut-être une autre, etc.

du behaviourisme. Il délimite un « comportement significateur » (*sign-behavior*) dont l'exemple-type, assez passe-
partout, est celui du chien qui réagit par salivation à un
signal sonore ou lumineux, associé ou non à la présentation de
nourriture en un certain endroit. Il établit que le signe n'est
pas un « substitut de stimulus » ou stimulus substitutif : il
ne provoque pas la même réponse (salivation) que la situation
réelle (consommation de la nourriture). D'où cette formulation provisoire de la définition du signe : « A est signe de B,
s'il commande la conduite du sujet vers un but comme le
ferait B s'il était présent » (p. 7). Après analyse plus détaillée
du comportement significateur, on aboutit à une définition
plus rigoureuse du signe, en termes toujours behaviouristes :
« Si en l'absence du stimulus-objet déclenchant des séquences-
réponses d'une certaine famille comportementale, quelque
chose, A, est un stimulus préparatoire qui provoque une
disposition dans tel organisme à répondre dans certaines
conditions par des séquences-réponses de cette famille, A est
un signe » (p. 10). De cette définition sont tirés les quatre
termes de base de la sémiotique, empruntés d'ailleurs à
Peirce, que la pensée américaine commençait à redécouvrir
grâce à la publication des *Collected Papers* depuis 1931 :
l'*interpréteur* (le chien de l'exemple) ; l'*interprétant* (« la
disposition d'un interpréteur à répondre au signe par des
séquences-réponses d'une famille comportementale donnée » :
ici, la disposition du chien à réagir à la nourriture) ; le *déno-
tatum,* au sens classique du terme, c'est-à-dire le référent d'un
signe dans le monde non linguistique (ici, la nourriture) ; et
le *significatum* (ici, la condition d'être une substance man-
geable) (p. 17-18).

La réaction d'un lecteur européen, même dans les années
1958-1960 (ce qui était mon cas)[2], c'est que cette analyse
— légitime dans la mesure où elle était une exploration du
rendement du behaviourisme en matière de théorie générale
des signes — n'analyse pas mieux que Buyssens (*Les Langages
et le discours,* ch. II) la différence, cruciale, entre « signes
naturels » et « signes sémiotiques » (p. 5). Au contraire. On
n'échappe pas à l'impression, dès le départ, que Morris aboutit
à se dissimuler, par le forgeage d'une terminologie devenue
vite très lourde (de « véhicules-de-signes », de « familles-de-
signes », de signes « unisituationnels » et « plurisituationnels »,
« personnels » et « interpersonnels », « singuliers » ou
« généraux » ou « universels » etc., p. 20-22, à grand ren-
fort de définitions lapalissiennes), qu'il ne saisit pas la réalité
du problème : comme souvent dans la recherche, il se persuade

---

2. Ce texte a été écrit en 1960.

à tort que la nouveauté terminologique exprime une analyse neuve. Cet appareil conceptuel n'apparaît pas de nature à faciliter l'analyse linguistique ou sémiologique concrètes, dès qu'on sort du behaviourisme de la psychologie animale. En quoi sommes-nous plus avancés lorsque nous disons : « Si le signe *pomme* est un stimulus préparatoire qui (en l'absence de pommes qui déclencheraient en moi certaines suites de comportements) provoque dans mon organisme la disposition à déclencher ces mêmes suites, le mot *pomme* est un signe pour moi » ? Alors qu'il est évident que, d'une part, l'inventaire de ces suites de comportements, jamais exhaustivement fait, nous apporterait des suites très hétérogènes et malaisément analysables ; et que, d'autre part (sauf pour certaines franges affectives relativement rares), nous ne disposons guère de moyens scientifiques pour affirmer que le mot *pomme* provoque en nous la « disposition à déclencher ces mêmes suites »[3]. Et si nous disons que le *significatum* du mot *pomme* est « l'ensemble des conditions telles que tout ce qui les remplit est une pomme », que savons-nous de plus et de mieux que ce que Saussure enseignait sur le rapport entre la chose, le signifié, et le signifiant ? Quand la théorie de Morris n'est pas éminemment discutable, elle est triviale (même en 1940).

La discussion sur *signal* et *symbole* (p. 23-27) ne dissipe pas cette impression de néologismes qui recouvrent des formulations relativement banales. Pour Morris, le symbole y devient « le signal d'un signe », un « substitut pour un autre signe », tandis que *signe* semble par instants devenir un pur synonyme de *signal*. Il suit certes un assez fort courant terminologique anglo-saxon, qu'il mentionne à la longue note M, p. 251. Mais il s'écarte, sans profit pour personne ni pour lui-même, de l'usage le plus courant qui fait du symbole *une sorte de signe,* analogique ou partiellement analogique : le symbole saussurien devient chez lui, comme chez Peirce, un « signe iconique », doublet qui est un américanisme, et n'ajoute rien au concept traditionnel de symbole, si ce n'est l'illusion d'ajouter quelque chose. Cette terminologie franchement aberrante l'amène à inclure dans les caractères qui opposent symbole à signe — et cela à cause de son point de départ behaviouriste — des traits plus que discutables : « Le symbole est un signe produit par son interpréteur » (p. 25-27) ; et, plus encore : « Les symboles sont plus *autonomes* et *conventionnels* que les signaux » (p. 27) — ceci parce qu'il n'a pas su distinguer, comme le fait Buyssens, entre indices, signaux et signes.

---

3. Pour la critique de ce behaviourisme abâtardi malgré Bloomfield, lire l'Avant-propos de Frédéric François au *Langage* de Bloomfield (Payot, 1970).

On échappe difficilement aussi à l'impression que cette terminologie behaviouriste de Morris est, en trop grande partie, une façon non mentaliste de nommer les faits connus, sans plus — une pure translation de vocabulaire. Ainsi quand il admet qu'il est possible que les termes *idea* et *interpretant* « peuvent en fait être synonymes » (p. 30). Un autre exemple typique de périphrase behaviouriste pour éviter la forme mentaliste d'expression consiste à nommer la *pensée* un « symbole post-linguistique », tout en suggérant la synonymie (p. 48, 196).

2

Le chapitre II est sans doute le chapitre central, puisqu'il se propose de définir les traits spécifiques qui distinguent la communication linguistique d'avec toutes les autres formes de communication, lesquelles constituent le reste de la sémiotique (ou sémiologie).

Après avoir constaté l'étendue de tous les désaccords concernant la définition du langage (p. 32), Morris propose la sienne, appuyée elle aussi sur une nouvelle terminologie forgée de « comportements sociaux réciproques » entre *communicator* et *communicatee* (c'est-à-dire « locuteur » et « auditeur »), de comportements « coopératifs », « compétitifs », ou « symbiotiques » (= ni coopératifs ni compétitifs), de *com-signs* (« signes qui ont la même signification pour l'organisme qui les produit et pour d'autres organismes stimulés par ces mêmes signes ») (p. 33), de *lan-signs* (= signes linguistiques, tout simplement), de *lan-signs-systems* (= langues) (p. 32-36).

En substance, la définition du langage chez Morris est décidée sur cinq critères :

a) « un langage est composé d'une pluralité de signes » (p. 35),
b) « dans un langage, chaque signe a une signification commune pour beaucoup d'interpréteurs » (p. 35),
c) « les signes constituant un langage doivent être des com-signes » (p. 35),
d) « ils sont plurisituationnels, c'est-à-dire [...] ont une constance relative de signification » (p. 35),
e) « les signes dans un langage doivent constituer un système de signes interconnectés, combinables de certaines manières et non d'autres manières afin de former une certaine quantité de processus de signes complexes » (p. 36).

Bien que Morris pose que « la définition ci-dessus des termes *langage* et *signe linguistique* est substantiellement d'accord avec la façon dont ces termes sont employés dans les discussions scientifiques sur le langage » (p. 36), on peut au contraire penser que, sous une terminologie néologique (cf. encore : « Un langage est un ensemble de com-signes plurisituationnels qui ne peuvent être combinés que d'un nombre limité de manières » ; ou bien : « Un langage est un système de com-signes ») (p. 36), elle ne résume qu'une définition qui, courante *à sa date* (1940, ou encore 1946) est aujourd'hui [1960] périmée. Le premier critère n'est qu'un truisme, il élimine de la définition le langage qui serait fait d'un seul signe [4]. Le second, le troisième et le quatrième critères n'en font qu'un, celui de l'intercompréhension. Le dernier n'est qu'une variante qui ne renouvelle rien de la définition d'alors, celle de Lalande et de l'*Encyclopaedia Britannica,* de Saussure, etc., mise au point par Carnap du point de vue des logiciens : « Une langue est un système de signes (avec les règles de leur emploi). » La montagne terminologique accouche, il faut bien le dire, d'une souris.

Le chapitre est un exemple instructif, justement, de l'insuffisance de cette définition traditionnelle en fait : bonne définition de tout système sémiotique (ou sémiologique), qui se révèle impuissante à dire en quoi les langues naturelles sont des systèmes de signes si spécifiquement différents de tous les autres. Certes, il n'est pas question de reprocher polémiquement cette lacune à Morris, encore que la quatrième édition du livre, en 1950, eût pu tenir compte de Buyssens et de Hjelmslev, accessibles à cette date, et déjà notables. Mais ce qu'on est fondé à lui reprocher, c'est qu'il ait rapidement esquivé les deux problèmes qui mettaient en question les vieilles tranquillités, alors qu'un sémioticien, préoccupé *par définition* d'analyser les traits spécifiques des différents systèmes sémiologiques, aurait dû être alerté par ces faits qui le gênaient. Du premier problème, celui du caractère *vocal* ou *phonique* des systèmes constitués par les langues de tous les jours, Morris se débarrasse en huit lignes, par une comparaison qui n'est pas raison : « Finalement, dit-il, nous devons mentionner que beaucoup de gens, spécialement les linguistes de métier, protesteront contre le fait que nous omettons d'inclure, dans notre définition du langage, la condition que les signes linguistiques doivent être vocaux. Quant à nous, nous ne voyons pas de raisons théoriques pour inclure cette condition : la prendre en considération, ce serait comme si l'on insistait sur le fait que toutes les maisons faites de matériaux différents ne doivent pas toutes être appelées des maisons » (p. 38). Une

---

4. Cf. Prieto, sur ce problème apparemment simple d'un code à un seul énoncé (*Messages et signaux,* Paris, P. U. F., 1966 p. 44-45).

réflexion proprement sémiologique l'eût peut-être conduit à percevoir combien la structure des signes linguistiques et le fonctionnement des langues sont spécifiquement liés à ce caractère vocal ; et peut-être amené à pressentir ou à formuler la double articulation du langage — au lieu de continuer à postuler la vieille synonymie selon quoi tout système de signes est un langage, c'est-à-dire (implicitement) possède les structures des langues de tous les jours, et fonctionne comme elles : ce qui était et reste encore le postulat le plus ruineux pour qui veut fonder une sémiologie, ou simplement décrire un système sémiotique.

Sur le second problème récalcitrant : la mise en évidence — si possible — des traits spécifiques qui opposent ou peuvent opposer la communication animale aux langues humaines, Morris se contente de généralités qui ne peuvent plus satisfaire, même à leur date, en 1940 ou 1946 : qu'il est « évident que les processus significateurs chez l'homme présupposent des processus significateurs comme il en advient chez les animaux, et que les premiers se développent à partir des seconds » (p 52-53). Finalement, il choisit de caractériser la spécificité des langues naturelles par son cinquième critère (les signes obéissent à des règles de combinaison entre eux, ont une syntaxe, forment système), bien que, note-t-il avec embarras, « les signes animaux puissent être interconnectés, et de telle manière qu'on puisse dire que les animaux infèrent ; [mais] il n'y a pas de preuve que ces signes soient combinés, par les animaux qui les produisent, selon les limitations de combinaison nécessaires pour que des signes forment un système linguistique » (p. 54). Le moins qu'on puisse dire, alors que Karl von Frisch venait de donner des conférences retentissantes sur les abeilles au début de 1949 à travers tous les Etats-Unis, c'est que l'argumentation (donnée tout entière ici) reste vraiment déficiente même dans la quatrième édition, de 1950.

3

Le chapitre III propose de distinguer cinq composantes possibles de l'acte de communication : l'identificative (*ceci, je, maintenant, à dix heures,* etc.), la désignative (*blanc, daim, plus grande,* etc.), l'appréciative (*beau, cruel,* etc.), la prescriptive (*Donnez !, courez !,* etc.) et la formative (les « signes logiques » : *or, no, be, +, 5, some,* etc.). D'où cinq modes de signification correspondants, qui peuvent coexister plus ou moins dans un énoncé.

Sur cette base, Morris agence une terminologie complète, qu'il trouve lui-même *clumsy* (p. 67). Les *identifieurs* sont des *where-signs,* et leur signification est un *locatum.* Les désignateurs, des *what-signs,* avec des *discriminata,* etc. Les énoncés achevés deviennent des *ascripteurs* (et les énoncés des langues de tous les jours, des *lanascripteurs* !).

Cette terminologite aiguë ne recouvre, d'une part, que l'analyse linguistique classique sur les modalités de l'énonciation, etc. ; et, d'autre part, que les distinctions proposées avec d'autres terminologies par Ogden et Richards, Pollock, Mace, Feigl, Stevenson, Reichenbach, etc. : oppositions entre signes référentiels et émotifs, évocatifs ou expressifs, informationnels et non cognitifs, cognitifs et dynamiques, etc. (p. 93-94) [5].

On pourrait cependant penser que cette terminologie classificatoire est plus fine, qu'elle synthétise et complète en les corrigeant mutuellement les analyses antérieures, qu'elle serre tout de même de plus près la réalité. En fait, rien n'est moins sûr. Trop souvent les mots tout neufs ne recouvrent que les vieilles choses : « La notion d'*ascriptor,* écrit Morris lui-même, correspond grosso modo au terme : phrase » ! (p. 73, et 222). Ou encore : « Les *designative ascriptors* correspondent à ce qu'on appelle souvent des *statements* » (p. 78-79). On se demande quelle peut être la pertinence purement linguistique de termes comme *appréciateurs-utilisateurs,* et *appréciateurs-consommateurs,* liés au fait qu'il existe des *objets-moyens* et des *objets-buts* (p. 83). Les raffinements terminologiques sont plus d'une fois des lapalissades néologiques : il y a des *prescripteurs catégoriques* (« Come here ! ») des *prescripteurs hypothétiques* (« If your brother phones, come here »), et des *prescripteurs fondés* (« Come here so I can give you the note »), sans qu'on soit persuadé que la classification soit exhaustive. De même, quand Morris distingue entre *appréciateurs positifs* et *négatifs* (p. 82), on se demande pourquoi son jeu nomenclateur s'arrête arbitrairement : nous verrions aussi bien des appréciateurs indifférents, ou appréciateurs-zéro, des appréciateurs d'incertitude, etc. (En fait, ici, Morris a fabriqué deux néologismes pour décalquer les termes behaviouristes d' « excitateur » et d' « inhibiteur »). Les exemples sommaires donnés par l'auteur ont également permis de voir au passage combien discutable pourrait être leur classement du point de vue linguistique ; ainsi l'apparentement des déictiques du type *ceci* avec les pronoms du type *je* par exemple, qui posait tout le problème délicat des *shifters* selon Jespersen, et dont les raisons sémiologiques ne sont pas du tout explicitées dans le texte.

---

5. Voir G. Mounin, *Problèmes théoriques de la traduction,* Paris, N. R. F., 1963, p. 144-150.

4

Le chapitre V fournit une classification, sous forme de tableau à double entrée (p. 125), de tous les types possibles de discours, à la fois selon leur mode de signification dominant et selon l'usage ou destination du type de discours. Dans le mode *désignatif*, on trouve le discours *scientifique* (usage *informatif*), le *fictif* (u. *évaluatif*), le *légal* (u. *incitatif*), le *cosmologique* (u. *systémique*). Dans le mode appréciatif : les discours mythique, poétique, moral, etc. A ce niveau, la sémiotique de Morris donne franchement le sentiment d'être une classification scolastique, qui ne fonctionne que si l'on accepte des définitions arbitraires préalables de types de discours ; et cette classification ne reflète au mieux, quand elle n'est pas l'antique rhétorique des genres, qu'une sémantique puérile. Il est très difficile, par exemple, d'admettre que le *Père Goriot* doive être classé comme *fictive discourse* parce qu'il est écrit dans le mode désignatif, avec une destination évaluative (?). Il pourrait être aussi bien classé dans l'une des quinze autres cases du tableau (sauf peut-être celle du discours logico-mathématique). Et l'étiquette de *fictive discourse* en elle-même ne nous apprend rien de plus que de dire que le *Père Goriot* est un roman. C'est d'ailleurs par cette opération de synonymie néologique qu'elle est née, et non par une analyse sémiologique quelconque.

Si, comme Morris le fait lui-même, on atténue cette scolastique en soulignant que chaque *discourse* et même chaque *ascriptor* peut ressortir à des degrés divers de ces modes et de ces usages, la classification s'émiette en stylistique traditionnelle dès qu'elle cesse d'être une construction verbale abstraite.

5

Le chapitre VI n'apporte pas grand-chose. On ne peut que répéter ce qu'on a déjà dit des autres : le travail de Morris semble être uniquement de forger des néologismes destinés à remplacer le vocabulaire acquis des linguistes et des logiciens jusqu'à Carnap inclus (cf. sa note A, p. 268). Il y classe les signes formateurs en diverses espèces, les *determinors* (« *all* houses, *one* house ») ; les *connectors,* soit les *intra-ascriptor connectors* (ex. la marque du féminin pour les articles et les adjectifs se rapportant au mot *table* dans une phrase), soit les *inter-ascriptor connectors* (*et, ou,* etc.) ; les *modors* (ponctuation, intonation, etc.) (p. 159-162). La linguistique actuelle offre des analyses à la fois bien plus concrètes et bien plus fines de toutes ces notions.

6

En conclusion, force est bien de dire que l'ouvrage de Morris, même replacé à sa date, répétons-le, déçoit son lecteur, surtout si on l'apprécie par rapport aux tâches qu'il s'était assignées lui-même : fonder et développer « a comprehensive doctrine of signs » (p. 2), c'est-à-dire une sémiotique ou sémiologie.

La déception provient de quatre causes essentielles. La première est que l'auteur ne fonde même pas sa science des signes en général sur le behaviourisme en tant qu'accumulation de faits, d'hypothèses et de méthodes d'analyse scientifique des comportements — mais seulement sur le langage du behaviourisme, sur le vocabulaire du behaviourisme. Il se réfère presque uniquement dans ce domaine à quelques schémas d'expériences imaginaires sur des chiens pavloviens non moins hypothétiques (on verra notamment « l'expérience » toute en *si* de la page 156 ; ou le réemploi purement hypothétique d'une expérience de Massermann sur des chats, p. 199-200). Les problèmes nés de la signification des signes en rapport avec le passé, l'avenir et l'éloignement dans l'espace, dans une théorie comme la sienne, fondée *grosso modo* sur des schémas de comportement animal, deviennent insolubles ; et Morris ne leur échappe qu'en créant la notion *ad hoc* d' « évidence indirecte » (p. 111-112). Ce serait à peine exagérer de dire qu'il emprunte au behaviourisme, uniquement, un stock de métaphores.

En second lieu, Morris établit incessamment des liaisons non justifiées entre la communication (behaviouriste) animale très sommaire qu'on vient de voir, et la communication linguistique humaine, comme si *a priori* tout ce qui vaut pour la première valait ou devait valoir pour la seconde, et réciproquement. En fait, il ne tient jamais compte, à part les quelques lignes qu'on a citées, d'une spécificité possible et probable du langage. Et sa démarche principale est en réalité d'exprimer des faits linguistiques en termes de comportement animal de communication. Au lieu d'être réellement une *sémiologie,* même embryonnaire, son ouvrage est une sorte d'introduction, celle que n'a pas écrite Bloomfield, à toute *linguistique* behaviouriste.

Cette sémiotique générale, en troisième lieu, se voit donc fondée sur une base à la fois étroite et non concrète. Elle ne s'appuie ni ne se développe sur l'analyse objective de multiples systèmes de communication non linguistiques, à partir desquels Eric Buyssens par exemple aboutit à son panorama des problèmes de la sémiologie dès 1943 — depuis l'étiquette jusqu'à l'affiche, depuis le schéma de montage d'appareils jusqu'aux graphiques de toutes sortes, depuis le code de la route jusqu'au cinéma ou au théâtre.

Enfin, comme beaucoup de logiciens, Morris tombe dans l'erreur qui consiste à cesser de pouvoir distinguer l'analyse sémiologique (ou linguistique) de l'analyse logique. D'où sa tendance à créer des catégories sémiologiques qui sont en réalité des catégories sémantiques ou stylistiques intuitives ou empiriques, telles que ses *appréciateurs-utilisateurs* et tant d'autres. Les composantes appréciative et prescriptive de la signification, par exemple, ne pourraient avoir de vrai statut sémiologique que si des marques formelles ou syntaxiques les distinguaient totalement des composantes identificative, désignative, ou formative. On en est loin.

Contrairement à l'ambition exprimée par Morris, de fonder « la science des signes, qu'ils soient animaux ou humains, linguistiques ou non linguistiques, vrais ou faux, adéquats ou non, normaux ou pathologiques » (p. 223), l'ouvrage est pratiquement inutilisable. Il était, redisons-le, tout à fait légitime d'explorer soigneusement les possibilités du behaviourisme en matière de théorie des signes : le livre est très en-deçà de cette exploration. S'il a sa place, normale, dans l'histoire de la sémiologie, c'est moins comme un précurseur (il y a plus de sémiologie concrète dans les quinze fragments qui en traitent chez Saussure que dans les 365 pages de Morris) ou un introducteur (il n'aide pas à déchiffrer la théorie des signes chez Peirce, qu'il simplifie, et déforme sans doute) que comme un exemple de dangers à éviter, qui sont actuels plus que jamais dans la recherche scientifique : la terminologite et la néologite aiguës, l'illusion qu'on découvre parce qu'on rebaptise, le *reshaping* et le *rewording* [6].

(1960)

---

6. Dans *Signification and Significance* (M.I.T. Press, Cambridge Mass., 1964) Morris reprend en grande partie, quant à ce qu'il nomme toujours *semiotics,* le contenu de *Signs, Language, and Behavior.* Il ignore toujours Buyssens, mais nomme von Frisch, p. 2. Il introduit le concept de *significance* (« significance ») qui commence à faire carrière en France avec promesse de riches confusions, pour désigner la valeur (au sens de l'axiologie) attachée par un sujet à une signification : « Si nous demandons quelle est la signification de *life,* nous pouvons poser une question sur le sens du terme « vie », ou une question sur la valeur ou signifiance du phénomène de la vie » (p. VII). Son chapitre 5 — « Art, signe et valeur » — est vicié comme tout le reste par cette polysémie du mot *signe,* comme outil d'une communication ou indice d'une valeur (Note, 1970).

linguistique et sémiologie

1

La sémiologie, dans l'acception moderne du terme — au moins pour les linguistes — est née chez Saussure, uniquement comme le projet d'une science plus vaste que la linguistique, et chargée d'étudier la totalité des systèmes de signes que les hommes emploient. Après lui, dans un mince volume trop peu connu, Buyssens a jeté les bases d'une excellente sémiologie saussurienne (*Les Langages et le discours*). Dans les mêmes années, Charles Morris aux Etats-Unis tentait de fonder la théorie générale d'une « science des signes », — malheureusement à partir d'un behaviourisme sommaire et peu convaincant. Exception faite pour les travaux d'approche de Roland Barthes, qui mériteront sûrement d'être discutés, si l'on en juge par *Mythologies* (Paris, Le Seuil, 1957), quand on en aura une présentation d'ensemble, et pour les travaux du Centre d'études de sémiologie (J. C. Gardin, B. Jaulin) qui n'ont pas encore fait l'objet de publications, semble-t-il, on peut encore dire aujourd'hui que la sémiologie reste à faire.

2

Toutefois, même non constituée formellement, cette sémiologie à naître se délimite et se définit peu à peu par rapport

aux découvertes notionnelles de la linguistique récente. A mesure que celle-ci met en évidence, scientifiquement, les caractères définitoires des langues naturelles, on peut vérifier si ces mêmes caractères sont valables ou non quant à la définition des systèmes de signes autres que les langues naturelles — ce qui permet aussi de commencer à classer ces systèmes de signes. La sémiologie, sauf chez Morris, se constitue donc par différenciation d'avec la linguistique. Et ses lignes fondamentales elles-mêmes apparaissent essentiellement par contraste avec les caractères propres des langues, à mesure qu'on met ceux-ci en évidence.

3

Le premier de ces caractères est celui-ci : à partir de Karl Bühler (1934), la linguistique a mis en lumière les fonctions du langage ; et, parmi ces fonctions, valorisé comme centrale la fonction de communication. Cela a conduit Buyssens et d'autres linguistes à bien distinguer les faits qui relèvent d'une intention de communication qu'on peut mettre en évidence (existence d'un locuteur relié à un auditeur par un message déterminant des comportements vérifiables), et à les séparer des faits qui n'offrent pas ce caractère, même si jusqu'à maintenant on appelait ces faits du nom de signes, et si on les étudiait dans le langage. Ces faits, que Troubetzkoy appelle des « indices » et des « symptômes » (*Principes de phonologie*, trad. Cantineau, Paris, Klincksieck, 1957, p. 16, 18, 19), sont des renseignements que le locuteur donne sur lui-même, sans aucune intention de les communiquer. La voix d'un locuteur invisible informe généralement sur son sexe, son âge, sa corpulence parfois, son état de santé, son origine géographique et sociale, son état d'âme du moment. Ces indices et ces symptômes sont des traits caractéristiques, mais *non fonctionnels* du langage (Voir A. Martinet, *Eléments de linguistique générale,* Paris, A. Colin, 1960, p. 53), qui n'appartiennent pas au système de signes de la langue. Troubetzkoy insiste aussi sur ce que Bühler a nommé la « fonction appellative » : c'est l'ensemble des procédés qui servent à déclencher certains effets chez l'auditeur ; et il montre qu'il n'y a pas alors utilisation du langage pour « communiquer » au sens propre du mot (*ibid.,* p. 24). La sémiologie propose donc des inquiétudes salutaires aux disciplines qui traitent de ces indices ou de ces symptômes sans les distinguer des signes, en leur prêtant les propriétés des signes. Dans une communication qui est forcément fictive, au moins dans sa forme — par exemple, la divination — en ce sens que le locuteur est absent, qu'il s'agisse du foie d'une victime ou du vol d'un oiseau, nommés *signes,* on peut se demander si parler de *signes* sans précaution n'est pas une métaphore périlleuse. Si nous devions admettre une terminologie qui confond symptômes, indices et signes, nous devrions dire (jamais plus un linguiste ne l'acceptera) que la maladie communique avec le médecin, que le ciel communique avec le météorologiste. Cela ne veut pas dire qu'analyser des systèmes de symptômes ou des systèmes d'indices et qu'en décrire les structures n'aboutisse à rien. Simplement, la sémiologie nous avertit que, sur le plan d'un travail inter-disciplines, il reste dangereux de transférer le modèle d'expli-cation linguistique (fondé sur une définition rigoureuse du *signe*) à des ensembles de faits dont on n'a pas d'abord prouvé qu'on peut leur appliquer ce traitement. Cet avertissement ne peut d'ailleurs qu'aider à mieux apercevoir les caractères spéci-fiques des nombreux systèmes d'indices ou de symptômes qu'étudient les sciences sociales. S'ils ont avec les signes lin-guistiques des propriétés communes, il est de bonne méthode de ne pas poser celles-ci *a priori*.

4

Le second caractère des systèmes de communication linguis-tiques — c'est-à-dire des langues humaines naturelles — mis en lumière à dater de Saussure est l'arbitraire du signe. A partir de là une bonne sémiologie essaie de ne plus confondre les moyens ou systèmes de communication qui fonctionnent à l'aide de signes arbitraires au sens saussurien du terme, et ceux qui fonctionnent avec d'autres unités, desquelles le *signifiant* n'est pas aussi arbitraire par rapport au *signifié*. La termi-nologie saussurienne appelle ces unités moins arbitraires : des symboles. «Le symbole, écrit Saussure, a pour caractère de n'être jamais tout à fait arbitraire ; il n'est pas vide, il y a un rudiment de lien naturel entre le *signifiant* et le *signifié* » (*Cours*, p. 101). Cette terminologie, celle des philosophes, du *Lexique* de Lalande jusqu'à Wittgenstein, est cependant de-venue source d'erreur et de querelle. En effet, l'usage améri-cain tend de plus en plus à nommer « symbole » ce que la linguistique européenne nomme « signe » (d'où les confusions de ceux des chercheurs en sciences sociales qui sont très nour-ris de références américaines). G. A. Miller, par exemple, résu-mant toute cette pratique, pose qu' « on nomme symboles en général les stimuli arbitrairement associés aux objets » (*Lan-gage et communication*, Paris, P.U.F., 1956, p. 11). De plus, la psychologie tend elle-même à nommer symbolisation, fonc-tion symbolique ou pensée symbolique, toute fonction de sup-pléance mentale, c'est-à-dire toute aptitude à utiliser tout objet d'une perception, associé de manière naturelle ou convention-nelle à un objet ou à une situation, comme susceptible de se substituer à cet objet ou à cette situation chaque fois que leur saisie directe est difficile ou impossible. La distinction ultérieure des produits de cette fonction symbolique, en si-gnaux, en indices ou symptômes, en conventions ou signes, en analogies ou symboles, ne corrige pas totalement le risque initial. Enfin, pour la psychanalyse, « le symbole est une expression substitutive destinée à faire passer dans la conscience, sous une forme camouflée, certains contenus qui, à cause de la censure, ne peuvent y pénétrer » (*Manuel alphabétique de psychiatrie,* de Porot). C'est dire qu'il est ou qu'il peut être à la fois soit indice, soit symptôme (au sens médical), soit symbole (au sens saussurien), soit peut-être signe au sens linguistique courant — mais il faudra le démontrer. Toutefois, ce n'est pas pour des raisons didactiques liées à des définitions *a priori* que la linguistique insiste sur cette différence entre signe et symbole ; c'est parce qu'ils se révèlent doués de propriétés communes, certes, (qu'aperçoit bien la psychologie), mais aussi de propriétés différentes, et constituent des systèmes de communication qui fonctionnent de façon différente. Les linguistes, instruits par la pratique, pensent qu'il faut séparer ces deux sortes d'unités signifiantes, même si, dans la réalité, des systèmes de communication les utilisent conjointement, de façon très variée, très inégale. Dans les langues naturelles, par exemple, toute une partie de ce qu'on nomme l' « intonation » rejoint les moyens symboliques de communication (valeurs symboliques des sons) : toute analyse saussurienne ou phonologique est inadéquate à leur endroit jusqu'ici.

L'opposition entre systèmes de signes et systèmes de symboles permet donc à la sémiologie de mettre un premier ordre dans des domaines où l'on parlait jusqu'à maintenant de langage erronément. Tout ce qu'on nomme hâtivement, métaphoriquement, langue ou langage du dessin (industriel), de la peinture, de la sculpture, du cinéma, de la publicité, de l'affiche, par exemple, gagnera sûrement beaucoup à être analysé, dans une mesure qui corresponde à la nature des choses, à partir d'unités réelles — et non supposées ou postulées — qui seront au moins partiellement des symboles et non pas des signes.

5

Le progrès des analyses linguistiques a conduit à faire une troisième distinction : d'une part, les moyens de communication qui fonctionnent selon un *système* (de signes, ou de symboles), c'est-à-dire où des unités bien définies se combinent ou se structurent selon des règles bien définies, ou bien connues : ce seront proprement les systèmes de communication ; d'autre part, les *moyens* de communication simples, qui ne fonctionnent pas selon un système, ou bien dont le système (s'ils en ont un) n'est pas encore identifié, parce qu'on n'a pas encore identifié leurs unités réelles, ni les règles de structuration de ces unités. Buyssens oppose de la sorte aux procédés systématiques de communication (une langue naturelle, une signalisation ferroviaire ou maritime, une notation musicale, la prosodie d'une versification, etc.) des procédés a-systématiques (les arts plastiques, l'affiche publicitaire, les enseignes, la politesse, la gesticulation spontanée, etc.).

Par exemple, nul doute que la publicité ne puisse être considérée comme un moyen de communication entre les hommes. Mais nous serons obligés, pour savoir si l'affiche publicitaire fait appel à un *système* de communication, d'examiner quelles unités elle emploie, si elle en emploie ; puis si elle combine ces unités selon des règles ; et, de plus, si ces unités et ces règles sont connues et utilisées comme telles par l'émetteur du message publicitaire (ce qui est en partie probable), mais aussi par le récepteur du même message (ce qui est douteux). C'est-à-dire que nous devrons examiner si la relation affichiste-affiche-consommateur peut-être dite une communication du même type que la relation locuteur-message-auditeur. Jusque-là nous ne pourrons pas plaquer arbitrairement et littérairement la terminologie que les linguistes ont mis au point depuis Troubetzkoy sur l'analyse du moyen de communication qu'est indubitablement la publicité.

Buyssens et Charles Morris pensent que les arts plastiques posent ce problème de savoir s'ils utilisent un système, s'ils possèdent des unités qui s'organisent en système décelable. Leurs réponses sont hésitantes : Buyssens estime que les arts, y compris les arts plastiques, ont comme objet premier non pas la communication avec autrui, mais la manifestation de soi, la pure et gratuite extériorisation — ce qu'on peut sûrement discuter. Morris, dans l'impossibilité de formuler sur une base behaviouriste ce qui distingue spécifiquement le message d'un tableau de celui d'un énoncé linguistique (tout en percevant qu'il faudrait le faire), propose de nommer les arts plastiques des *quasi-langages*. Même s'il s'agit d'une défaite verbale, poser le problème de cette façon c'est faire avancer l'analyse des moyens de communication obtenus par des représentations graphiques ou plastiques, parce que c'est chercher leurs traits spécifiques par rapport à l'énoncé linguistique — au lieu de les assimiler d'office à celui-ci. Parler de « grammaire picturale », de « sémantique publicitaire », décréter que les arts plastiques sont *a priori* des langages, risque au contraire d'enfermer les chercheurs dans l'impressionnisme et la métaphore littéraires.

6

La linguistique actuelle a mis en évidence un quatrième trait propre aux langues naturelles : c'est le caractère *linéaire* des messages qu'elles élaborent. On entend par là que les énoncés sont constitués par des suites de signes émis sur la trame du temps, perçus sur la trame du temps, ce qui détermine pour les règles de combinaison de ces signes des propriétés spéciales liées au caractère irréversible de tout déroulement dans le temps. C'est ce que traduisent les expressions saussuriennes *chaîne acoustique, chaîne parlée.* Buyssens a vu l'intérêt de ce trait pour essayer d'analyser par différence la spécificité des systèmes de communication qui ne présentent pas ce caractère linéaire. Saussure opposait déjà nettement les langues aux systèmes de communication « visuels (signaux maritimes, etc.) qui peuvent offrir des complications simultanées sur plusieurs dimensions » (*Cours,* p. 103). Nul doute que le dessin industriel ne soit un système de communication, parfaitement universel, avec son lexique (les unités symboliques explicitées dans les *légendes* du dessin) et sa syntaxe (les règles de construction géométrique de tout dessin). Mais ces règles, cette fois, correspondent à une syntaxe qui se déploie dans l'espace, *et non pas dans le temps.* Probablement, toute analyse des arts plastiques en termes de systèmes de communication gagnerait à tenir compte de ce point de vue, déjà parfaitement souligné par Lessing en 1766 dans son *Laocoon,* où, parlant du poème et du tableau, il écrit en termes modernes : « Le premier est une action visible progressive, dont les diverses parties se passent successivement dans la suite du temps, tandis que le second est une action visible permanente, dont les diverses parties se développent simultanément dans l'espace » (*ouvr. cit.,* chap. XV). Cette opposition entre les systèmes de signes qui fonctionnent de façon linéaire et ceux qui ne présentent pas ce caractère introduit un nouvel élément de clarification dans la description des systèmes de communication ; elle fournit une ligne de séparation dont on peut penser qu'elle sera capitale dans une sémiologie générale future.

7

Lié au caractère linéaire du signe de l'énoncé, la linguistique a de plus en plus, à partir de Saussure, découvert le caractère *discret* des signes du langage. C'est leur propriété de pouvoir être distingués par *oui* ou par *non*, opposables globalement chacun à chacun : Saussure disait qu'ils sont *différentiels*, Mandelbrot écrit : *discontinus*. Les signes linguistiques discrets, poursuit-il, sont ou semblables ou différents. Entre signes linguistiques différents, jamais il n'existe une gamme continue de valeurs intermédiaires (voir « Structure formelle des textes et communication », dans *Word,* X, 1, 1954, p. 3-4). Ce caractère permet d'apercevoir mieux, par différence, un trait spécifique de tous les systèmes de communication qui ne fonctionnent pas à partir de signes discrets. La silhouette d'un poids lourd sur un panneau de signalisation routière est un symbole discret. Le trait bleu qui symbolise le tracé d'un fleuve sur une carte ne l'est pas lorsque l'épaisseur du tracé sinueux, de la source à l'embouchure, varie approximativement en fonction de la largeur du fleuve réel : il y a symbolisation d'une grandeur continue par une grandeur continue. (Mais les traits d'épaisseur fixe et conventionnelle qui signifient les diverses catégories de routes sont de nouveau des signes arbitraires discrets). De même la représentation d'une surface réelle par une surface symbolique proportionnelle à la première (toutes les représentations dites « à l'échelle ») est fondée aussi sur une utilisation d'unités de grandeur continue. Toute analyse sémiologique des mythes, des spectacles, des arts plastiques, pourra prendre un caractère scientifique après avoir mis en évidence l'existence ou non d'unités signifiantes (arbitraires ou symboliques, linéaires ou non, discrètes ou non) et l'aptitude de ces unités à rendre compte du fonctionnement de ces moyens ou systèmes de communication. C'est ce qu'a bien aperçu Granger, contre Morris : la vraie différence entre les langues naturelles et les arts plastiques n'est pas analysée spécifiquement lorsqu'on dit que l'art n'est pas un langage parce qu'il n'a pas de lexique (Suzanne Langer, citée par Morris), ou parce que ses signes ont un caractère iconique, non arbitraire : « On dit couramment que l'art est un langage. Abusivement, car il est moyen de communication sans doute, mais non langage, dans la mesure où il ne vise jamais à construire des séquences linéaires discrètes véhiculant des informations » (Voir dans *Hommage à Gaston Bachelard,* Paris, P. U. F., 1957, p. 37). Parler de sémantique ou de lexique ou de grammaire ou de syntaxe ou de structures des arts plastiques, *avant* d'avoir donné la description (de type phonologique rigoureux) des unités possibles ou probables qui contruisent les structures dans une analyse de ces arts, restera forcément un essayisme, une vue intuitive, et non le départ d'une science générale des signes.

8

Un dernier caractère spécifique des langues naturelles s'est démontré remarquablement discriminatoire à l'égard des autres moyens ou systèmes de communication : c'est la double articulation du langage (Voir A. Martinet, « Arbitraire linguistique et double articulation », dans les *Cahiers F. de Saussure,* et « La double articulation linguistique » dans *Travaux du Cercle linguistique de Copenhague*). Martinet entend par là que les langues naturelles sont, en tant que système de signes, articulées, c'est-à-dire structurées deux fois : la première articulation du langage est celle qui découpe l'énoncé linguistique en unités signifiantes successives minimales, ou *monèmes*. *La terre est ronde* contient cinq de ces unités. La seconde articulation est celle qui découpe l'unité signifiante elle-même en unités minimales successives non signifiantes mais distinctives, ou *phonèmes :* « ronde » contient trois unités de ce type. Cette analyse est importante en linguistique parce qu'elle rend compte (en termes scientifiques très proches de ceux qu'ont élaboré — indépendamment — les fondateurs de la *mathematical theory of communication*) des raisons pour lesquelles les langues naturelles se comportent comme un code optimal. Avec quelques dizaines d'unités de seconde articulation, quelques milliers d'unités de première articulation, l'apprentissage et la production de milliards de messages est réalisé de la façon la plus économique possible. C'est la double articulation qui rend compte de la propriété la plus mystérieuse du langage pour tous ceux qui tentaient jusqu'ici de le séparer des autres moyens de communication, surtout des systèmes reconnus chez les animaux : son inépuisable richesse combinatoire par rapport à la pauvreté de tous les autres systèmes. Richesse constatée mais, comme on l'a vu plus haut, sans explication satisfaisante par Morris : « Il est évident que la conduite humaine dans le langage, écrit-il, montre une complication étonnante, un raffinement sans commune mesure avec ce qu'on observe chez les animaux » (*Signs, Language and Behavior,* p. 52-53). Richesse expliquée par une référence « circulaire » à « la pensée », depuis Buffon (« C'est parce qu'une langue suppose une suite de pensées que les animaux n'en ont pas ») jusqu'à Colin Cherry, pour qui chez les abeilles il ne saurait y avoir de langage parce qu'on ne décèle chez elles « aucun système de pensée organisée » (Voir *On Human Communication,* New York, Wiley, 1957, p. 18).

Cette analyse linguistique fournit une méthode neuve pour construire, à l'endroit des autres systèmes de communication, des analyses sémiologiques vraiment pertinentes : ces systèmes disposent-ils des mêmes structures à deux articulations, ou non ? L'enquête, même sommaire, montre que des types de communication aussi différents que les enseignes commerciales et publicitaires, les signalisations symboliques ou arbitraires variées du type du code de la route, ou de la cartographie, ou du dessin industriel, ceux de la nomenclature chimique, ceux des mathématiques et de la logique en général, etc., sont tous des systèmes de signes ou de symboles qui ne connaissent que la première articulation en unités signifiantes. Pour les cris d'animaux, au contraire, il est possible qu'une analyse plus poussée, sur des matériaux analogues à ceux de Philippe Gramet concernant les corbeaux, permette de définir des types de communication où l'énoncé se trouve construit sur des unités non signifiantes de seconde articulation (des espèces de phonèmes), mais où l'unité supérieure immédiate soit le message global, non découpable en unités de première articulation — chaque message se référant à une classe de situations, comme dans les cris d'avertissement, de frayeur, de rappel des corbeaux.

9

Au point de convergence de tous ces enseignements tirés de Saussure, Troubetzkoy, Buyssens et Martinet, Luis J. Prieto vient d'effectuer la première tentative, à la fois cohérente et complète, de formuler une sémiologie considérée par son auteur lui-même comme une « méthode phonologique généralisée » (Voir « Sémiologie », dans le volume de l'Encyclopédie de la Pléiade consacré au *Langagae* [1]). Dans ces quelque cinquante pages, les notions d'indice, de signal, de symptôme, d'acte sémique, de situation, de sens, de signifiant, de signifié, de trait pertinent sont définies à la fois dans leur plus grande généralité, et dans les rapports rigoureux qu'ils soutiennent entre eux pour assurer le fonctionnement d'un système quelconque de communication. Cette première « Sémiologie » devra permettre enfin de remplacer les échantillonnages d'exemples intuitifs par des travaux précis et complets de « description sémiologique » — comparables aux descriptions phonologiques des langues naturelles — de systèmes de signes ou de symboles donnés. Ces travaux seront à la fois des

1. *Le Langage,* Encyclopédie de la Pléiade, Paris, Gallimard, 1968.

apprentissages pratiques nécessaires de l'analyse sémiologique scientifique exhaustive, les premiers résultats solides de telles analyses et les vérifications de la validité de la méthode proposée par Prieto. On peut penser que ces années-ci s'achève ainsi la préhistoire de la sémiologie [2].

(1962)

2. Ce texte est la substance d'une communication présentée sous le titre « Où en est la sémiologie ? » et faite au Colloque sur le signe et les systèmes de signes, pour le Centre de psychologie comparative de l'Ecole pratique des hautes études (Royaumont, 12-15 avril 1962).

la notion de code en linguistique

1

L'emploi de la notion de « code » en linguistique est récent. Whitney, chez qui on rencontre abondamment déjà les mots *système* et *structure,* ne l'utilise pas. Chez Sapir on ne trouve le terme que pour désigner « le code télégraphique Morse » [1]. Chez Bloomfield, il n'apparaît vraisemblablement qu'une fois, pour parler des *signaling-codes* qui visent sans doute la même réalité — bien que Bloomfield parle volontiers du langage comme d'un *system of speech-signals,* ou d'un *complicated signaling-system,* et bien qu'il dise expressément qu'un « system of signals, as language, can contain only a small number of signaling-units » [2] ; mais sa volonté de tout interpréter par référence à la chaîne parlée [uniquement en termes de distribution] et sa « répugnance [...] à envisager les rapports paradigmatiques comme doués d'une certaine réalité » [3] suffisaient à l'écarter d'un usage moderne du mot « code ». Le terme est absent aussi chez Peirce en tant que notion fondamentale quant à la théorie des signes. Il en est de même dans les *Prolégomènes* de Hjelmslev : il ne figure pas à l'index des définitions, ni ne sert à la construction d'aucune. En fait, Saussure est le seul, parmi les pères fondateurs de la linguistique actuelle, à s'en servir une fois, dans l'acception même qu'il a pour nous, comme synonyme de *langue :* la parole, écrit-il, ce sont « les combinaisons par lesquelles le sujet parlant utilise le code de la langue en vue d'exprimer sa pensée personnelle » [4].

La très lente pénétration du terme en tant que concept cardinal, au moins dans la linguistique européenne, est facile

---

1. Sapir, *Linguistique,* Paris, Editions de Minuit, 1968, p. 38, 95.
2. Bloomfield, *Language,* Henderson & Spalding, Londres, 1955, p. 29, 144, 162, 281.
3. Martinet, *Economie des changements phonétiques,* Berne, Francke, 1955, p. 22.
4. Saussure, *Cours de linguistique générale,* éd. de 1960, p. 31.

à vérifier. Le mot n'apparaît pas dans les *Principes de phono-logie* de Troubetzkoy, ni à l'index, ni semble-t-il ailleurs. Il ne figure pas dans le *Dictionnaire de linguistique de l'Ecole de Prague* de Vachek [5], ni comme entrée, ni dans le texte appa-remment, pour les articles où on l'attendrait (le seul terme proche est celui de *répertoire,* à propos de système phonolo-gique). Chez Benveniste, il n'est présent ni dans l'article de 1939 sur « La nature du signe linguistique », ni dans le grand article de 1954 sur « Les tendances récentes en linguistique générale », bien que toute la substance du texte eût pu l'appeler. On le trouve en revanche dans le « Coup d'œil sur le développement de la linguistique », en 1963 [6]. Chez Eric Buyssens, en 1943, le mot n'est employé vraisemblable-ment qu'une seule fois, page 49 (abstraction faite de la citation, page 31, de la phrase de Saussure sur « le code de la langue », citation sans écho), pour mentionner les « divers codes télé-phoniques ou télégraphiques ». Au contraire, en 1967, on le rencontre au moins douze fois (p. 17, 18, 22, 23, 46, 52, 57, 82), dont deux fois dans le sens explicitement saussurien : « système ou code », puis « code ou système » [7].

En fait, le mot *code* a dû pénétrer dans la terminologie linguistique — mais l'histoire de cette pénétration demanderait déjà un assez long travail — par la voie des publications américaines. Et, dans ces publications, l'élévation de sa fré-quence d'emploi doit être due à la théorie de l'information, puis à la traduction automatique.

On ne se propose pas ici de discuter purement la correc-tion ou la légitimité de cet usage du mot. On cherche plutôt à étudier un fait de terminologie, et à observer comment la dénomination d'un phénomène exprime partiellement la con-naissance qu'on a de ce phénomène, mais peut aussi occulter partiellement la possibilité d'améliorer cette connaissance : on risque souvent sinon toujours d'arrêter l'analyse d'un fait, parce que la dénomination dont on l'affecte persuade qu'on le connaît définitivement.

2

Au départ, le mot « code » s'installe comme synonyme de *système* et de *langue :* on parle de code et de message là où

5. Edité par le C. P .I. L., Spectrum, Utrecht-Anvers, 1966.
6. Benveniste, *Problèmes de linguistique générale,* Paris, Gallimard. 1966.
7. Buyssens, *Les Langages et le discours,* et *La Communication ϵ l'articulation linguistique,* Bruxelles-Paris, Presses Universitaires, 1967.

on parlait auparavant ou parallèlement de langue et de parole, de système et de chaîne, de paradigmatique et de syntagmatique. Martinet, par exemple, qui doit être une des sources essentielles de l'usage en France, ne parle pas de code en 1955 dans *Economie des changements phonétiques*. Mais il intitule la section des *Eléments de linguistique générale* où il introduit cette notion : « Langue et parole, code et message ». On y voit bien l'une des raisons que la linguistique européenne avait d'accueillir favorablement la nouvelle terminologie (l'autre raison, capitale, étant la fertilité de la théorie de la transmission des messages, pour comprendre mieux ce qu'on appelle l'économie de la langue). Après avoir écrit : « L'opposition, qui est traditionnelle, entre langue et parole, peut aussi s'exprimer en termes de code et de message », Martinet développe aussitôt un paragraphe pour avertir que la réflexion saussurienne et post-saussurienne entraînait sur ce point le risque de faire croire qu'il y aurait une « linguistique de la parole » à côté de la « linguistique de la langue ». C'est aussi l'interprétation de Pierre Guiraud, qui note en 1963 : « Ainsi le discours apparaît comme un message et la langue comme un code ; cette analogie est si évidente et si riche que certains linguistes n'hésitent pas à l'introduire dans leur terminologie aux dépens de la traditionnelle opposition langue-parole, jugée par eux — à juste titre d'ailleurs — vague et ambiguë » [8]. Les dictionnaires d'usage les plus récents, non sans tâtonner ni confondre, enregistrent un reflet de ce nouvel emploi. Ainsi le *Dictionnaire du français contemporain* (Larousse, 1966) parle du code comme d'un « système linguistique (?) convenu, par lequel on transcrit ou traduit un message » ; tandis que le *Nouveau petit Larousse* (1968) parle de « système de symboles permettant de représenter une information ». René Moreau, ingénieur des télécommunications, qui a maintes fois travaillé avec des linguistes, a pu parler correctement du « mot, comme groupe optimum codique », ou écrire que « les signes de la langue n'ont pas un aspect exclusivement codique », puis proposer de « revenir à l'aspect codique du langage » [9] — incitant de la sorte un linguiste comme Jean Dubois à parler à son tour de « deux niveaux de structuration [de la langue], sémantique et codique », et même du français comme d'un « système codique » [10] spécifique.

8. Guiraud, *Etudes de linguistique appliquée*, vol. 2, 1963, p. 37.
9. *Linguistique et Télécommunications*, 1963.
10. Dubois, *Grammaire structurale du français*, I, Paris, Larousse, 1965, p. 7 et 5.

3

Très tôt cependant des voix se sont élevées pour attirer
l'attention des linguistes sur les dangers que pouvait présenter
l'assimilation pure et simple du langage à un code. La première à ma connaissance est justement celle d'un chercheur qui
fut parmi les premiers à s'engager sérieusement dans la traduction automatique, Anthony G. Oettinger. Dès 1955, contre
la thèse qui pose qu'on doit pouvoir tout traduire comme on
peut décrypter (ce qui présuppose, on ne le dit jamais, que
les langues ont toutes les propriétés des codes et seulement
les propriétés des codes), il essaie de cerner les raisons pour
lesquelles il est bien plus difficile de traduire que de décrypter,
c'est-à-dire qu'il essaie de montrer en quoi les langues ne
sont pas, ou ne sont pas tout à fait des codes comme les
autres. Parce qu'il garde le mot « traduction » pour parler
d'opérations aussi différentes que la translittération, la transcription, le chiffrement et la traduction proprement dite
(autre bel exemple de « risque terminologique »), il arrive
difficilement à cette conclusion : dans le cas des codes
proprement dits, on jouirait d'une liberté qu'on n'a pas
dans le choix des langues [11]. Plus tard, il explicite en ces termes
son opinion : « Il n'est pas difficile d'apercevoir les similitudes entre les traductions élémentaires ci-dessus décrites
[il s'agit des translittérations, etc.] et la traduction d'une
langue dans une autre. Dans les deux cas, le processus
consiste à recoder un message à l'aide d'un nouveau stock
de symboles. D'une manière idéale, les symboles du nouveau
code doivent être en correspondance avec ceux du premier.
de telle manière que le message lui-même reste invariant.
Cet idéal peut être atteint sans difficulté quand on est libre
de choisir [il veut dire : d'inventer] les codes. Cela n'est pas
le cas pour la traduction [des langues] où les deux codes
sont donnés, et où le problème est de trouver les correspon-
dances » [12].

C'est sans doute Frédéric François qui a le mieux formulé
cette différence entre langue et code entrevue par Oettinger.
« Si, écrit-il, les traits communs tels que *valoir pour autre
chose* ou *être composés d'unités combinables* permettent de
rapprocher langues naturelles et codes de transmission, une

---

11. Œttinger, dans *Machine Translation of Languages* (*Fourteen
Essays*), de Locke et Booth, 1955, p. 50-51.
12. *Automatic Language Translation*, Cambridge University Press,
Cambridge (Mass.), 1960, p. 104.

différence s'impose : c'est justement parce qu'il existe une langue naturelle que, dans l'étude des codes artificiels, les termes de codage et de décodage prennent un sens précis : il s'agit de *transformer,* pour pouvoir les transmettre mieux (plus vite, plus loin, avec plus de sécurité, etc.) des messages *déjà structurés* [dans une langue],puis de les retransformer afin de les rendre intelligibles à la réception. Au contraire, la langue peut servir à nous renseigner directement sur la réalité extra-linguistique (le référent) : si l'on parle alors de codage, il faudra se souvenir que c'est dans un sens large, tout à fait différent du premier. Il ne s'agit plus en effet de passer d'un message à un autre mais d'une expérience globale à un message » [13]. *Encoder* ne désigne pas la même suite d'opérations quand il s'agit, soit de passer du mot ΦΕΔΟΡΟΒ à sa translittération : *Fédorov,* ou à sa transcription phonétique : ['fjödəref] (ou même à sa forme en Morse, Braille, ou en sténographie, ou en chiffre diplomatique, ou en numération binaire, etc.) ; soit d'une phrase donnée toute faite en russe à traduire par son équivalent français ; soit enfin de la succession des opérations mentales puis linguistiques par lesquelles un locuteur aboutissait à l'émission de cette même phrase en russe. Parler d'encodage dans ce dernier cas, comme les précédents, c'est se dissimuler le fait qu'on ne sait pas du tout ce qui se passe dans le cerveau qui crée un message, et qu'on ne sait pas parfaitement décrire les opérations (linguistiques ?) qui matérialisent cette création.

Mais le texte de Frédéric François, s'il nous renseigne bien sur ce que sont les codes, par des critères proprement opératoires, n'achève pas l'enquête : « Les ressemblances entre la langue et les codes, conclut-il, permettent une même analyse en termes d'information : une unité porte d'autant plus d'information qu'elle constitue un choix entre un plus grand nombre d'unités et qu'elle est rendue moins probable par les unités qui l'entourent ; dans l'étude des codes comme dans celle des langues on pourra calculer des relations entre information et coût ou établir le degré de prévisibilité souhaitable pour diminuer les erreurs possibles, en apportant cependant suffisamment d'information. Reste qu'il est légitime de se demander comment à ces nécessités de la transmission se combinent les nécessités de l'analyse du réel ou plus précisément de la pensée (car un discours sensé ne porte pas forcément sur le réel) » [14]

---

13. *Le Langage,* Encyclopédie de La Pléiade, Paris, Gallimard, 1968, p. 11.
14. *Ibid.,* p. 12.

4

Guiraud a proposé, pour distinguer code et langue, des critères objectifs. En effet, poursuit-il après la phrase de lui qu'on a déjà citée, langue et code sont bien l'une et l'autre un système de conventions qui permettent de transformer un message ; ainsi la langue est le système des équivalences lexicales et des règles syntaxiques au moyen desquelles les idées, la pensée, sont transformées en paroles articulées. Mais il existe entre la langue et les codes une différence fondamentale : les conventions d'un code sont explicites, préétablies et impératives ; celles de la langue sont implicites, elles s'instituent spontanément au cours même de la communication. L'homme a créé un code en vue de la communication, alors que c'est dans la communication elle-même que se crée la langue. C'est pourquoi le code est clos et figé, il ne se transforme qu'en vertu d'un accord explicite des usagers, alors que la langue est ouverte, et remise en question dans chaque nouvelle parole. C'est pourquoi il est impossible de reconstituer entièrement les règles d'une langue vivante et qu'on n'a jamais pu élucider, par exemple, les ballades en jargon de Villon, alors qu'on vient toujours à bout d'un code cryptographique. L'assimilation d'une langue à un code est donc pleine de pièges ; l'emploi et la programmation de la machine dans les problèmes de déchiffrement d'un code ou d'une langue se posent dans les deux cas en des termes très différents » [15]. Le parallélisme des cinq oppositions terme à terme est ici rigoureux, entre le code comme système *clos* et *figé* de règles *explicites, préétablies, impératives* d'une part, et la langue comme système *ouvert* et toujours *évolutif* de règles *non explicites, non préétablies, non impératives.* Si l'on prend sans chicaner les mots au sens où Guiraud les emploie (sans jouer sur d'autres acceptions que pourraient avoir *préétablies,* ou *non impératives,* etc.) et si l'on néglige le démenti qu'il vient de s'infliger lui-même en décryptant les ballades en jargon de Villon, on se sent d'abord et spontanément d'accord avec sa description différentielle. Mais il reste un doute scientifique quant au fait de savoir si ces différences sont toutes réellement et également pertinentes. Sans être chomskyen, on peut douter qu'il soit « impossible de reconstituer entièrement les règles d'une langue vivante » : on peut penser au contraire qu'à chaque instant, pour un idiolecte, en synchronie, tout se passe comme si la langue était un système clos constitué d'unités en nombre fini, combinables

15. Guiraud, *op. cit.,* p. 37-38.

selon des règles elles-mêmes en nombre fini — même si le
double inventaire à faire est infiniment plus complexe que
celui qu'on ferait pour les codes proprement dits. Et si ce
critère central à mes yeux tombe, la différence entre code et
langue cesse sur ce point d'être une différence de nature pour
n'en être plus qu'une de degré. Les autres critères sont ou
bien dépendants de celui-ci, comme le fait d'être explicite ou
implicite, descriptible ou non ; ou bien ce sont des critères
plus fragiles : la langue, pour chaque locuteur, n'est pas non
préétablie ; il serait difficile de prouver dans quel sens limité
elle est non impérative ; le fait qu'elle ne soit pas figée pour
l'éternité comme le Braille ou le Morse n'est peut-être qu'un
épiphénomène lié à l'échelle des temps d'observation choisis
(on peut concevoir des systèmes clos et figés comme l'espéranto
qui soient pourtant évolutifs, comme le montrent l'ido I et
l'ido II ou l'antido qu'on a dérivés du premier). L'élaboration
de Guiraud est un moment précieux de notre enquête, mais
elle n'est pas décisoire.

5

Arrivés ici, nous apercevons mieux en quoi les langues naturelles humaines sont profondément différentes des codes stricts
ou proprement dits : en ce que, dans les codes, on part toujours d'un message déjà formé pour aboutir à un autre message exprimé par des symboles différents, tandis que, dans les
langues, c'est au point d'arrivée seulement qu'on constate la
présence d'un message, sur le point de départ duquel on ne
sait à peu près rien. Pour un disciple de Buyssens — c'est tellement évident qu'il ne faut pas oublier de le dire —, les
codes sont toujours des systèmes [de signes] *substitutifs,*
tandis que les langues sont des systèmes directs. Nous apercevons mieux aussi en quoi les langues sont des espèces de
codes : par la façon dont elles construisent les énoncés selon
des règles, à partir d'unités, et par la façon dont elles fonctionnent, avec les mêmes lois d'économie et de redondance que
les codes. René Moreau montre pourtant que les langues, même
dans leur fonctionnement, ne se comportent pas tout à fait
comme des codes stricts. Il analyse à son tour un certain nombre de différences : dans les codes stricts il y a, par construction même en général, une relation bi-univoque entre chaque signifiant et chaque signifié (il y a toujours application
bijective des éléments constituant l'ensemble des signifiés sur
les éléments constituant l'ensemble des signifiants). Dans les
langues au contraire, cette relation bi-univoque, sans être rare,

est statistiquement l'exception. Tantôt il y a plusieurs signifiants pour un seul signifié (*étourneau-sansonnet, auto-voiture,* etc.). L'application de l'ensemble éléments signifiés sur les éléments de l'ensemble des signifiants n'est plus bijective, elle est surjective (à chaque élément du second ensemble correspond *au moins* un élément du premier), mais elle est non injective (un élément du second ensemble ne correspond pas à un élément *au plus* du premier). Tantôt il y a plusieurs signifiés pour un même signifiant (polysémie du mot *tension* ; homonymie du mot *moule*), avec les mêmes résultats. Moreau perçoit aussi que cette absence de relation bi-univoque au niveau du signifiant et du signifié de chaque unité se retrouve au niveau de chaque énoncé. La même réalité non linguistique, le même signifié, pourra se traduire par : « On construit une maison sur la colline », ou bien par : « Une maison est en train de se construire sur la colline » ; ou bien par : « Il y a des gens qui construisent une maison sur la colline », etc. Mais il n'arrive pas à définir scientifiquement ce trait indiscutablement spécifique du fonctionnement des langues, par rapport à celui des codes stricts. Après avoir montré que « le plan de l'expression possède certaines caractéristiques des codes », il oppose les langues aux codes en disant que « le langage est avant tout un phénomène humain », qui, dit-il en reprenant une formule du Soviétique Chendel's, « traduit les rapports subjectifs de la personne parlante et de la réalité, et montre comment sont interprétés les rapports de la réalité dans la connaissance humaine, comment l'homme perçoit la réalité, comment il y réagit, comment il l'influence » — ce qui ne fournit pas de critères différentiels explicites et opératoires pour distinguer code et langue. Il pense aussi que « la langue est d'autant moins un code, d'ailleurs, qu'il se produit une réaction [un *feed-back,* dit-il aussi] du plan de l'expression sur le plan du contenu ». Et il conclut, citant les Soviétiques Andréev et Zinder, que, « la langue étant très différente d'un code, tout modèle mathématique ne peut représenter qu'une partie de son essence » [16].

6

Cette analyse de Moreau est restée pendant cinq ou six ans pour moi la plus suggestive sur ce point. Mais cette propriété

---

16. Moreau, *Mathématiques et description des plans du contenu et de l'expression,* document hectographié, Colloque de mathématiques appliquées, Faculté des sciences de Caen, 17 mars 1961.

spécifique du fonctionnement des langues, par rapport à celui de tous les codes, me semble avoir été bien élucidée finalement par Prieto. Il établit d'abord que les codes se classent en plusieurs catégories quant à leurs sèmes (au sens de Buyssens) : codes où les sèmes ont des rapports d'exclusion logique entre eux (chaque signifiant n'a qu'un signifié), codes où les sèmes ont des rapports d'inclusion logique entre eux, codes où les sèmes ont des signifiés en rapport d'intersection logique [17]. Il montre ensuite que « les langues sont peut-être les seuls [codes] où il y ait des sèmes dont les signifiés soient en rapport d'inclusion entre eux et des sèmes dont les signifiés soient en rapport d'intersection entre eux » (*ibid.*, p. 134). L'intérêt de cette classification, c'est la démonstration que ce dernier type de code est peut-être le seul « où il soit possible d'*adapter aux circonstances* la quantité d'indication significative qu'on fournit au signal ». C'est l'explication rigoureusement logique du fait, relevé par Moreau, que le langage soit le seul type de code où l'on puisse dire, dans des situations données, soit : « Donnez-moi le crayon noir » ; soit « Donnez-moi le noir » ; soit : « Donnez-le-moi », etc. C'est là, avec la deuxième articulation (dont Moreau voyait déjà très bien aussi qu'elle distingue les langues de tous les autres codes), l'un des traits qui rendent enfin compte du fait que les langues — qui possèdent certaines caractéristiques des codes proprement dits — ne se comportent pas tout à fait comme des codes stricts, c'est-à-dire, selon la définition de Moreau, « des moyens de présentation de l'information sous forme utilisable pour la transmission par un canal de liaison » [18].

7

L'acceptation sans discussion d'une synonymie étroite et absolue entre langue et code empêchait de voir en quoi les langues ne sont pas des codes — c'est le modèle même du fameux prisme humboldtien qui prédétermine linguistiquement la vision de la réalité. Cette synonymie n'a pas gêné la recherche en linguistique générale, où les chercheurs étaient avertis de la complexité du phénomène. Il n'en a pas été de même pour les électroniciens, mathématiciens, logiciens, ingénieurs qui s'en sont emparés, dans la traduction automatique par exemple, comme d'une vérité immédiatement et totalement exploitable. Oettinger, Moreau, Zinder, Guiraud — rares ont

17. Prieto, *Messages et signaux,* Paris, P. U. F., 1966, p. 131-134.
18. Moreau, *Mathématiques et description des plans, du contenu et de l'expression, op. cit.,* p. 3.

été les chercheurs conscients du problème. On peut penser aussi, et c'est un bel exemple, que si l'on avait distrait pour la recherche fondamentale pure un centième des moyens qu'on donnait presque sans compter au *développement* prématuré, c'est-à-dire à la recherche appliquée trop hâtive, on aurait évité bien des déboires [19].

(1970)

---

19. Ce texte a paru dans les *Mélanges* offerts à Eric Buyssens (1970), sous le titre *Linguistique contemporaine,* Editions de l'Institut de socio-logie de l'Université libre de Bruxelles.

la communication théâtrale

Il est tentant de croire aujourd'hui que la science moderne du langage peut fournir — à tous ceux qui s'interrogent sur le théâtre, sur le fonctionnement d'un spectacle et sur sa fonction spécifique — une baguette magique propre à résoudre tous les problèmes théâtraux. Plus tentant même, hélas ! de s'imaginer qu'on a résolu tous ces problèmes en parlant du théâtre comme d'un « langage », de « signifiant » et de « signifié » théâtral, de « syntaxe » brechtienne, de « codage » scénographique, etc. On ne s'aperçoit pas qu'on se borne ainsi la plupart du temps à couler, soit des lapalissades soit des opinions indémontrées, dans le moule des métaphores linguistiques très provisoirement à la mode, qu'on abandonnera dans cinq ou dix ans sans que la connaissance du théâtre y ait gagné quoi que ce soit.

Il faut avertir d'abord, aussi brutalement que possible, les authentiques chercheurs en matière de théâtre que parler *a priori* du théâtre comme d'un langage, c'est supposer résolus les problèmes mêmes qu'une analyse minutieuse et complexe du fonctionnement du spectacle théâtral devrait d'abord découvrir et définir, ensuite explorer dans toutes leurs données, puis peut-être commencer de résoudre. A bien considérer ce que les linguistes sont à peu près certains de savoir sur le langage de l'homme au sens strict du terme (et leurs descriptions ne valent que pour ce domaine), on peut être assuré que le spectacle théâtral n'est pas explicable par un décalque mécanique des concepts et des techniques mises au point pour décrire le fonctionnement des énoncés linguistiques. Le langage des linguistes, conçu comme l'ensemble des langues naturelles humaines et rien d'autre (l'anglais, le chinois, le basque, le ouolof, etc.), est un système de communication qui fonctionne, en gros, comme une espèce de code très spécifique, dont on n'a retrouvé jusqu'ici la structure nulle part ailleurs dans les autres moyens ou systèmes de communication des hommes entre eux. Cette spécificité ne tient pas uniquement à la complexité du code linguistique lui-même par rapport à la simplicité relative de tous les autres codes (si le théâtre se montre finalement fondé sur une espèce de communication codée, au moins partiellement, analysable comme telle, nul doute qu'elle se révélera extrêmement complexe elle aussi). Cette spécificité du langage tient à la nature même de sa complexité. Le langage des hommes, au sens strict du mot *langage,* se présente comme un code à deux étages. Un premier étage, où le message à transmettre est construit selon certaines règles par des unités dites signifiantes, ou monèmes : « le chemin tourne ici » contient quatre de telles unités ; « indécorable » en contient trois. Un deuxième étage, où ces unités sont à leur tour construites, selon certaines règles, au moyen d'unités phoniques minimales successives, non signifiantes, seulement distinctives, ou phonèmes : *lève* en contient trois (malgré ses quatre lettres). On perdrait son temps à vouloir chercher s'il y a, dans un décor par exemple, non pas des unités signifiantes, mais des phonèmes ; et surtout si ces prétendus phonèmes (les coups de brosse par exemple) s'organisent selon le même type de règles qui gouvernent le système phonologique d'une langue ; ou encore si les prétendus monèmes qu'on pourrait isoler dans un décor (une porte, un arbre, un nuage, etc.) fonctionnent selon des règles semblables à celles qui constituent la syntaxe d'une langue. Démontrer que le théâtre est un langage, par cette voie qui serait linguistiquement la seule, serait une entreprise à la fois simpliste jusqu'à la puérilité, et parfaitement vaine.

Cela ne signifie nullement que les chercheurs en matière de théâtre aient tort d'attendre quelque aide qui leur viendrait de la linguistique. Mais en fait c'est à une autre science, issue des travaux des linguistes eux-mêmes, qu'on les renverra : à la sémiologie, science naissante et balbutiante encore qui se donne comme objet l'analyse et la description de tous les moyens et systèmes de communication entre les hommes, et peut-être les animaux (*moyens :* quand nous n'apercevons dans la communication en question ni unités ni règles stables de codage du message même ; *systèmes :* dans le cas contraire).

En matière de théâtre, la première question qu'il faille donc se poser, c'est de savoir si le spectacle théâtral est communication ou non. Au profane, la question peut paraître oiseuse ; et la réponse, évidente. Ce n'est pas si simple. Eric Buyssens, dans *La Communication et l'articulation linguistique* (P. U. F., 1967) remarque que « les acteurs au théâtre simulent des personnages réels qui communiquent entre eux ; ils ne communiquent pas avec le public » — tout au moins dirons-nous, ils ne communiquent pas avec le public par le même système (ici, proprement linguistique) qu'ils communiquent entre eux (sauf pour le secteur très limité des mots d'auteur, et des allusions à l'actualité par exemple). Notons aussi que la communication linguistique est caractérisée par le fait fondamental, constitutif de la communication même, que l'émetteur peut devenir à son tour le récepteur ; et le récepteur, émetteur. Absolument rien de tel au théâtre, où les émetteurs-acteurs restent toujours les mêmes, et les récepteurs-spectateurs toujours les mêmes aussi. Si communication il y a, elle est à sens unique, à la différence de ce qui se passe dans la communication proprement linguistique. Les spectateurs ne peuvent jamais répondre aux acteurs. On pourrait objecter les murmures et les soupirs, les bravos et les sifflets, quelques autres indices mimiques ou gestuels, qui sont les seules réponses observables et possibles du public aux acteurs : mais ces réponses font partie d'un autre système de communication que celui que constitue la pièce de théâtre elle-même. Répétons-le, les spectateurs ne peuvent jamais répondre aux acteurs *par du théâtre*. On pourrait ici, de nouveau, objecter ces réponses ultra-modernes que sont les techniques du happening : nous reviendrons sur leur signification probable, qui consiste sans doute à étendre et diversifier la part de réponse des spectateurs dans le spectacle, à donner plus de place aux « bravos » sous d'autres formes, sans changer peut-être foncièrement la nature de ce qui se passe quand on applaudit. Le secret du fonctionnement théâtral n'est donc pas dans la copie servile du modèle de la communication linguistique.

Et pourtant, nous avons bien la conviction que, dans une salle de théâtre, quelque chose doit au moins s'apparenter à ce que nous nommons communication. La seule solution consiste à étudier point par point sans idée préconçue ce qui se passe.

Examinons d'abord la relation du spectateur avec le texte, relation de base (l'auteur n'est pas là, n'est plus là, n'est jamais là) ; nous sommes en présence d'une relation à sens unique, et d'une communication *relayée,* qui se sert simplement de l'instrument linguistique d'une manière spécifique, comme toute la littérature. Nul doute — ou presque — que l'auteur ait voulu communiquer quelque chose au spectateur : c'est la signification de la pièce jouée, indiscutablement. Mais l'ensemble de ce message est d'abord transmis, remarquons-le, par un procédé curieux : la reconstitution, stylisée et sous un fort grossissement, de l'expérience non linguistique que l'auteur a voulu communiquer. Les mots, les répliques, les temps, les lieux, les participants, tout cela est restitué d'une façon spécifique, comme autant d'indices pour une interprétation que chaque spectateur devrait refaire pour son propre compte, comme l'auteur l'a d'abord faite et reconstituée pour soi. (Or l'interprétation des indices n'a pas, de loin, le même fonctionnement que le décodage des signes. Un enfant de six ans décode tous les messages linguistiques qu'on émet pour lui dans sa langue. Quel spectateur peut se vanter de décoder, littéralement, selon le même système, toutes les pièces qu'il voit ?) La communication avec le texte se fait au moyen de l'outil linguistique, mais ce n'est pas une communication linguistique.

De plus, le texte lui-même est transmis par le canal d'un acteur. On peut penser que l'acteur en tant que tel communique avec le spectateur (ou communique *au* spectateur... ?) et qu'il s'agit là d'un autre type de « communication », qui n'a rien non plus de linguistique. C'est le psychologue et le psychanalyste qui pourraient expliciter cette relation complexe d'adhésion ou de non-adhésion au timbre de la voix, à la mimique, aux gestes, aux comportements physiques du personnage incarné. Ce type de relation peut s'appeler peut-être participation, peut-être identification, peut-être projection, peut-être autrement. Et l'acteur peut recevoir aussi une réponse spécifique à cette émission d'un stimulus qui lui est propre, et distinct du texte auquel il s'ajuste — le frémissement de la salle comme on dit, tout ce qui indique que cette relation entre l'acteur et les spectateurs est établie, positivement ou négativement.

L'acteur et le texte joints doivent construire une nouvelle relation spécifique, celle du spectateur avec le personnage — et ce n'est certainement pas non plus la même que la précédente, ni sans doute une communication au sens propre ; même portée par des mots, elle n'est rien moins que linguistique (elle est, elle aussi, sans réplique possible du spectateur au personnage). Elle est, elle aussi, probablement d'abord participation, identification, projection, relation culturelle complexe.

Mais il faudrait élucider aussi comment le décorateur ou le scénographe « communique » à son tour avec le spectateur. Ici encore, sur le plan sémiologique, tout est à faire. Il y a, ou il y a eu, des conceptions du décor qui l'apparentaient à un véritable code (un répertoire de stéréotypes) où par exemple la colonne dorique signifiait l'antiquité, le petit temple octogonal le XVIIIe siècle, l'écuelle et la cruche de grès la vie paysanne, un palmier l'Afrique — et peut-être que chaque époque ou chaque école sont menacées de transformer la relation *sui generis* qu'elles inventent pour atteindre le spectateur, en un code de ce type. D'autres conceptions faisaient du décor une espèce d'accompagnement, sans indices proprement situationnels ; d'autres une espèce de contrepoint visuel, d'autres une espèce de traduction dans une autre langue, traduction visuelle abstraite de la tonalité par exemple et non pas de la teneur de l'œuvre, etc. De toute façon le décorateur transmet ainsi quelque chose au spectateur, et cette transmission doit être analysée. Il y aurait lieu d'analyser de même, dans la mesure où elle est repérable par des indices perceptibles (à la longue), la relation qui s'établit entre le metteur en scène et le spectateur. Et celle qui s'établit aussi, très médiatisée comme on voit, entre le spectateur et l'auteur — relation dont Buyssens a dit très justement qu'elle *peut* s'établir, « mais qu'il s'agit alors d'une [communication] qui s'ajoute au spectacle ». (On remarquera que je n'écris nulle part *communication,* mais *relation :* quelle communication, au sens propre, autre qu'imaginaire, imaginer avec un auteur mort depuis cent ans, un metteur en scène qu'on ne voit jamais, sauf à travers quelques interviews, en dehors de ses mises en scène, un décorateur dont on ne sait pas toujours le nom ?).

Sans aucun doute faudra-t-il encore examiner la relation qui s'établit dans une salle, pendant un spectacle, *entre chaque spectateur et tous les autres,* à la faveur du spectacle — car il y en a une, perceptible, même si nous n'avons pas encore su l'analyser autrement qu'en termes d'électricité de la salle. Sur ce point, c'est du côté de ce que l'ethnographe anglais Malinovsky appelait la *communion phatique* qu'il faudra peut-être creuser. Il nommait ainsi, très largement, cette espèce d'accord et de bien-être collectif qui s'établit, sans intention de communiquer quelque message que ce soit, par le biais de paroles ou de cris sans signification, dans des situations très nettement définies, plus ou moins fortement ritualisées, même quand elles appartiennent à la vie quotidienne. Et je crois, finalement, qu'il faudrait aussi étudier cette espèce de relation qui, quand il regarde un spectacle, s'établit entre *un spectateur et lui-même.*

Une fois proposée cette première esquisse d'une analyse méthodique possible de ce qui se passe durant un spectacle théâtral, on voit mieux pourquoi dire que le théâtre est un « langage » (linguistique) n'a pas de sens. Mais peut-on parler même de communication théâtrale, non linguistique autant qu'on voudra, mais communication quand même, au sens propre ? Si l'on veut savoir ce qu'on dit quand on parle de communication, rappelons avec obstination qu'un émetteur (de messages) communique avec un récepteur de ces messages si celui-ci peut répondre au premier par le même canal, dans le même code (ou dans un code qui peut traduire intégralement les messages du premier code). Il n'y a pas de communication de ce type au théâtre, si l'on exclut le code très pauvre intellectuellement des réponses ritualisées, quelquefois codées (le *bis,* etc.), que sont les manifestations de la salle en réaction au spectacle. Le happening, le théâtre dans la salle ou le théâtre dans la rue, etc., semblent une recherche pour inclure les spectateurs dans un circuit où ils puissent devenir émetteurs à leur tour, sans qu'on puisse dire si leur intervention constitue une réponse, de type communicationnel, aux acteurs. Ce sera un problème d'étudier la nature et la structure de cette réponse. (Qu'on songe seulement au fait qu'il y a un métier d'acteur, que l'improvisation est la partie la plus difficile de ce métier, avant de décréter que le spectateur d'un happening répond aux acteurs dans leur propre langue).

En fait, il semble bien qu'on explique mieux ce qui se passe au théâtre en termes de *stimulation* (dans le sens que les psychologues donnent à ce mot) qu'en termes de communication. Auteur et metteur en scène, décorateur, acteurs, costumier, scénographe, sont tous tendus non pas pour « dire » quelque chose aux spectateurs, comme ils le pensent généralement au moyen d'un terme impropre, mais pour agir sur les spectateurs. Le circuit qui va de la scène à la salle est pour l'essentiel un circuit (très complexe) du type stimulus-réponse. Les spectateurs sont agis — du moins c'est ce qu'on cherche. C'est sans doute à partir de là qu'on pourra le mieux analyser et décrire le fonctionnement de toutes les nouvelles formules théâtrales : le théâtre en rond, la scène dans la salle, par exemple, qui cherchent peut-être et qui trouvent sans doute des moyens d'augmenter la participation physique des spectateurs ; le théâtre en veston, qui chercherait peut-être plus d'identification ; tout ce qui transpose au théâtre les techniques ethnographiquement bien connues de la ritualisation gestuelle, rythmique, active — du type de la danse rituelle, de la jam-session, de l'office religieux, du spectacle ou de la manifestation de masse, etc. —, qui vise à déclencher participation, identification, projection par contagion physique rituelle au sens propre. Ce n'est pas le métier du linguiste de pousser plus loin ces esquisses, qu'il ne peut que suggérer sur la base de ce que la sémiologie nous enseigne. La représentation théâtrale apparaît alors comme la construction d'un réseau de relations très complexes entre scène et salle, dont la meilleure image graphique serait la partition du chef d'orchestre : à chaque instant, sur différents plans (texte, jeu de l'acteur, éclairage, jeu des taches colorées, costumes sur fond, évolutions, etc.) des stimuli sont produits : linguistiques, visuels, lumineux, gestuels, plastiques — chacun appartenant sans doute à un système différent dont on pourra peut-être expliciter les règles fondamentales. Une telle conception du spectacle ne déprécie ni ne détruit rien de ce que le théâtre a toujours intuitivement représenté comme valeur : elle essaie seulement d'en mettre en évidence le fonctionnement réel. Certains regretteront peut-être qu'on les prive du droit de parler, fût-ce métaphoriquement, d'un langage du théâtre ou d'une communication théâtrale, ces termes étant traditionnellement perçus comme culturellement plus nobles. Mais pourquoi la vérité du fonctionnement théâtral serait-elle moins noble que les illusions que nous nous faisions sur lui ? Les analyses qu'on propose ici n'entament en rien par exemple la signification esthétique d'une œuvre théâtrale. Elles suggèrent seulement d'où naît sans doute la signification esthétique totale d'une œuvre.

On pensera aussi que tout ce qui vient d'être dit ne redécouvre peut-être rien que ce que l'on savait intuitivement et empiriquement depuis toujours ou presque sur le spectacle théâtral ; et qu'il ne s'agit là au plus que d'une reformulation de choses bien connues. On n'aura pas tort. Ce qui s'exprime et s'analyse ici n'est rien d'autre qu'une expérience de spectateur et d'amateur de théâtre de la deuxième moitié du XXe siècle, moins stimulé par les problèmes de la technique théâtrale que par ceux de la consommation théâtrale ; spectateur ordinaire qui dispose simplement, pour essayer de comprendre sa propre expérience, de ce que lui ont apporté son métier de linguiste, et sa réflexion sur la sémiologie. Le seul apport original peut-être est de proposer une organisation systématique de tout ce qu'on savait de façon désordonnée sur le théâtre, et d'intégrer toutes ces connaissances richement artisanales et toujours disparates et contradictoires dans une théorie objective possible du théâtre. Et ce spectateur linguiste et sémiologue, passionnément ami du théâtre et de la vérité scientifique du théâtre, se permettra peut-être d'ajouter que la plus mince parcelle de vérité objective sur le fonctionnement du spectacle théâtral vaut infiniment plus que les grandes déclarations vaticinatoires et le pathos oraculaire qui sont souvent tout ce dont on dispose ici : de la « littérature » sur le théâtre. (Non que les monstres sacrés du théâtre, un Artaud par exemple, n'aient rien dit de pertinent, au contraire : mais leurs intuitions sont enrobées — comme celles des peintres — dans un flux d'éloquence généralement boursouflée, d'aphorismes ambigus qu'on croit profonds parce qu'ils sont creux, d'auto-affirmations lyriques. C'est un long travail que d'extraire de tout cela la parcelle d'expérience théâtrale profondément vécue, l'indication révélatrice qu'ils sont pourtant peut-être les seuls à pouvoir mettre au jour.

Et il est toujours plus facile de pasticher leur mauvais style que de ressaisir les intuitions fulgurantes qui font leur grandeur).

Ce qu'on appelle traditionnellement, et erronément, communiquer avec l'auteur, ou avec la pièce, c'est sans doute, pour chaque spectateur, interpréter la signification de cette pièce sur la base des indices fournis par le spectacle : le texte d'abord, certes, sans parler de tout l'éclairage culturel fourni par la connaissance de l'auteur, de l'époque, du théâtre en général ; mais aussi tout ce qu'apporte et ajoute au texte la totalité de la *situation théâtrale,* acteurs, décors, évolutions, réceptivité propre des spectateurs, inter-stimulation des spectateurs entre eux. La « signification » d'une pièce de théâtre est beaucoup plus loin de la signification d'un message purement linguistique qu'elle ne l'est de la signification d'un événement. On interprète un spectacle théâtral exactement comme on interprète un événement auquel on assiste et on participe ; on ne le lit pas, on ne le décode pas comme un message linguistique ordinaire (non esthétique). Tout simplement, le spectacle théâtral est construit (en général) comme une sorte très particulière de suite d'événements intentionnellement produits pour être interprétés. La sémiologie du théâtre ne sera rien d'autre que la recherche enfin méthodique des règles (s'il y en a) qui gouvernent cette production très complexe d'indices et de stimuli destinés à faire participer le spectateur au maximum à un événement spécifiquement artificiel, dont on espère toujours qu'il sera pour lui hautement signifiant (au sens strictement linguistique du mot cette fois : la pièce dans sa totalité jouée est le signifiant d'un signifié qui est l'expérience esthétique faite à son égard par le spectateur). A ce qu'il me semble, au point où nous en sommes, seule cette hypothèse du théâtre comme une stimulation complexe permet de rendre compte de son effet, cette catharsis si souvent citée, qui ne pourrait être expliquée par la pure vertu de la compréhension tout intellectuelle du texte, ou même du spectacle. Elle explique aussi ce phénomène jamais vraiment bien mis en lumière, ni même dénommé : la *catharsis* de l'acteur — car l'acteur lui aussi (toutes les biographies le prouvent) vient chercher dans l'action théâtrale la guérison de quelque chose en lui, qui ne peut être obtenue pleinement, fût-ce de façon toujours précaire et révocable, que par la réponse du public [1].

(1969)

---

1. Texte publié dans la revue *Contacts,* Nice, 1970, et traduit en italien dans la revue *Il Portico,* Mantoue, n° 15, août 1970, pp. 3-7.

la sémiologie chez hjelmslev

Les *Prolégomènes à une théorie du langage* ont paru en danois en 1943, et malgré un compte rendu très nourri d'André Martinet, dans le *Bulletin de la Société de linguistique* en 1946 (tome 42, fascicule 1, pp. 17-42), le livre est resté à peu près lettre morte pour le public français pendant vingt ans. Une traduction française préparée à Copenhague vers les années 1950 était si fautive qu'elle ne put être publiée. Une première traduction américaine, encouragée par Martinet, ne vit pas non plus le jour. Il fallut attendre celle de Whitfield (1953), impulsée elle aussi par Martinet, pour avoir un texte en anglais. La traduction française des Editions de Minuit (1968) comblait donc un vide. Elle est présentée comme traduite du danois par « une équipe de linguistes », et revue par Anne-Marie Léonard. Aucune introduction n'éclaire sur les partis-pris adoptés, elle ne fait jamais référence à la traduction américaine (sauf p. 18 et 187, sur le mot *procès*), et ne comporte pas d'index des termes définis *.

La traduction de Whitfield, — qui donne ce précieux index de 108 définitions, avec renvoi à chaque définition servant à construire une nouvelle définition, ainsi que le mot danois original — s'était fixée pour tâche de « rendre le danois d'aussi près que possible », à l'exception de « quelques changements mineurs auxquels l'auteur avait donné son consentement ». L'ouvrage avait bénéficié de « l'aide précieuse d'André Martinet ». De plus « en 1952, [Hjelmslev] avait aimablement revu le texte [américain] tout entier avec [Whitfield] et [lui] avait indiqué beaucoup d'améliorations ».

La traduction française — en ce qui concerne la sémiologie — réserve des surprises, lorsqu'on la compare avec cette édition américaine digne de foi. Elle semble aggraver des ambiguïtés qui existaient sans aucun doute dans l'original. Par exemple, page 145, elle parle des « autres structures linguistiques » là où le texte anglais dit : other semiotic structures » ; page 146, « on a more *semiological* basis »

---

* Depuis la publication du présent texte, les *Prolégomènes* de Hjelmslev ont fait l'objet d'une nouvelle traduction, qui comporte glossaire et index, et répond implicitement aux critiques de forme formulées ici par Georges Mounin (*Note de l'Editeur*).

est devenu « sur une base *sémiotique* plus générale » ;
page 147, « une encyclopédie générale des structures sémiotiques » correspond à « a general encyclopaedia of sign structures » ; et « la frontière entre ce qui est langage et ce qui
ne l'est pas » traduit « between semiotic and non-semiotic »

tandis que « dans la totalité des structures linguistiques »
est pour le texte anglais « within the totality of these semiotic
structures » ; page 149, au lieu de « in any meta-semiotic,
i.e. in any description of a semiotic », on lit : « dans tout
métalangage, c'est-à-dire... » ; page 157, « un langage sémiotique scientifique » est ce que la traduction de Whitfield
appelait « a scientific sign language » ; page 156, il s'agit
de considérer « les *langages* par opposition aux *non-langages,*
c'est-à-dire *les langages* comme type hiérarchique et *le langage*
comme concept ou en tant que *class as one* », ce que le
texte anglais rend par « i.e., semiotic as a higher hierarchical
type, *la langue* as a concept or as *a class as one* ». Ces quelques
exemples suffisent à suggérer qu'il restera difficile encore,
si on ne sait pas le danois, de se passer de l'édition de Whitfield — et même pour faire craindre ou soupçonner que
celle-ci, malgré les garanties qu'elle offre, puisse aussi poser
des problèmes du même genre par rapport au danois. Quand
il s'agit d'un savant comme Hjelmslev, qui poussait la nova-
tion terminologique jusqu'à la manie, une telle remarque
n'est pas tatillonne, ni pédante. Elle relève de l'analyse scientifique du texte. Jusqu'à plus ample informé, une citation
du texte français ne peut pas faire foi [1], tandis que le texte
américain possède la caution de Hjelmslev.

Le postulat fondamental de Hjelmslev en matière de sémiologie, c'est qu'il existe un isomorphisme de tous les systèmes
de signes ou systèmes de communication ; d'où il conclut que
la théorie du langage construite sur le modèle formel des
langues naturelles est applicable à tous « les systèmes de
signes en général » (p. 140). La conséquence en est — dans
son esprit toujours et sous sa plume assez souvent — que
sémiologie et linguistique sont synonymes ; qu'une langue
est une sémiotique et que toute sémiotique est une langue
(ou un langage) ; et que l'adjectif *sémiotique* et l'adjectif
linguistique sont pratiquement interchangeables (même si le
texte danois et le texte anglais manipulent ces couples de
termes avec plus de souci de les maintenir distincts que la
traduction française). Au même endroit, par exemple, il oppose
« la linguistique au sens étroit du terme » à « une théorie

---

1. Naturellement, c'est pourtant le texte français que nous citerons
ici pour le lecteur français.

des systèmes de signes en général » (p. 145) qui est la sémiologie saussurienne, mais il parle aussitôt de « la linguistique au sens large, la « sémiologie » » (p. 146). Il cite abondamment Saussure, il mentionne en passant quelques travaux tchèques sur les costumes nationaux, l'art et la littérature (p. 146), il accorde, sans plus, deux lignes et demie en note à Buyssens, qui tenterait de créer, lui, une « sémiologie *générale* » (p. 147). Il passe ainsi, dans son obsession de l'isomorphisme (c'est-à-dire des ressemblances entre tous systèmes de signes), à côté des questions théoriques fondamentales sur la spécificité des « langues de tous les jours [2] » d'une part, et de tous « les systèmes de signes autres que les langues » d'autre part. Certes tous les systèmes de signes, linguistiques ou non, comportent des traits communs, que Hjelmslev lui-même recense : le fait que chaque signe ait un signifiant et un signifié, que l'expression s'y oppose au contenu, la forme à la substance, la paradigmatique à la syntagmatique, etc., que la combinaison des signes y fasse système, que la commutation soit possible, etc. (p. 140 et p. 183). Mais on ne répétera jamais assez que ces traits communs, auxquels il eût fallu ajouter en premier lieu l'intention de communication [3], ne permettent absolument pas de postuler *a priori* l'isomorphisme absolu de tous les systèmes, c'est-à-dire l'absence totale de spécificité des structures et du fonctionnement du blason par exemple, ou du jeu des symboles mathématiques, par rapport à l'organisation des langues naturelles humaines. Constituer la sémiologie saussurienne — et Saussure l'avait fort bien senti [4] —, c'est justement saisir la *spécificité* de chacun de ces systèmes (la politesse, les rites, les coutumes, peut-être la mode, peut-être la pantomime, à côté de l'écriture, des signaux militaires ou maritimes, des écritures) auxquels il hésita toujours à assigner une place théorique par rapport aux langues.

Obnubilé par son postulat d'isomorphisme (qui n'est au fond que la trace en lui du vieux postulat philosophique ruineux selon lequel tout système ou procédé de communication peut s'appeler un langage), Hjelmslev est conduit à élaborer une définition de la langue telle qu'elle puisse couvrir à la fois, par exemple, le code de la route et la langue française comme systèmes de signes. Un *langage,* dit-il (Martinet, qui cite cette définition dans son article, traduit : une *langue ;*

---

2. Dans *La Structure fondamentale du langage* publiée à la suite des *Prolégomènes à une théorie du langage,* Hjelmslev, insatisfait de cette expression, les appelle des « *langages philologiques* » ; et, pour une raison qu'on verra ci-dessous, des « langages passe-partout » (p. 180).
3. Qu'il ajoute, dans *La Structure fondamentale du langage,* p. 183.
4. Voir Georges Mounin. *Saussure,* p. 23-24, et p. 31-33.

l'édition anglaise dit : *a semiotic*) peut être défini comme « une hiérarchie dont chaque élément admet une division ultérieure en classes définies par relation mutuelle, de telle sorte que chacune de ces classes admette une division en dérivés définis par mutation mutuelle » (p. 145). J'ai toujours pensé que cette définition abstraite était en fait, non pas celle de tout système de signes, mais celle de n'importe quelle structure : elle s'appliquerait aussi bien à la définition des atomes constituant la classification de Mendeleïev, ou à toute la chimie organique, ou à tout le corpus de tous les moteurs à explosion !

Par rapport à cette définition générale, qui n'est donc pas même celle de tous les systèmes de signes, comment Hjelmslev parvient-il à définir les langues naturelles humaines parlées ? « Une langue naturelle, ou *langue de tous les jours,* écrit-il, peut être définie comme une paradigmatique dont tous les paradigmes se manifestent à travers tous les sens [trad. angl. : *purport*] » (p. 147). Il explicite lui-même cette formulation trop ésotérique en ces termes : « En pratique, une langue de tous les jours est un langage [trad. angl. : *semiotic*] dans lequel tous les autres langages peuvent être traduits, aussi bien les autres langues [naturelles] que toutes les structures linguistiques ([trad. angl. : *semiotic*] concevables » (p. 148). Ainsi, on peut traduire — et même sur un panneau de circulation — n'importe quelle prescription du code de la route en un énoncé français ; mais on ne pourrait pas, inversement, traduire en signaux du code de la route : « Je crois qu'il va pleuvoir », ou « Je pense donc je suis ». Hjelmslev retrouve et reformule ici, de façon très originale, une vieille intuition qui fait mettre à part les langues articulées comme le critère même de l'humanité, dont on pressent depuis toujours que le système est irréductible à celui de tous les autres systèmes de communication connus. Mais de cette aperception, qui gênerait sa construction théorique fondée sur l'isomorphisme total, il ne tire rien. « Cette traductibilité, dit-il, résulte de ce que les langues [naturelles, parlées] et elles seules sont capables de donner forme à n'importe quel sens » (p. 147 ; voir aussi p. 179). Par une aberration théorique qu'on a le droit de considérer comme effarante, Hjelmslev, qui se trouve en possession d'un critère de la spécificité des langues naturelles un peu plus élaboré que l'intuition pure et simple,

---

5. Alors qu'il s'agit d'un problème théorique fondamental, Hjelmslev se borne à ajouter : « Nous sommes enclins à supposer que la raison en est la possibilité illimitée de formation de signes et les règles très libres qui régissent la formation d'unités de très grande extension (comme les phrases par exemple) dans toutes les langues, ce qui, d'autre part, a pour effet de permettre des formulations fausses, illogiques, pré-

et cela pour la première fois dans l'histoire de la linguistique, prend le parti de s'en désintéresser. Il écrit cette phrase stupéfiante : « Nous n'avons pas à nous demander ici [il ne l'a pas examiné ailleurs] en quoi réside cette propriété remarquable [des langues de tous les jours] » (p. 148)[5].

(S'il y a un profit à tirer de cet exemple, c'est moins le plaisir de sembler faire la leçon à un grand théoricien que le spectacle, salutaire pour tout chercheur, des dangers qu'on court à s'enfermer dans un système hypothético-déductif, sans le vérifier à chaque instant avec les « faits d'expérience » dont il veut être la généralisation. Hjelmslev a le tort de raisonner à peu près ainsi : ma théorie est indépendante de l'expérience [p. 28], mais elle est née sur la base de ma très vaste expérience [p. 28, 33]. On peut dire aujourd'hui qu'il s'agit là d'une axiomatique assez naïve, fondée sur une logique qui ne l'est pas moins).

Telle est la sémiologie de Hjelmslev dans les *Prolégomènes,* plus sommaire malgré les apparences que celle de Saussure, et de loin plus pauvre que celle de Buyssens[6], parce qu'au fond la sémiologie en elle-même ne l'intéresse pas : « Le linguiste, écrit-il, peut et doit concentrer toute son attention sur la langue parlée, et laisser à d'autres spécialistes, et principalement aux logiciens [?], la tâche d'étudier les autres structures linguistiques (trad. angl. : *semiotic structures*) ». Il se borne, à son habitude, à compléter cette élaboration par un glossaire terminologique dont la nouveauté masque le fait qu'il s'agit de vieux concepts munis d'étiquettes rafraîchies. Par exemple, une *sémiotique scientifique* [scientific semiotic] est une sémiotique qui est une opération, c'est-à-dire,

---

cises, belles ou morales. Les règles grammaticales d'une langue sont indépendantes de toute échelle de valeurs, qu'elle soit logique, esthétique, ou éthique ; et, de façon générale, la langue est dépourvue de tout but spécifique » (?) (p. 148). Chacun de ces arguments s'applique au code de la route, dont on pourrait parfaitement prévoir l'extension, en signes et en règles, de façon à pouvoir traduire dans ce système : « Une poule sur un mur qui picore du pain dur », etc. — en le tirant vers une écriture idéographique non parlable. En ratant la spécificité des langues naturelles comme systèmes de communication, Hjelmslev s'interdisait de fonder une sémiologie efficace.

6. Dans *La Structure fondamentale du langage,* restée inédite en danois et publiée en traduction française en 1968 seulement, Hjelmslev étudie de façon plus détaillée, et bien meilleure me semble-t-il, les carillons d'horloge, les cadrans téléphoniques, les feux de circulation, le code frappé des prisons, le Morse (mais, pour le téléphone, la traduction n'est pas claire, à moins que ce ne soit le texte anglais même de Hjelmslev). Si l'on compare avec Buyssens et surtout avec Prieto, on sera frappé du fait que Hjelmslev n'examine en fait que les généralités sur les systèmes de signes, comme dans les *Prolégomènes.*

selon le principe d'empirisme, une description : en bon français, cela veut dire : une science. Une *méta-sémiotique* est une sémiotique scientifique dont le plan du contenu est une sémiotique : n'importe quelle grammaire, n'importe quel dictionnaire, n'importe quelle description scientifique du français sont des méta-sémiotiques, et différentes ; le terme nouveau ne nous en apprend rien de plus. Une *méta-sémiotique scientifique* est une métasémiotique dont la sémiotique-objet est une sémiotique scientifique, etc. Ce vocabulaire de métalangues et de métalangages et de métasciences sert à beaucoup, même aujourd'hui, à se dissimuler qu'ils n'ont pas grand-chose à dire de neuf sur ce dont ils parlent.

Mais par un avatar qui découle de toutes les confusions qu'on vient d'analyser, Hjelmslev a fourni à Roland Barthes sa notion de sémiologie : c'est ce que le linguiste danois nommait une *sémiotique connotative* ou langue de connotation, par opposition aux sémiotiques dénotatives ou langues de dénotation. Celles-ci sont tout simplement « des langages [semiotics] dont aucun des plans n'est à lui seul un langage [semiotic] » (p. 155). Les langages de connotation sont ceux « dont le plan de l'expression est un langage » (p. 155). Hjelmslev entend par là une dizaine de phénomènes très différents qui, pour lui, présentent tous ce caractère : ces phénomènes se superposent à un énoncé linguistique, et ajoutent quelque chose en plus de sa signification strictement linguistique. Ainsi le fait de s'exprimer en vers, au lieu de le faire en prose, fait que ce qui est dit, en plus de sa signification pure et simple, avertit le récepteur que tout l'énoncé lui-même (ensemble des signifiants et des signifiés purement linguistiques) est devenu le signifiant d'un nouveau système de communication, que Hjelmslev appelle *style,* qui est une sémiotique connotative, et dont le signifié propre est l'émotion esthétique attachée à ce type d'énoncés. Les *espèces de style* (créateur, imitatif, archaïsant) ; les *niveaux de style* (élevé, vulgaire, neutre) ; les *genres de style* (paroles, écriture, gestes, pavillons, codes, etc.) ; les *tonalités* (colérique, joyeuse, etc.) ; les *idiomes* (langue commune opposée aux dialectes sociaux ou professionnels) ; les *langues nationales* (le français opposé au danois, etc.) ; les *langages régionaux* (langue standard, dialecte, patois, etc.) ; les *physionognomonies* (le timbre, le débit, les caractéristiques strictement personnelles de la voix et de la parole d'un locuteur) — tout cela, pour Hjelmslev, ce sont des sémiotiques connotatives (p. 156-157).

Si nous adoptons le critère fondamental qu'il y a sémiotique ou sémiologie, *s'il y a communication,* nous voyons tout de suite la fragilité du classement scolastique hjelmslévien. D'abord, il confond des faits de communication, réellement portés par des systèmes de signes (intonations, mimiques faciales, et gestes socialisés) avec des phénomènes qui ne ressortissent pas à l'intention de communiquer — phénomènes qui sont des traits non fonctionnels et non pertinents pour et dans l'acte de communication lui-même [7]. Le locuteur parisien qui parle avec l' « accent » du quartier de la Chapelle ne le fait pas pour communiquer cette information à ses auditeurs. Le locuteur français qui parle français n'a ce faisant nulle intention d'utiliser ce fait comme un indicatif radiophonique, ayant pour contenu : « Attention, je vais parler français » ou bien : « Attention, je suis Français » [8]. On dira la même chose de ceux qui parlent une variété dialectale, un patois, un « argot » professionnel, etc. Chaque locuteur, sauf quand il déguise sa propre voix à des fins non communicationnelles, ne l'utilise nullement pour renseigner sur son âge, son sexe, son origine géographique ou sociale. Il s'agit là de purs *indices,* et non pas de signaux, ou de symboles (dans le débit spontané, par exemple) qui formeraient un système ; ils sont justiciables d'une interprétation, variable avec la compétence particulière de chaque récepteur, et non pas d'un décodage univoque de la part de tous les récepteurs. On n'est pas ici dans le domaine d'une sémiologie de la communication [9]. Ces faits sont significatifs, ils ne sont pas signifiants.

Les confusions de Hjelmslev ne se bornent pas là. Lorsqu'il parle des tonalités, par exemple, c'est-à-dire des intonations socialisées et codifiées pour une langue donnée (interrogation, doute, attendrissement, réprobation, etc.), nous sommes certes en présence d'un code de communication qui s'intrique étroitement au code des énoncés proprement linguistiques (il ne peut pas avoir d'existence séparée), mais il n'y a aucune raison de dire et de penser que, si je dis : « J'en ai marre », l'intonation de mon énoncé est un *nouveau* signifiant formé par la forme phonique et la signification linguistique de cet énoncé — nouveau signifiant dont le signifié dans la sémiotique connotative intonationnelle est : *agacement,* par exemple. Le principe de simplicité cher à Hjelmslev permet de

---

7. Cf. A. Martinet, *Eléments de linguistique générale,* 1re éd., 1960, p. 53.
8. Sur ce problème de la valeur « notificative » de l'emploi d'un code, voir Prieto, *Messages et signaux,* p. 29 ; cf. aussi, pour les difficultés théoriques soulevées par ce problème, *ibid.,* p. 32-35.
9. Voir *supra,* « Sémiologie de la communication et sémiologies de la signification », p. 11.

dire qu'on se trouve ici en présence d'un fait linguistique marginal (en ceci qu'il peut toujours être absent, sans pour autant détruire l'énoncé) et qui représente une unité signifiante du message, différente de « marre » « en » « j'ai » en ce sens qu'elle n'a pas de place assignable dans la chaîne parlée, qu'elle n'est donc pas une unité segmentable de première articulation bien qu'étant une unité signifiante — ce qu'on exprime en disant qu'il s'agit d'une « unité suprasegmentale [10] ».

Pour le reste (*style, espèces* de style, *niveaux* de style), il est évident que ce que Hjelmslev érige en systèmes spécifiques de communication, distincts de la communication linguistique — et qu'il nomme aussi des *sémiotiques connotatives* comme les précédents —, c'est ce qu'on nomme la stylistique, dont le statut certes est loin d'être clair aujourd'hui. Mais il est évident, là aussi, que le fait pour l'énoncé : « Ici venu l'avenir est paresse » d'être ce qu'il est, et surtout de faire l'effet qu'il fait, n'est pas expliqué quand on dit que l'énoncé linguistique qu'il constitue (ses signifiants + ses signifiés) devient le nouveau signifiant d'une sémiotique connotative dont le signifié serait (ou, en tout cas, ne pourrait être à mes yeux) que : « poésie de ce vers ».

En fait, les « langues de connotation » de Hjelmslev englobaient pêle-mêle des *indices* psychologiquement ou sociologiquement significatifs, et des *signes* et des *symboles* (ou bien des usages de signes et de symboles) susceptibles d'être aussi, en plus de leur fonction proprement linguistique, des indices psychologiques ou sociologiques sur le locuteur — indices dont l'interprétation, certes passionnante, échappe à l'analyse linguistique. Tout Barthes était contenu dans trois lignes des *Prolégomènes,* qu'il a dû s'enchanter d'y trouver pour la justification de ses tentatives de psychanalyse sociale : « Ce n'est pas sans raison que la langue nationale est le « symbole » de la nation et que le dialecte est le « symbole » d'une région » (p. 160). Au départ, Hjelmslev n'a sûrement pas orienté Barthes, qui ne semble absolument pas le connaître au moment de *Mythologies,* et qui de toute façon s'était déjà intéressé à tout le domaine qui est devenu le sien, les contenus sociaux latents de certains comportements. Toutefois il l'a certainement fourvoyé, partiellement mais assez profondément, dans la description et dans l'analyse de ces comportements qu'il s'est senti autorisé par la caution hjelmslévienne à nommer obstinément des « langages ».

(1969)

---

10. Voir A. Martinet, *op. cit.,* p. 25, 27 et 78-79.

le blason

1

Jusqu'ici les concepts élaborés par la linguistique contemporaine se sont presque toujours trouvés utilisés dans la recherche sémiologique, d'une façon trop mécanique, et pour ainsi dire imposés de l'extérieur. On se borne à tenter, dans un domaine donné, de découvrir des oppositions langue/parole, signifiant/signifié, phonème/monème, etc. Nous voudrions ici suggérer une procédure inverse ; sans ignorer certes tout ce que la linguistique peut apporter, partir toujours de l'idée qu'un phénomène considéré comme pouvant donner lieu à l'investigation sémiologique est probablement un cas d'espèce, et l'étudier pour lui-même sans *a priori* linguistiques. Se laisser guider, par conséquent, par l'exploration du sujet lui-même, et n'introduire les concepts et les critères linguistiques, le cas échéant, qu'à bon escient, à l'endroit et au moment où ils apparaissent adéquats.

L'exemple du blason n'a pas été choisi pour sa valeur particulièrement démonstrative, ni son importance théorique, qui n'étaient pas évidentes au départ. Il s'est agi plutôt d'un exercice de travaux pratiques, né du hasard ou plus exactement suggéré par une exposition organisée au musée Guimet par la Réunion des musées nationaux, avec le concours des cinquième et sixième sections de l'Ecole pratique des hautes études : « Emblèmes, totems, blasons ». La bibliographie dont on se servira ici sera d'ailleurs constituée uniquement par le catalogue de cette exposition (mars-juin 1964) et par le *Que sais-je ?* de Geneviève d'Haucourt et Georges Durivault : *Le Blason* (1ʳᵉ éd. 1949 ; 2ᵉ éd. 1956, 3ᵉ éd. 1965).

2

Un premier problème est précisément celui de l'homogénéité du corpus même du musée Guimet. En fait, il s'agissait de quelque trois cents pièces, qui, outre les totems et les blasons, réunissaient la nappe de mariage de Louis XIV, des bannières, des écorces peintes d'Océanie, des tartans (ces tissus écossais dont le dessin renseignait autrefois sur le clan de celui qui les portait), des sceaux, des encoches d'oreilles ou des marques au fer rouge utilisées chez des populations variées d'éleveurs de bétail, des enluminures, des enseignes (d'auberge, par exemple), des plumes de flèches amérindiennes, des coiffures des Nouvelles-Hébrides, des rubans de canne de Compagnons du Tour de France, un nécessaire de toilette Hermès, des tabliers rituels de francs-maçons, des étuis péniens de la tribu des Bororo, etc. Sur quel critère s'étaient fondés les organisateurs pour rassembler tous ces « emblèmes » avec des totems et des blasons ? Paradoxalement, sur un critère à première vue pourtant fonctionnel : tous ces objets se voyaient présentés comme des « signes de reconnaissance » (et de plus, « fixes, transmissibles par voie d'hérédité ou autre, et caractéristiques d'une collectivité généalogique, fonctionnelle [c'est-à-dire, ici, professionnelle] ou territoriale » — éléments de définition sociologiques, et non sémiologiques, qu'on négligera provisoirement). On peut admettre, sous bénéfice d'inventaire, que la quasi-totalité des objets exposés étaient bien des signes — ou, mieux, des supports de signes, ce qui n'est pas la même chose — dans lesquels il était assez facile d'identifier un signifiant, et d'apercevoir ou de deviner un signifié. Mais le linguiste ne sait que trop comme il est facile d'errer quand il s'agit de sémantique, si on ne se munit pas de définitions rigoureuses. Aussi s'interroge-t-il sur la valeur et l'homogénéité du concept de « reconnaissance » — c'est-à-dire sur le droit qu'il aurait d'apparenter tous ces signifiés, et par voie de conséquence la fonction de tous leurs signifiants. Une enquête rapide a tôt fait de révéler que ce concept de reconnaissance recouvre justement des fonctions très sensiblement distinctes. Tantôt il est synonyme de marque d'identité, sorte d'équivalent du nom propre, comme l'empreinte digitale (c'est le cas de tous les sceaux). Tantôt marque de propriété (ce qui n'est jamais le cas des sceaux, ni du numéro de dossard d'un sportif, par exemple) comme les flèches, les marques de bétail, etc. Tantôt marque d'appartenance sociale (et non pas d'identité personnelle, ni de propriété) comme le tartan, l'étui pénien, le type de coiffure, etc. Tantôt marque hiérarchique, ce qui est encore autre chose (tabliers de francs-maçons). Tantôt marque de reconnaissance proprement dite, comme les bannières, les écus, ou les rubans de canne des Compagnons du Tour de France, lesquels permettent à deux inconnus qui se rencontrent d'identifier leurs affiliations, et même leur parcours, les couleurs indiquant les villes-étapes. Et l'interprétation correcte du signifié correspondant à l'enseigne d'un forgeron poserait par rapport aux catégories précédentes un problème délicat : identité (non personnelle alors ?), appartenance (socio-professionnelle ?), ou pur signal déictique : « Ici, forgeron » ?

Comme on le voit par cette simple esquisse d'investigation, le concept de reconnaissance dissimule certainement sous son apparente clarté les fonctions assez différentes de tant de signes qu'on avait regroupés sur cette base. Pourquoi, par exemple, avoir exclu beaucoup d'autres « signes de reconnaissance », et qui le sont au même titre sémiologiquement, les numéros de téléphone et de sécurité sociale, les plaques d'immatriculation, les uniformes, les décorations, les insignes des grades, voire les timbres-poste ? En fait un des critères centraux mais inapparents dans la collection du musée Guimet devait être d'ordre esthétique. Et peut-être qu'une des autres sources de confusion ici était de ne pas distinguer la notion de fonctionnement (toutes ces « marques » ont la même forme d'action en tant qu'elles signifient parce qu'elles « marquent ») avec la notion de fonction (sémiologique) (cf. A. Martinet, « Que faut-il entendre par *fonction* des affixes de classe ? », dans *La Classification nominale dans les langues négro-africaines*. Editions du C. N. R. S., 1967, p. 1-2).

3

On peut penser qu'en isolant le phénomène constitué par le blason seul, on se donne au contraire un domaine beaucoup mieux délimité à la fois fonctionnellement et formellement du point de vue sémiologique. Mais dès qu'on lit ce qui s'y rapporte dans les présentations traditionnelles, on se trouve en présence d'un nouveau problème de délimitation. Car tout commence toujours par un exposé sur l'antiquité de cet usage : on évoque les boucliers des Grecs et des Romains, des Japonais (les Chinois, les Indiens d'Amérique mériteraient aussi de l'être), des Gaulois, des Barbares. On évoque aussi, très justement, « les raisons matérielles et psychologiques » par lesquelles s'explique l'extension du phénomène dans l'espace et dans le temps. Pour le linguiste, il apparaît vite que ces « marques symboliques », connues « de temps immémorial » (G. d'Haucourt, p. 6) sont rassemblées sur des critères uniquement formels : parce que ce sont toujours au départ des « marques » sur des boucliers. *Mais ce n'est pas parce que les boucliers ont toujours la même fonction qu'il en va de même pour les marques qu'ils portent ;* et la recherche, si sommaire soit-elle, des fonctions de ces marques, réserve des surprises. Par exemple, souvent un combattant possède plusieurs boucliers décorés de différentes façons. Il ne s'agit donc pas de marques d'identité ni de propriété, les historiens de l'héraldique l'ont très bien vu. Mais que signifie, sémiologiquement parlant, cette fonction qu'on attribue à la « décoration » du bouclier, celle de servir « pour se distinguer dans les armées » (*Ibid.*) ? N'y a-t-il pas déjà dans cette formule même une projection des fonctions du blason féodal sur des époques où il n'est pas prouvé qu'elles aient existé ? On croit apercevoir, à ces ornementations, des fonctions tantôt ostentatoires (bouclier d'Achille ?), tantôt magico-religieuses (protéger le possesseur), tantôt psychologiques (effrayer l'adversaire : Gorgone, bouclier de Capanée devant Thèbes, orné d'un guerrier, une torche allumée au poing, avec la devise : « Je brûlerai la ville »).

Tout cela mène le sémiologue à vouloir restreindre encore l'extension du système de communication qu'il soupçonne dans le blason. Si l'on se borne à ce qui s'est appelé proprement de ce nom, dans le cadre de la féodalité occidentale depuis le haut Moyen Age, on peut penser qu'on élimine des phénomènes ou des systèmes qui ont en commun quelque chose avec le blason, probablement, mais qui ne sont pas lui. L'étude diachronique, qui se trouvait pertinente ici dès le départ, semble donc nous avoir conduits enfin à un objet d'étude homogène.

Mais l'examen sans *a priori* des faits conduit à de nouvelles surprises. Pour le Xe et le XIe siècles, les héraldistes ont bien vu (dans la tapisserie de Bayeux, par exemple) qu'un même combattant peut toujours posséder plusieurs boucliers, que maints combattants possèdent des boucliers unis, qu'il n'y a pas encore, par conséquent, de raison de parler de signe permanent personnel, ni de marque systématique de propriété ou de généalogie. Le bouclier lui-même garde toujours sa fonction première, qui est, ne l'oublions pas, de protéger matériellement son possesseur ; mais la décoration de ce bouclier reste à bien analyser. Toutefois, on croit voir apparaître assez vite une vraie fonction militaire de cette décoration : parallèlement à d'autres instruments de communication — le cri de ralliement, la bannière que porte un combattant spécialisé, le chevalier banneret (instruments qui exercent une fonction de rassemblement du contingent, de regroupement, de ralliement dans les déplacements et les combats) —, la décoration du bouclier du chef de groupe de combat devient elle aussi instrument ayant valeur de signal. C'est ce que constate le vocabulaire d'alors, qui nomme souvent ce bouclier « une reconnaissance ». Dans ces armées féodales où rien ne distingue systématiquement l'ami de l'ennemi, il est en effet très important de se faire reconnaître d'une manière ou de l'autre (cf. *Chanson de Roland* : « Montjoie escrie pur la reconnuissance », c'est-à-dire : pour se faire reconnaître). Les Croisades mettront l'Occident en contact avec les Musulmans, à qui on empruntera des formes héraldiques mais, chose remarquable, en ignorant leur fonction principale : elles marquent, presque toujours, non pas la famille ou le nom, mais les « fonctions » militaires ou autres de l'intéressé, et changent avec elles (d'Haucourt, p. 16).

Fait inattendu, cette fonction sémiologique première du blason, qui est une fonction proprement militaire, va disparaître, assez lentement, pour des raisons très claires. L'armure et le casque de plus en plus perfectionnés, vont d'une part réaliser l'anonymat total du combattant (ce qui exigera d'autant plus impérativement une marque de reconnaissance), mais vont d'autre part réduire la fonction défensive première du bouclier de combat, dont les dimensions diminuent, et qui disparaît parce que devenu inutile (fin du XIVe siècle). Il faut de nouveaux signes de reconnaissance (ou d'anciens qui redeviennent centraux), bannières, emblèmes, cris, panaches, cimiers, armoiries peintes ailleurs que sur le bouclier (d'Haucourt, p. 18), ce qui conduira, parce que la fonction recrée inlassablement l'outil, jusqu'à l'uniforme militaire au XVIIIe siècle, et plus tard, à travers les panaches et les écharpes les plus divers, aux insignes des grades militaires. Naturellement ceci n'est qu'une présentation cursive, et l'histoire de cette évolution est moins simple, et sans doute moins claire qu'on ne l'esquisse ici.

Ce qui paraît assuré, c'est qu'en perdant sa fonction sémiologique dans le domaine militaire, le blason va en trouver ou en développer une autre, *à peu près totalement différente malgré les apparences* — et cela pour des raisons qui ressortissent sans doute à la sociologie de la féodalité monarchique. Ces marques de reconnaissance vont devenir systématiquement des symboles du nom propre de leur possesseur, et surtout des symboles de sa situation généalogique (ou aussi, accessoirement, de dépendance ou d'allégeance). Y a-t-il dès lors une ou plusieurs fonctions des armoiries ? Une fonction d'équivalent du nom propre, surtout visible dans les « armes parlantes », lorsqu'un Du Frêne choisit pour emblème le frêne, un Créqui le créquier ou prunellier sauvage, suivant une utilisation du rébus déjà pratiquée chez les Grecs ? Mais un tel usage, très épisodique et très secondaire, indique bien que la fonction-nom propre est moins centrale probablement que corrélative d'une autre. Une fonction-signature alors, manifestée par le sceau armorié, dont on dira la même chose ?

Une fonction-marque de propriété ou d'appartenance — armoiries sur les meubles, les immeubles, les donations, les livrées, les tapisseries, les équipages —, parallèle aux deux premières, et dont il ne faut pas oublier qu'elle correspond comme elles à des situations culturelles où la majorité de la population est illettrée ? On peut faire l'hypothèse que ces trois fonctions sont subordonnées à la fonction généalogique (peut-être de plus en plus ostentatoire) parce que c'est cette dernière qui engendre la structure du système en tant que telle. (On laissera de côté ici une fonction socio-professionnelle ou hiérarchique, assez marginale, et liée à deux moments bien précis : l'époque où Louis XIV fait procéder à la collation de blasons obligatoires dans tous les offices corporatifs, pour des raisons fiscales ; et celle où Napoléon Ier crée un armorial dont les pièces signifient directement et seulement les emplois des dignitaires). C'est donc une nouvelle analyse diachronique, à l'intérieur du concept historique de blason lui-même, qui nous suggère de ne pas confondre au moins deux synchronies distinctes, où les mêmes « formes » n'assument pas les mêmes fonctions.

4

On n'étudiera ici que le dernier de ces états (de la fin du XVe siècle à nos jours) parce qu'il paraît être le seul où l'on soit vraiment en présence d'un *système* organisé de communication non linguistique. L'intention de communication, *de la présence de laquelle il ne faut jamais manquer de s'assurer,* semble patente : le contenu de cette communication, ce sont les relations généalogiques des familles nobiliaires, qui déterminent les règles proprement sémiologiques du système.

Un premier problème est celui de la nature des unités. On voit vite qu'elles sont toujours discrètes, et jamais linéaires puisque toujours liées à une lecture globale dans un espace qui n'impose aucun ordre préférentiel. On voit vite aussi qu'elles fonctionnent comme des éléments arbitraires. Les formes des écus, par exemple (fig. 1), sont assez souvent corrélées avec l'origine géographique ou la période historique : les formes 1 et 2 ont de fortes chances d'indiquer une famille italienne, la forme 5 une espagnole, la forme 7 une allemande, la forme 3 une française du Nord aux XIIe-XIIIe siècles, tandis que la forme 4 est méridionale et la forme 6 anglaise. Mais il s'agit là de formes qui sont de purs *indices* à vérifier toujours, et non pas d'un code de signes

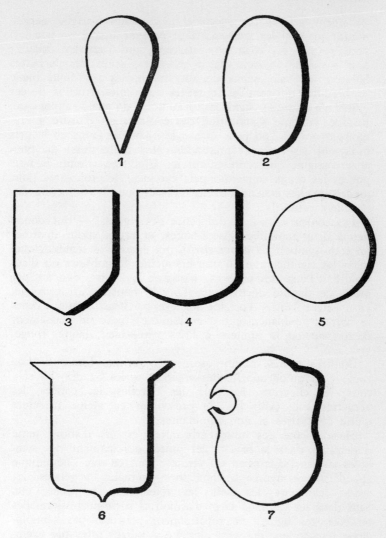

Fig. 1

où les formes devraient signifier, par construction, des localisations géographiques. Ces formes ne sont donc pas sémiologiquement des signifiants. Tout au plus peut-on dire qu'elles
peuvent être « significatives » mais au sens banal, non linguistique ou sémiologique, du terme. Il en va de même pour
les unités que constituent les couleurs : jaune = or, blanc

= argent, gris = fer (*indice* assez commun d'origine germanique) qui sont les métaux ; bleu = azur, rouge = gueules, vert = sinople, chair = carnation, qui sont les émaux ; noir = sable (couleur de la zibeline), semis de clochettes bleutées = vair, semis de touches noires sur fond blanc = hermine, qui sont les fourrures ou pannes. Aucune de ces unités n'a de valeur significative au point de vue sémiologique. En fait, la seule signification des couleurs est d'ordre « étymologique » si l'on peut dire : le blanc, le jaune et le gris indiquent les métaux (prétendus, plus d'une fois) du bouclier d'origine que représentent les armoiries, comme le noir pur et les semis conventionnels évoquent les fourrures dont on sait qu'elles étaient souvent utilisées pour la confection des boucliers primitifs.

Les couleurs — à la différence des formes — ont donné lieu à deux tentatives discordantes, et ratées, pour instituer un code symbolique *a posteriori,* qui eût classé sémiologiquement les signifiants selon une hiérarchie de noblesse ou d'antiquité : l'une des échelles, d'origine italienne, donnait par ordre de dignité décroissante l'or, le pourpre et le rouge, l'azur, etc. ; l'autre, d'origine anglaise, privilégiait comme bases le noir et le blanc (ombre et lumière), puis un classement décroissant de la lumière à l'obscurité, bleu, jaune, rouge, vert, etc.

D'autres unités, nombreuses, qui ont une forme et une couleur, et qu'on appelle des « pièces », les bandes, les sautoirs, les chevrons, les pals, les burelles, les cotices, les vergettes, etc. (voir fig. 2) présentent ce même caractère d'être arbitraires et non signifiantes.

Mais, à côté des unités arbitraires, on est d'abord tenté d'identifier dans le blason des unités qui seraient des symboles au sens saussurien du terme : tout ce que l'héraldique appelle les « figures », humaines, animales, végétales, les astres, les tours, les clefs, les vêtements, les armes, etc. Sauf dans les cas déjà cités d'armoiries socio-professionnelles tardives, ces figures ne fonctionnent pourtant pas sémiologiquement comme des symboles. Le signifiant *soleil* par exemple ne renvoie pas à un signifié qui serait le soleil, le signifiant *lion* au signifié « lion », mais à des valeurs psychologiques ou morales, symboliques au sens littéraire du terme (gloire ? courage ? etc.) et surtout ne forment pas un système stable et lisible de manière univoque. Sans parler des formes difficilement reconnaissables comme les besants, cercles d'or ou d'argent qui renvoient en principe au souvenir des Croisades, ou du fauve qui est un léopard s'il est horizontal et un lion s'il est dressé, on ne sait jamais d'avance ce que « sym-

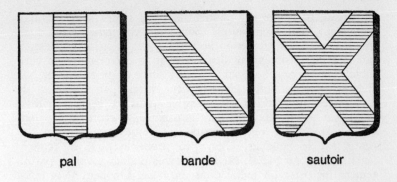

pal   bande   sautoir

chevron   burelles   cotice

Fig. 2

bolisent » une étoile, un lys, un cœur dans un blason. Couleurs, formes et figures fonctionnent donc essentiellement comme des unités distinctives et non signifiantes, même dans le cas des « figures » qui ressemblent certes à des espèces de métaphores mais qui seraient arbitraires encore plus que dans le « langage des fleurs ».

Les combinaisons de ces unités variées forment-elles système, selon des règles ayant valeur sémiologique ? Qu'il y ait des règles de structure pour l'établissement correct d'un blason, c'est chose assurée car elles sont explicitement formulées par les traités. Par exemple : ni métal sur métal, ni émail sur émail, ni panne sur panne. Mais ces règles sont sémiologiquement non signifiantes. Sont-elles d'origine technologique ? On en est sûr pour la règle : pas d'émail sur émail, qui découle visiblement des techniques de l'émaillage véritable (jamais pratiqué sur les boucliers, et pour cause), où chaque couleur était séparée des autres par un filet de métal très apparent. C'est possible pour la règle : jamais panne sur panne, où les séparations entre fourrures pourraient avoir correspondu aux éléments métalliques assujettissant les peaux sur le bouclier. C'est peu probable pour la règle : jamais métal sur métal, car les orfèvres d'alors savaient parfaitement incruster un métal dans un autre. On peut faire aussi l'hypothèse que ces règles auraient une origine au moins partiellement esthétique. (Il ne faut pas confondre ces règles propres au blason avec les règles de représentation, par des hachures conventionnelles, des couleurs des blasons, règles codifiées au XVIIᵉ siècle en Italie, et qui constituent une transcription graphique des métaux, des émaux et des pannes : un système substitutif au sens de Buyssens) (voir fig. 3).

Le blason comporte toutefois des règles, enfin, proprement sémiologiques. Certaines semblent, pour ainsi dire, hors système : par exemple, la violation manifeste d'une des règles qu'on vient de décrire ci-dessus (jamais métal sur métal, etc.) signalait généralement la volonté de rappeler un fait familial illustre, qu'il fallait chercher, d'où leur nom « d'armes à enquerre ». « Les armes parlantes », statistiquement rares, en seraient un autre exemple.

Mais le gros de ces règles de signification héraldique vise toujours un contenu patrimonial et généalogique. Par exemple, la seule forme qui soit sémiologiquement signifiante est le losange inscrit dans l'écu, qui signale très généralement les armoiries d'une fille. Le mariage est indiqué par une distribution significative : sur un écu divisé en quatre quartiers égaux, les armoiries des conjoints sont répétées deux fois, celles du mari dans le premier et le troisième, celles de la femme dans le deuxième et le quatrième. Toute une série de règles visent les fils : « Le fils aîné, du vivant de son père, et les puînés, en tout temps, devaient *briser* leurs armes, soit en changeant une ou plusieurs pièces, soit en modifiant les émaux, soit en altérant la disposition des pièces, leur nombre, leurs dimensions, soit enfin en introduisant une pièce nouvelle, brochante, souvent de petite dimension, qui permettait d'éviter la confusion sans altérer les armoiries » (d'Haucourt, p. 112). On aperçoit la combinatoire qui, à partir d'un jeu d'unités distinctives groupées en séries (métaux, émaux, pannes, pièces, figures) de trois à quelques centaines

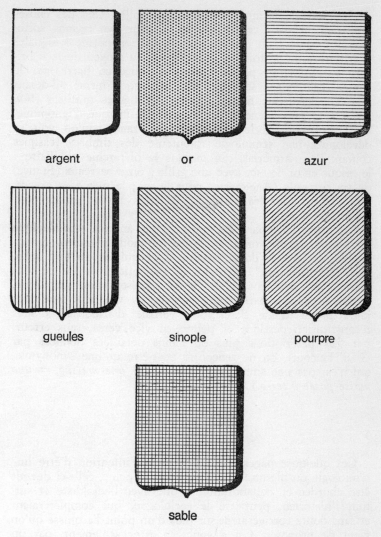

Fig. 3

de membres, permettrait encore aujourd'hui de donner des armoiries différentes à tous les Français par exemple. En Grande-Bretagne, la règle est devenue absolument stricte : les armoiries des fils se distinguent de celles du père, dans l'ordre de leur naissance, par une pièce brochante significative, le lambel, le croissant, l'étoile, le martinet, l'annelet, la fleur de lys, la rose, la croix ancrée, l'octofeuille. Une des choses qui frappent dans ces règles, c'est, pour des raisons sociologiques qu'on croit comprendre, l'attention portée à signaler la bâtardise ou parfois l' « infamie » : au moyen de la « brisure » représentée par le bâton ou cotice en barre, par le cimier regardant à senestre, etc. Le casque fermé au-dessus de l'écu signale un nouvel anobli. Les figures mutilées (*lion diffamé* = sans queue ni dents) sont une marque d'ignominie. C'est au XVIIIe siècle seulement, en France, qu'on voit se développer une sémiologie rigoureuse des timbres (casques coiffant l'écu armorial) qui marque la hiérarchie nobiliaire : le casque en or de face avec une grille à onze barreaux (France) ou six barreaux (Angleterre) pour le roi ; le même en argent, sept grilles, pour les marquis ; de trois à sept grilles pour les vicomtes, etc.

(Ajoutons ici, quant à l'intérêt d'une analyse sémiologique du blason, qu'elle offre en outre un modèle ancien, remarquable, de langage documentaire — ce qui est un tout autre problème d'ailleurs. Les règles de traduction verbale de tout blason, qui doublent celles de sa représentation graphique, semblent presque parfaitement univoques. On peut ainsi toujours passer d'une description verbale d'armoiries à leur reconstitution dessinée et peinte, et vice versa, sans erreur. Sur 527 descriptions plus ou moins détaillées données par G. d'Haucourt, on ne rencontre peut-être qu'une synonymie, qui n'est pas une ambiguïté : *appuyé sur une massue = une masse posée à terre*.)

5

Ces quelques pages n'ont nullement l'intention d'être une sémiologie du blason. Si elle en valait la peine, celle-ci devrait être abordée en collaboration étroite avec l'héraldiste et surtout l'historien, peut-être le sociologue, qui compléteraient et sans doute corrigeraient sur plus d'un point l'esquisse qu'on vient de proposer. On a voulu montrer seulement, par un travail exploratoire modeste, élémentaire — mais sans doute fondamental aussi —, comment se servir des outils conceptuels élaborés par la linguistique générale et par la sémiologie saussurienne, au lieu de faire de la littérature sur la sémiologie (dont on trouverait un parfait exemple dans l'article consacré par *L'express* du 26 mars 1964 à l'exposition du musée Guimet). On ne serait pas non plus tout à fait sincère si on n'ajoutait pas que de tels travaux pratiques, sur des systèmes sémiologiques apparemment simples, ont sans doute beaucoup plus de valeur formative pour le chercheur que le fait de vouloir attaquer sans préparation des systèmes extrêmement complexes, comme la littérature, qui sont peut-être justiciables de l'analyse sémiologique, mais à condition qu'on en possède déjà bien toutes les ressources [1].

(1970)

---

1. Ce texte a paru dans *La linguistique,* 1970, 2.

la communication avec l'espace

Contrairement à ce qu'on pourrait penser, et quoi qu'il en soit de l'avenir réel de ce type de communication (il n'aura pas d'avenir si nous ne découvrons pas d'autres mondes habités), ce problème n'est pas un sous-produit très médiocre des élucubrations de la science-fiction. Se demander si et comment la communication serait possible avec des êtres extra-terrestres — ayant en commun avec les hommes la seule appartenance au règne de la vie organique, et une forme de ce que nous nommons pour faire court « intelligence » — est sans doute un des meilleurs exercices d'analyse *in vitro* des conditions de toute communication. Le seul problème à peu près comparable — et presque personne encore ne semble se l'être posé [1] — serait de chercher à communiquer avec des insectes sociaux, comme les termites : le projet paraît fou. Mais communiquer avec des êtres extra-terrestres n'offre pas moins de difficultés théoriques et pratiques qu'établir un contact de communication réciproque avec des insectes (ce qui n'est pas *du tout* la même chose qu'obtenir, au moyen de certaines stimulations, des réponses comportementales de ces insectes).

1. *Le problème vu par la science-fiction.*

Si ce type de littérature romanesque traite les autres sciences auxquelles il recourt comme il traite la linguistique, on peut penser qu'il n'y a guère de science dans les science-fictions. Car la linguistique en tant que telle y est non pas maltraitée, mais purement et simplement ignorée, bien que tous ces romans doivent franchir, si l'on peut dire, à un moment ou à un autre, le mur de la communication extra-terrestre. Le problème est généralement résolu par d'aimables

---

1. Sauf W. Steche, qui a, *semble-t-il,* réussi à communiquer des messages *à* une abeille (et non pas à communiquer *avec* une abeille), en utilisant, pour induire un comportement chez celle-ci, une abeille artificielle téléguidée électroniquement (pour simuler la danse sur la planche d'envol). Voir *Time,* 9 février 1959.

tours de passe-passe, lesquels n'exigent aucune connaissance proprement linguistique. Si l'on prend, de Henry Kuttner, *Nous gardons la planète noire* (dans *Chefs-d'œuvre de la Science-Fiction, Fiction Spécial* 11 [n° 162 *bis*], 1967), qui est représentatif de l'honnête moyenne à cet égard, que trouve-t-on ? Trois éléments littéraires classiques. D'abord, un certain dépaysement spatial, assez facile (mais qui n'est même pas toujours utilisé) et qui naît de quelques mots ou phrases attribués aux Extra-terrestres, ici des « Walkyries » : « D'rn sa asth'neeso » (p. 80), « un métier à noyaï » (p. 84), « Estan'ha » (p. 84) — phrases dont la transcription phonétique serait stylistiquement intéressante à étudier du point de vue de ce qui paraît phonétiquement étrange pour une langue donnée. Ensuite, un recours obligatoire à la compréhension mimique ou gestuelle : « D'rn sa asth'neeso — Il ne comprenait pas le sens, mais le geste qui les accompagnait était suffisamment clair ». Enfin, l'obstacle linguistique est franchi par une simple allusion : « Lorsqu'il eut appris son langage, Norahn lui expliqua, etc. » (p. 82). Tout n'est pas toujours aussi simpliste, mais rarissimes sont les écrivains qui, comme Robert Heinlein dans *Lummox,* imaginent des êtres dont le code de communication n'est pas vocal comme celui des hommes, ni fondé sur des unités discrètes [1].

Il se trouve qu'un science-fiction récent, *La Nuit des temps* de René Barjavel (Presses de la Cité, 1968), est centré tout entier sur le problème de l'établissement de la communication. Le roman mérite donc un examen de ce point de vue. Certes, il s'est donné d'assez grandes facilités, puisqu'il s'agit ici de rétablir le contact avec deux représentants de l'espèce humaine archaïque, retrouvés vivants au pôle Sud, après une hibernation scientifiquement conditionnée de 900 000 ans : même monde, même espèce, même type de civilisation technologique, etc. Le roman n'en reste pas moins très intéressant, par son utilisation très importante de données linguistiques.

Comme toujours, les premiers contacts sont confiés aux formes élémentaires et non linguistiques de la communication, soit la communion phatique quasi biologique (« Simon prit l'autre main dans les siennes [...] et la tint comme on tient un oiseau perdu qu'on cherche à rassurer », p. 100. « Ses mains, qui tenaient toujours celles de la femme », p. 101) ;

---

1. Un autre cas exceptionnel est celui de *The black Cloud,* Penguin books, de Fred Hoyle (qui est d'ailleurs un astronome réputé de Cambridge). Le roman date de 1957, il n'a pas été traduit en français à ma connaissance.

soit la partie marginale de la communication linguistique assurée par l'intonation, de caractère quasi biologique, universel (« Simon [...] commença à parler. Très doucement, presque chuchoté. Très doucement, très chaudement, très calmement, comme à une enfant malade, etc. », p. 101). Cette forme de communication que, parmi tous les scientifiques en échec, a trouvée le médecin, réussit, naturellement. L'héroïne ouvre les yeux et accepte à son tour la communication (« Ses lèvres bougeaient. Elle parlait d'une voix faible [...]. On devinait qu'elle répétait la même phrase » p. 102). (« Simon posa sa main sur sa propre poitrine et dit doucement son nom : Simon ». Il répéta deux fois le mot et le geste. Elle comprit. En regardant Simon, elle souleva la main gauche, la posa sur son propre front et dit : Eléa », p. 103). Le sommet de ce que peut assurer ce genre de contact est une communication de type déictique, mimique et gestuelle, déjà teintée de nuances culturelles arbitraires, qui pourraient être ambiguës, les deux mots échangés ici pouvant signifier aussi bien : *Salam aleikun,* et *Allah karim* par exemple.

Mais, au-delà, c'est l'échec. L'héroïne gît sans forces sur une table d'opération, elle refuse le lait, son estomac rejette tout ce qu'on y introduit par sonde alimentaire. Tandis que tout le monde s'affaire à trouver des solutions techniques pour la nourrir, le médecin « se répétait la seule question qui à son avis, comptait : — Comment, comment, comment *communiquer ?* » (p. 105). C'est le nœud de tout le roman.

La solution de l'auteur est pourtant technologique et non sémiologique, elle aussi. Parmi les scientifiques en mission au pôle Sud qui ont découvert les deux hibernés, se trouve Lukos « le philologue turc ». Cet original, qui connaît 170 langues ou peut-être 340 (p. 106), a construit une Traductrice électronique, laquelle assure par son relais l'intercommunication en 17 langues pour les scientifiques des 17 nations de la mission. « Il avait le génie du langage, comme Mozart avait celui de la musique. Devant une langue nouvelle, il lui suffisait d'un document, d'une référence permettant une comparaison, et de quelques heures, pour en soupçonner, et tout à coup comprendre l'architecture, et considérer le vocabulaire comme familier. Et pourtant il *séchait* devant celle d'Elea » (p. 106). Nous revenons ici aux tours de passe-passe littéraires, nourris probablement d'articles de très médiocre vulgarisation mal assimilés.

Nous n'en sortons pas lorsque la Traductrice est chargée du décryptage de la langue d'Elea — le gonda — bien que le départ soit assez bon. « Il disposait de deux éléments de travail [trouvés dans la sphère d'hibernation], le cube chantant, et un autre objet, pas plus grand qu'un livre de poche. Sur un de ses côtés plats se déroulait une bande lumineuse couverte de lignes régulières. Chaque ligne était composée d'une suite de signes qui semblaient bien constituer une écriture. Des images visibles, en trois dimensions, représentant des personnes en action, achevaient de faire de cet objet l'analogue d'un livre illustré » (p. 106), — ou plutôt d'un film parlant dont le sous-titrage reproduirait le texte narratif et dialogué dans la même langue ?

Ces éléments, qui feraient le bonheur de n'importe quel étruscologue, ne suffisent pas à la Traductrice. On lui fait « comparer les mots écrits, un à un et par groupes, à chaque son et chaque groupe de sons » (p. 107), mais Lukos s'aperçoit qu'il faudrait des semaines pour décrypter le gonda par ce moyen. Eléa sera morte de faim auparavant, car «' pour comprendre ces trois mots [qu'elle a prononcés] il fallait comprendre la langue inconnue tout entière » (p. 111). On mobilise donc, par une campagne télévisée mondiale foudroyante, toutes les calculatrices géantes du monde. « Le cerveau [de Lukos] semblait s'être dilaté à la mesure de son immense homologue électronique » (p. 111). « Enfin, il y eut le moment où, brusquement, tout devint clair [...] et, en moins de dix-sept secondes [le Grand Cerveau] livra à la Traductrice tous les secrets de la langue inconnue » (p. 112). Alors, Simon lut la traduction française des trois petits mots. « En français, cela donnait : DE MANGE MACHINE » (p. 113).

Le philologue prodige capitule. Mais le médecin français a une idée géniale : remplacer, dans les mémoires de la Traductrice, une des langues traduites (le roumain) par le gonda d'Eléa. De la sorte, si eux ne peuvent comprendre les traductions du gonda en français, Eléa pourra comprendre les traductions du français en gonda (p. 114). Et cela réussit ! « Vous me comprenez : maintenant vous me comprenez [...] Où est mange -machine ? [...] Si vous voyez mange-machine, fermez les yeux, et rouvrez-les. [...] A la sixième photo, elle ferma les yeux et les rouvrit » p. 115-116). (Par la suite l'auteur nous fait le coup des plaques d'or oculaires et temporales qu'il suffit à Simon de coiffer pour entrer en communication directe avec la pensée d'Eléa, y compris avec le contenu complet de sa mémoire, p. 146 et 238). Le science-fiction linguistique est fini.

Pour le linguiste et le sémiologue, il est évident que la solution (théorique) du problème est présente dans le texte, mais inaperçue de l'auteur — et cela est très instructif : ses connaissances apprises sur le langage comme expression de la pensée, et sur la communication inter-linguistique privilégiée qu'est la traduction, lui masquent ses propres connaissances pratiques sur la communication tout court. La clé, dans le cadre dramatique qu'il a imaginé, ce serait d'abord ces « images, visibles en trois dimensions, représentant l'analogue d'un livre illustré », images dont la suite du récit ne reparle plus. Le problème premier de la communication en effet, ce n'est pas d'associer des mots écrits à des sons *comme à l'école quand on apprend à lire,* ou secondairement, dans la traduction, des mots et des sons à d'autres mots ou d'autres sons *toujours comme à l'école traditionnelle,* mais d'associer des énoncés aux situations dans lesquelles ils sont significatifs : c'est la comparaison entre énoncés et situations (représentées par les « images ») qui a dû, ou qui aurait dû conduire à « de mange machine », lequel ne devait pas poser de problème en contexte (ou ne devait pas poser plus de problèmes que n'importe quel mot à mot)[2]. C'était d'ailleurs inutile pour atteindre ce résultat, de mobiliser sous forme de Grand Cerveau toutes les calculatrices électroniques du monde : il suffisait de faire défiler sous les yeux d'Eléa tous les objets trouvés dans la sphère d'or où elle hibernait, c'est-à-dire de rechercher, par essais et erreurs, à reconstruire la situation (artificielle) la plus proche de son petit énoncé de trois mots. La clé de l'établissement d'une communication passe par la reconnaissance ou la création d'une situation dont certains éléments au moins soient partagés par l'émetteur et le récepteur.

Le moins piquant n'est pas dans le fait que Barjavel, erroné sur le point qui faisait le nœud de son roman, multiplie par ailleurs les notations suggestives originales (dans un science-fiction) pour faire sentir les difficultés de la communication linguistique entre civilisations très éloignées. « Il est bon d'expliquer rapidement, écrit-il, ce qui rendit si difficile le déchiffrage et la compréhension de la langue d'Eléa. C'est qu'en réalité, ce n'est pas une langue, mais deux : la langue féminine et la langue masculine, totalement différentes l'une de l'autre dans leur syntaxe comme dans leur vocabulaire. Bien entendu, les hommes et les femmes comprennent l'une et l'autre, mais les hommes parlent la langue masculine, qui a son masculin et son féminin, et les femmes parlent la langue féminine, qui a son féminin et son masculin. Et dans l'écriture,

---

2. « De mange-machine ». C'était bien trois mots, mais selon la langue d'Eléa, c'était aussi un seul mot, ce que les grammairiens français auraient appelé un nom, et qui servait à désigner « ce-qui-est-le-produit-de-la-mange-machine ». La « mange-machine », c'était « la-machine-qui-produit-ce-qu'on-mange » (p. 118).

c'est parfois la langue masculine, parfois la langue féminine qui sont employées, selon l'heure ou la saison où se passe l'action, selon la couleur, la température, l'agitation ou le calme, selon la montagne ou la mer, etc. Et parfois les deux langues sont mêlées.

Il est difficile de donner un exemple de la différence entre la langue-lui et la langue-elle, puisque deux termes équivalents ne peuvent être traduits que par le même mot. L'homme dirait : « qu'il faudra sans épines », la femme dirait : « pétales de soleil couchant », et l'un et l'autre comprendraient qu'il s'agit de la rose. C'est un exemple approximatif : « au temps d'Eléa les hommes n'avaient pas encore inventé la rose » (p. 117). Il explique aussi qu' « à part le jour et l'année, les mesures de temps [...] sont totalement différentes des nôtres. Elles sont également différentes pour les hommes et pour les femmes, différentes pour le calcul et pour la vie courante, différentes selon les saisons, et différentes selon la veille et le sommeil » (p. 123).

Les Gonda, de plus, « comptaient les planètes non pas à partir du soleil, mais à partir de l'extérieur du système solaire » (p. 180) et le système « ne comprenait pas pour eux neuf planètes, mais douze » (p. 180). En outre, les langues terrestres n'ont pas de mot pour désigner une forme gonda très spécifique du bonheur (p. 155) (en fait Barjavel ici triche : il décrit celui des « moitiés » platoniciennes quand elles réussissent à se joindre et se reconnaître). Mais tout ceci est très bon. Autant de touches qui, bien qu'extrapolées à la limite, correspondent à des faits observés dans maintes langues non européennes. Les matériaux ethnographiques de Barjavel étaient meilleurs que sa documentation linguistique, et colorent certainement son roman, pour les lecteurs non linguistes, d'une jolie frange de crédibilité proprement linguistique, les aidant ainsi à mieux encore avaler sans s'en apercevoir l'hameçon sans appât des pages centrales du roman, ce qui est à mettre au crédit du talent du romancier. Mais le meilleur des science-fiction ne peut, en matière de linguistique, donner que ce qu'il sait : dans le cas présent, l'un des mieux traités, c'est encore très loin d'être suffisant.

2. *Les avant-projets scientifiques*

Le problème scientifique lui-même a une préhistoire, antérieure à la naissance du roman de science-fiction. Le physicien Gauss (1777-1855), stimulé sans doute par les déductions qu'on tirait de l'observation des fameux canaux de Mars, avait proposé en son temps de tracer sur le vaste tableau des plaines de Sibérie des signes à l'échelle astronomique. Le poète Charles Cros (1842-1888), inventeur du phonographe et de la photo en couleurs, suggérait, lui, de faire fondre le sable de la planète rouge par des miroirs géants pour attirer l'attention des Martiens. Quelqu'un d'autre souhaitait plutôt réaliser de grandes configurations végétales artificielles à l'aide de cultures à couleurs contrastantes. Finalement, vers 1900, Camille Flammarion, dans son roman *Lumen,* rêvait de mettre la démonstration du théorème de Pythagore en forme d'immense figure tracée dans le Sahara par des signaux lumineux géants. Par la qualité de ceux qui faisaient de telles propositions comme par la nature des hypothèses, et des solutions, on se trouvait déjà sur un terrain scientifique.

Aujourd'hui, sans être foisonnante, la bibliographie spécifique du sujet n'est pas vide. Dès 1952, le mathématicien Hogben publie son *Astroglossa, or the First Steps in Celestial Syntax* dans le *Journal* de la Société britannique interplanétaire. En 1958, Chklovski sort, à Moscou, aux Editions en langue française, sa *Radioastronomie,* tandis qu'en 1960 le Hollandais Freudenthal propose une « lingua cosmica » dans son *Design of a Language for Cosmic Intercourse.* Après diverses publications, dont l'*Astronautique* aux Presses Universitaires en 1949 et un article dans *La Nature* (juin 1963), Lionel Mowbray-Laming donne en 1967, dans la collection « Diagrammes », une étude qui semble la plus complète et la plus accessible à l'heure actuelle, et à laquelle on se référera essentiellement ici : *Recherche de civilisations dans l'espace cosmique.*

On sera bref sur le principe technologique qui commande aujourd'hui toutes les hypothèses, dans ces tentatives scientifiques de communication avec l'espace. Il s'agit essentiellement d'utiliser les ondes hertziennes, pour des raisons technologiques (consommation modique, une dizaine de kilowatts pour émettre un signal discernable de tout bruit de fond jusqu'à 100 années-lumière) et qui font donc dépendre unilatéralement ces tentatives de notre niveau technique et scientifique actuel ; mais aussi pour des raisons proprement sémiologiques. En effet, beaucoup de corps sidéraux émettent des ondes hertziennes naturelles, qui doivent donc être un objet d'étude astronomique pour toute civilisation ayant atteint le niveau de la nôtre. En termes sémiologiques, ce fait constitue la possibilité d'un canal éventuel commun de construction et de transmission de signaux. Sur cette base, on connaît jusqu'ici deux expériences, tournées toutes les deux vers le captage de phénomènes radio-électriques venant de l'extérieur du système solaire et susceptibles d'être interprétés comme des signaux : le projet américain O. Z. M. A., qui a surveillé pendant trois mois consécutifs en 1960 les émissions de deux étoiles situées à 10 années-lumière, sans résultats ; et un projet soviétique, animé par l'astronome Kardacheff, qui a cru observer qu'une « radio-source » (CTA-102 du catalogue du California Institute of Technology) offrait des caractéristiques d'émission assez bizarres pour être suspectées de ne pas être naturelles (voir *Le Monde,* 14 et 15 avril 1965).

Les scientifiques (à la différence des auteurs de science-fiction, qui ne semblent guère se documenter) ont bien identifié le problème sémiologique premier : c'est celui qu'à la suite d'Eric Buyssens a parfaitement formulé Luis Prieto, dans *Messages et signaux :* comment déceler qu'un phénomène physique quelconque manifeste une intention de communication, c'est-à-dire suppose un émetteur à la recherche d'un récepteur ? Prieto montre rigoureusement qu'il faut pour cela démontrer qu'un « indice » (c'est-à-dire, selon son excellente définition, un phénomène observable qui nous apprend quelque chose sur un autre phénomène qui ne l'est pas) est en fait un « signal » (c'est-à-dire, selon sa non moins bonne définition, « un indice artificiel, [...] un fait qui fournit une indication *et qui a été produit expressément pour cela* »). Dans les circonstances ordinaires de l'existence terrestre, cette intention de communication est manifestée par l'emploi même des unités d'un code donné, qui est « reconnu comme tel » selon les termes de Buyssens, parce qu'il a été l'objet d'un apprentissage social. Les radio-astronomes ont bien vu qu'ils se trouvent dans la situation zéro de la naissance de la communication, celle de l'observation d'un code sans apprentissage préalable, même par analogie avec d'autres codes existants (qui fait que, quand un Chinois nous parle en chinois, que nous ne comprenons pas, nous savons pourtant qu'il nous *parle*). Leur problème est d'identifier parmi les phénomènes radio-électriques ceux qui, n'ayant pas les caractères de tous les phénomènes radio-électriques naturels, auraient de fortes chances d'être artificiels ; et, par conséquent, de fortes chances (mais non toutes) d'être produits expressément pour cette raison : pour devenir des signaux. Leurs choix sont sémiologiquement fondés : comment, se disent-ils, prouver le caractère artificiel d'une radio-source astronomique ? Puisque toutes celles qu'on observe sont étendues, continues, modulées, ils recherchent des émissions dont l'origine serait ponctuelle, intermittente si possible, sur des fréquences et des intensités stables, ou du moins dont les modulations auraient des caractères récurrents fixes en temps, fréquence et puissance, non confondables avec des modulations aléatoires. Découvrir une telle émission serait aussi merveilleux qu'enregistrer les huit premières mesures de la Marseillaise. D'où les émotions de Kardacheff lorsqu'il croit observer une radio-source de diamètre extrêmement faible, dont l'émission semble modulée en intensité sur une période fixe de 100 jours. Mais Chklovski fait observer qu'il s'agit seulement d'une hypothèse sérieuse, et qu'il faudra encore beaucoup de vérifications pour transformer cette présomption, encourageante sans plus, en quasi-certitude. C'est lui qui a raison.

En effet, les théoriciens passent généralement trop vite sur cette étape fondamentale, en supposant donnée la certitude d'une intention de communication, qui sera pourtant toujours longue à démontrer. De plus, ils sautent le problème du décryptage des codes éventuellement détectés en tant qu'intentions de communication, sans plus, parce que, ce qui les intéresse surtout, c'est le problème de la fabrication des codes utilisables par les humains pour répondre aux premiers. Ici toute la fertilité de l'esprit scientifique se déploie, mais peut-être prématurément, faute d'information linguistique et sémiologique. On postule que la numération binaire doit être universelle, que les constantes mathématiques ou physiques telles que *pi* ou *e* doivent l'être aussi ; que « le tableau de la classification périodique des éléments chimiques (la table de Mendeleïev) représente probablement l'élément le plus typique, et par conséquent le plus attendu *a priori*, de ce qui peut être transmis sans convention préalable, grâce à l'universalité de la constitution de la matière » (Mowbray). De telles hypothèses mêlent des préjugés philosophiques traditionnels sur l'unicité du fonctionnement de l'esprit, des utopies logiciennes de langues universelles qui ont toujours hanté les mathématiciens, et des vues empiriques sémiologiquement correctes sur la communication, dont l'efficacité se trouve perdue dans cette mixture. La science ici redevient un peu fiction.

Par exemple, Mowbray voit et dit très bien qu' « aucune compréhension ne paraît possible entre deux êtres n'ayant rien en commun, ni forme physique, ni esprit, ni lois, ni milieu, ni passé : ils n'ont rien à se dire [ceci est discutable] et ne peuvent rien se dire [ceci est exact]. »

C'est redécouvrir cette loi fondamentale de toute communication, bien connue des linguistes et des sémiologues d'aujourd'hui, et que nous évoquions à propos de *La Nuit des temps* : le problème de la naissance absolue d'une communication, ce n'est pas d'associer des mots écrits à des sons, ou secondairement des mots et des sons à d'autres mots et d'autres sons ; ni, d'une manière générale, d'associer les symboles d'un code à ceux d'un second code (opérations sur lesquelles nous hypnotise la conception scolaire de la traduction), c'est d'abord et surtout la reconnaissance, ou la création, d'une situation dont certains éléments au moins soient communs, et perçus comme tels, pour un émetteur et un récepteur. Au lieu d'entreprendre minutieusement, et scientifiquement, l'inventaire préalable de tous les traits situationnels qui nous soient communs avec toute vie organique supérieure dans l'univers, Mowbray se lance dans l'énumération de ce qu'il nomme des « conventions tacites » inhérentes à toute communication cosmique : il énumère pêle-mêle des considérations hypothétiques, sur la conscience, dans les deux civilisations entrant en contact, d'une « communauté d'intérêt » pour « le commerce stellaire d'information » ; d'autres, sur la « communauté physico-chimique » indiscutable du milieu où elles baignent ; sur la « communauté technologique » au moins partielle dont elles disposent par hypothèse si elles réussissent à entrer en contact ; et sur « la conscience commune qu'elles ont de la précarité de la situation ». Ce qui est sémiologiquement solide ici, c'est la référence aux situations communes ; un même univers, les mêmes lois physico-chimiques, une importante fraction commune de connaissances physiques, un même canal de communication technologiquement donné, les ondes radio-électriques ; donc des radio-astronomes (terrestres) parlant à d'autres radio-astronomes (extra-terrestres). C'est là le seul noyau sémiologiquement valide. C'est à partir de là seulement qu'il faut chercher comment exploiter par des codages ces situations communes.

Mais Mowbray rêve déjà d'un « congrès avec des absents », « destiné à établir les conventions de service » : il est déjà sympathiquement mais précipitamment reparti dans la technologie, et le juridisme ou la déontologie, domaines où l'on peut rêver de façon rassurante avec précision, sans se douter qu'il court-circuite ainsi l'un des moments fondamentaux de la recherche qu'il promeut. Ce congrès qu'il entrevoit, où les places provisoirement vides sont celles des correspondants galactiques, serait peuplé de cosmologues, de radio-astronomes, d'ingénieurs des télécommunications, de biologistes, de psychologues, de décrypteurs de codes et de langues, d'informaticiens, de physiciens, d'astrophysiciens, de philosophes et d'ethnologues. Il est remarquable et significatif qu'il n'y figure ni linguistes ni sémiologues, à moins qu'ils ne soient visés par ce que l'auteur appelle « des spécialistes de la sémantique », mais on craint qu'il ne désigne ainsi que la petite secte des charlatans du korzybskisme. De toute façon, l'imprécision de l'étiquette est typique de ce fait : malgré tout ce qu'on en dit, la linguistique reste considérée comme une science infuse — que chacun sait sans l'avoir jamais apprise, puisqu'il parle et même réfléchit sur son langage. A mon avis, pourtant — ce n'est ni par impérialisme scientifique ni par esprit de clocher que je le dis —, la linguistique et la sémiologie exigeraient une place centrale : ce sont elles qui posent, et peuvent aider à résoudre, les questions théoriques essentielles, de l'intention de communication avec ses critères, et de la constitution d'une situation de communication susceptible d'engendrer des énoncés mutuellement intelligibles. Par exemple, une réflexion proprement sémiologique sur la communication qui fut établie avec Helen Keller, sourde-muette aveugle, est probablement plus importante ici pour l'instant que toutes les constructions prématurées de codes en binaire. Et même la méditation des essais, des erreurs et des échecs d'Itard dans sa tentative d'entrer en communication avec Victor, l'enfant sauvage de l'Aveyron — tentative géniale en partie viciée, comme chez nos astrolinguistes actuels, parce qu'il confondait l'apprentissage de la communication, partiellement, avec l'apprentissage des codes qui permettraient de l'exploiter.

Ces préoccupations sont moins académiques qu'on ne pourrait croire. Même si les programmes spatiaux spectaculaires sont en recul, et même si les hommes renoncent un jour — par impuissance — à voyager dans le cosmos, ils ne renonceront pas aussi vite à percer le mur de l'espace au moyen de la communication, ce qui restera toujours technologiquement possible. Dans toutes les prisons du monde, tous les prisonniers finissent toujours par communiquer. Dans ce qui serait redevenu la grande prison de l'univers, la clé de la communication pourra toujours ouvrir une porte, s'il y a quelqu'un derrière cette porte, et si nous savons construire un code à partir d'une seule situation partiellement commune avec ce quelqu'un.

(1970)

des cailloux et des mots

Parmi les tentatives de contact interdisciplinaire entre la linguistique et les autres sciences humaines, les plus voyantes et les plus bruyantes ne sont pas toujours les plus fructueuses. Un ouvrage comme *La Dénomination des objets de pierre taillée,* de Michel-N. Brézillon, par exemple, risque de passer inaperçu : ni l'auteur, ni le titre, ni l'éditeur (c'est le Centre national de la recherche scientifique lui-même) n'offrent ce je ne sais quoi d'accrocheur où l'actualité trouve un stimulus. Il s'agit pourtant d'un des travaux les plus instructifs, non pour les préhistoriens et les anthropologues qui l'auront découvert tout seuls, mais pour tous ceux qu'intéresse l'exploitation correcte de la linguistique actuelle par les autres disciplines.

En apparence, il ne s'agit que de lexicologie. Les préhistoriens trouvaient des objets, qu'il fallait nommer : ce lexique occupe plus de la moitié du volume, et comporte un grand millier de termes, sans compter les renvois. Le lexicologue peut être passionné par cette expérience de création pure d'un vocabulaire scientifique, par transfert de sens (burin, etc.), par dérivation (percerette, etc.), par métaphore (grattoir en foliole de marronnier, etc.). L'auteur esquisse même une analyse stylistique de ce vocabulaire et montre qu'il est en partie déterminé par l'image de l'homme préhistorique que se donnaient les savants dénominateurs d'objets : depuis Boucher de Perthes qui lui accorde un « ameublement » jusqu'à de Mortillet qui, le voyant comme à peine issu de l'anthropoïde originel, ne lui reconnaît volontiers qu'un « coup-de-poing ». « Racloir » et « coupoir » par exemple, dépréciatifs par rapport aux grattoirs et aux couteaux de l'homme moderne, seraient significatifs à cet égard. Mais l'intérêt profond du livre n'est pas là.

Il n'est pas non plus dans la réflexion terminologique qui est pourtant au centre de la recherche de l'auteur. Ce qu'on appelle traditionnellement le grand public, même cultivé, ne prend guère conscience — et très rarement — du drame scientifique permanent que constitue le problème terminologique, et cela dans pratiquement tous les domaines. Quand ce problème affleure parfois, dans l'actualité, les non-spécialistes, parce qu'ils sont appelés à consommer uniquement les

129

produits finis de la recherche, y voient tout au plus des conflits d'école, des imperfections dues à la négligence linguistique des chercheurs, bref des bavures occasionnelles, qu'un peu plus de logique ou de purisme éliminerait. Cette façon de voir est une grave erreur. En fait, presque chaque science est perpétuellement menacée de babélisme terminologique et d'anarchie conceptuelle, et cela d'autant plus qu'elle est en plein essor ; et d'autant plus — par conséquent — que le nombre des chercheurs qui s'y consacrent augmente. Ajoutons-y les maladies propres de l'époque, l'espèce de commercialisation publicitaire des labels scientifiques (« publier ou mourir », et « marquer » terminologiquement sa production personnelle sur le marché) ; et cette espèce aussi de revendication larvée d'un droit au génie pour tous et tout de suite : tout le monde publie ou peut publier, avant toute pratique ou presque, à vingt-cinq ans, des « théories » complètes, qu'on aurait charitablement appelées, vers 1900, des « vues de l'esprit ». On obtient de la sorte un tableau, qui va s'assombrissant, de la communication scientifique, ou plutôt de l'incommunicabilité croissante. Pour seulement s'orienter, rien qu'en linguistique, il est indispensable aujourd'hui d'apprendre au moins quatre ou cinq langues scientifiques vivantes, et souvent difficiles, et de savoir parler le bloomfield, le hjelmslev et le harris-chomsky, le coseriu, le *chaoumian,* sans parler de nos dialectes français. Le livre de Brézillon décrit bien les drames de cette confusion babélique dans le domaine de la préhistoire, dès son époque classique. Son analyse fait ressortir à l'évidence combien le problème terminologique n'est pas seulement une rougeole inoffensive des sciences-enfants, mais au contraire une espèce de goulot d'étranglement pour le développement même de ces sciences. Ou encore, par une image peut-être plus juste, comment, au bout de cent ans de recherche, le fleuve majestueux d'une science risque d'aller se perdre dans les marais d'un delta de faits, d'hypothèses et de théories incommensurables. Brézillon nous invite à une réflexion qui, du point de vue méthodologique et du point de vue épistémologique, devrait devenir centrale pour chaque chercheur. Le moindre paradoxe en cette affaire n'est pas qu'après tant de congrès appelant depuis cinquante ans au moins à la discipline terminologique, ce soit un chercheur isolé qui ait produit le premier travail utilisable. Ce qui en dit long — autre problème capital — sur l'hiatus qui subsiste et subsistera sans doute encore longtemps entre les aspirations généreuses au travail intellectuel interdisciplinaire et collectif (éminemment souhaitable) et la réalité des obstacles, psychologiques entre autres, qu'il faudra vaincre pour y atteindre.

Mais l'intérêt majeur du livre est plus précisément encore dans sa tentative d'utiliser non pas la lexicologie ou la stylistique, mais la linguistique générale, en vue de résoudre ses problèmes. Et, du moins au yeux du linguiste, le problème d'ensemble est bien posé. C'est celui-ci : les préhistoriens se sont aperçus assez vite que les dénominations qu'ils imposaient aux objets leur étaient suggérées tantôt par la ressemblance entre une forme préhistorique et une forme actuelle d'outil, tantôt par une hypothèse sur la structure de l'outil reconstitué (emmanchement), tantôt par des éléments partiels : place de la partie active, forme ou distribution des retouches, etc. Très vite aussi, vers 1890, ils se sont aperçus que ces critères empiriques étaient inadéquats. Il était tout juste possible que l'usage des pièces soit conforme à l'idée qu'évoquait le nom qu'on leur avait imposé à tort ou à raison. Il était malaisé de déduire de la forme d'un tranchant la nature des percussions auxquelles il était destiné. On pouvait commettre de graves contresens à partir de la simple orientation *a priori* d'une pièce non emmanchée. On risquait de construire une belle « typologie morphologique » avant de s'être assuré qu'elle était fondée sur une description *adéquate* des pièces. En bref, à l'exception de quelques haches et pointes de flèches, on était presque toujours en train de décrire et de classer des formes sans connaître le plus souvent la signification, c'est-à-dire le rôle et l'usage et le but de ces formes. Personne n'était jamais sûr que les grattoirs fussent bien des grattoirs, ou le fussent vraiment tous. Le problème théorique ainsi posé, et Brézillon le voit bien, c'est celui de la recherche des traits pertinents des objets, celui de la notion de pertinence dans la description préhistorique (le terme revient avec insistance aux pages 17, 20, 27-28, 30-31, 136-138 ; l'idée presque partout). Sur ce point, la préhistoire doit offrir une illustration remarquablement pure du débat entre formalisme (ou structuralisme : ici, les deux termes seraient quasi synonymes) et fonctionalisme, distributionalisme, et même transformationalisme. Un effort de cent années montre bien que le critère de la forme n'est pas ici le trait pertinent hiérarchiquement premier, le livre est éloquent sur ce point. Tout le travail des préhistoriens semble de passer d'une typologie morphologique (ou formaliste pure) à une autre qui ne le soit pas. Le progrès central a été réalisé lorsqu'ils ont pris conscience que le ou les traits pertinents les plus propres à décrire scientifiquement un outil sont ceux qui se réfèrent à sa fonction. Découverte d'autant plus dramatique que, de tous les traits caractéristiques d'un outil préhistorique — matière, forme ou structure, distribution, séries évolutives —, le seul trait inaccessible est justement celui-là : on ne peut jamais observer directement le fonctionnement d'un objet préhistorique, et c'est pourtant la seule chose intéressante à connaître, car l'outil ou l'objet ne sont importants que comme « témoins indirects » d'une technique et d'une culture. A travers l'ouvrage de Brézillon transparaît la lutte scientifique continue pour reconstruire les traits pertinents fonctionnels de l'outil à partir d'indices extrêmement divers : la forme, certes, mais aussi la structure (reconstruction des emmanchements) ; mais aussi l'interprétation des stigmates d'usage, autrement dit l'étude rationnelle très poussée des traces de réaffûtage et d'usure : l'exhaustion. Mais aussi l'attribution des traces de travail des outils conservées (sur les matières osseuses, par exemple). Mais aussi les déductions tirées des corrélations pouvant exister entre divers objets associés (présence de « raclettes » et d'une industrie souvent volumineuse en bois de renne par exemple), ce qui est une technique d'analyse distributionnelle, qu'elle soit au niveau de l'horizon, du site, de l'espace géographique, et/ou de l'évolution diachronique. Mais aussi observation des peuplades actuelles utilisant encore des outils de pierre. Enfin, par une grande hardiesse qui est déjà chez Boucher de Perthes, en recourant à la fabrication même de l'outil analysé : on ignore trop que plusieurs écoles de préhistoriens d'aujourd'hui ont rappris à tailler le silex pour comprendre mieux le fonctionnement et peut-être la fonction des outils qu'ils trouvent ou classent (ils pourraient passer pour de bons faussaires) ; ce qui est un cas-limite ou presque de reconstruction de la situation pour saisir une signification. Ce qui manque peut-être chez Brézillon — mais non chez Leroi-Gourhan, son maître —, c'est l'affirmation nette et théorique que toutes ces procédures ont pour unique objet de fonder une théorie résolument fonctionaliste de la pertinence en matière de description d'objets préhistoriques.

Cette primauté du fonctionalisme n'est pas un impérialisme idéologique, et le livre le montre bien. La description, le classement, la typologie des outils ne peuvent être obtenus que sur une base fonctionaliste. Mais — aussi bien qu'on pourrait le montrer en linguistique — ceci n'élimine pas le recours aux autres critères, formels, distributionnels, voire transformationnels ; il s'en dégage au contraire une hiérarchie rationnellement justifiée de ces différents critères. Il y a, ou il peut y avoir, et souvent, des relations entre fonction et forme — mais elles n'ont pas le bel automatisme que leur attribuent les formalistes outranciers. Il y a, ou il peut y avoir, des relations entre fonction et distribution, etc. L'erreur théorique est de privilégier un seul de ces critères à l'absolu en niant les autres, ou d'inverser leur position hiérar-chique.

On voit sans doute la richesse de ce travail si discret dans sa présentation traditionnelle. Au lieu d'annoncer avec brio, chez un éditeur fracassant, une dissertation — toujours faisable — sur l'outillage préhistorique comme « discours » ou comme « écriture » (pourquoi pas ?), et de se demander si les rapports entre type et objet permettent d'opposer une « langue » solutréenne, par exemple, à la « parole » de tel ou tel site apparenté, Brézillon n'a fait à la linguis-tique d'aujourd'hui qu'un emprunt, mais c'est, pour son objet, justement l'emprunt pertinent [1].

(1969)

---

1. Ce texte, paru d'abord dans *La Quinzaine littéraire* du 1er mai 1969, a été repris par le *Bulletin de la Société préhistorique de France*, tome 66, n° 6, 1969, p. 164-165.

quelques observations sur la notion d'articulation en sémiologie

Présentée comme le trait définitoire qui distingue spécifiquement les langues naturelles humaines *et permet d'en séparer tous les autres systèmes de communication propres à l'homme* (du code de la route, par exemple, à la pantomime ; de la musique, si elle est un système de communication, jusqu'au cinéma), la double articulation du langage est une théorie peu discutée, et même généralement acceptée ; peut-être parce qu'elle est assimilée superficiellement aux théories qui fondent la description des langues sur la distinction d'un nombre de niveaux variable avec les auteurs (depuis celui des traits pertinents des phonèmes jusqu'à celui des indices situationnels ou culturels qui contribuent à déterminer le sens d'un énoncé). Seul Prieto, dans *Messages et signaux* (p. 162 et suiv.) a tenté de limiter la valeur de ce trait définitoire en montrant que certains systèmes comme les numéros de téléphone[1] seraient aussi, au moins *partiellement,* à double articulation, d'une part ; et d'autre part, en signalant qu'à cause des faits d'intonation les langues naturelles humaines seraient également « des codes à seconde articulation *partielle* » (*Ibid.*). L'analyse du codage des numéros de téléphone est probablement discutable dans la mesure où la tranche 67.— —.— — d'un numéro, par exemple, ne signifie pas directement « Hérault » mais d'abord « département qui a le numéro de code téléphonique n° 67 » (*Hérault* est une traduction de ce premier code). Si on accepte cette façon de voir, le 6 et le 7 cessent d'être des unités distinctives, des « figures » hjelmsléviennes, pour redevenir des unités signifiantes du système arithmétique : « 6 dizaines » et « 7 unités », utilisées pour leur valeur ordinale ici. L'autre objection, qui s'appuie sur l'existence de l'intonation, n'est pas non plus pleinement convaincante si l'on considère que, dans un énoncé linguistique, ce n'est pas un seul code, mais plusieurs qui sont ou peuvent

---

1. Analysés comme code également par Hjelmslev, dans *La Structure fondamentale du langage* de façon moins nette. Cf. *supra* p. 99 note 6.

être à l'œuvre simultanément : code proprement linguistique, central, qui ne peut jamais manquer d'être présent ; et codes intonationnel, gestuel, mimique, etc., marginaux, supplémentaires ou complémentaires, qui peuvent toujours manquer (Cf. *Clefs pour la linguistique,* notamment p. 55, 61, 78). Dans le code linguistique proprement dit, la double articulation est totale : tout énoncé est totalement composé d'unités de première articulation, signifiantes ; et chacune de celles-ci, à son tour, est totalement composée d'unités de seconde articulation, distinctives : « Socrate est mortel » = /sOkRat/E/ mORtEl/. L'objection de Prieto n'en était pas moins intéressante : si la double articulation est véritablement le critère spécifique des langues naturelles humaines, et si tous les autres systèmes de communication sont exclus de la possession de cette propriété, le mot « langage » ne peut plus être employé pour désigner autre chose que les langues naturelles humaines. Parler du langage de la peinture, ou de la musique, ou des abeilles, ou des mathématiques, ou du cinéma, ce serait appliquer *a priori* un modèle théorique à des domaines séparés de celui des langues par une propriété fondamentale et probablement *sui generis.* C'est parce que Prieto a bien compris l'importance théorique capitale de la pensée de Martinet sur ce point qu'il y est revenu avec des analyses aussi approfondies ; alors que parler *à la fois* de double articulation et de « langage » gestuel, par exemple, est un non-sens théorique. Il est sans doute aussi le seul qui ait proposé d'expliquer les propriétés des langues humaines (toujours senties comme profondément distinctes de celles de tous les autres systèmes de communication, sans qu'on sache l'expliquer) par la double articulation, certes, mais aussi par une autre propriété : « Les codes qu'on appelle langues, écrit-il, sont peut-être les seuls où il y ait des sèmes dont les signifiés soient en rapport d'intersection entre eux. Par conséquent, les langues sont peut-être les seuls codes où il soit possible d'adapter aux circonstances la quantité d'indication significative qu'on fournit au moyen du signal » (*ouvr. cit.,* p. 134). Si cette hypothèse se vérifie, il s'agit là d'un fait aussi important pour la spécificité des langues humaines que la double articulation elle-même.

Pous nous en tenir à celle-ci, loin qu'elle soit, comme on le croit souvent, presque un truisme, une chose qui va de soi, on comprend mieux qu'il soit très légitime d'y regarder de près avant d'accorder aux langues naturelles de l'homme ce qui se révèle être un privilège exorbitant. Aucune objection contre la double articulation ne doit être écartée sans investigation. C'est le sens des deux observations qu'on présente ci-dessous.

1. *L'écriture script.*

L'écriture script est une écriture normalisée [2], qui a été et est peut-être encore préconisée, au moins dans certains cas, dès l'école primaire. Cette normalisation fait apparaître les lettres comme composées de formes graphiques élémentaires ; et on a immédiatement l'impression que chacune de ces dernières est réutilisée dans un certain nombre de lettres. Ceci suggère de procéder à l'analyse des lettres en ces unités graphiques élémentaires :

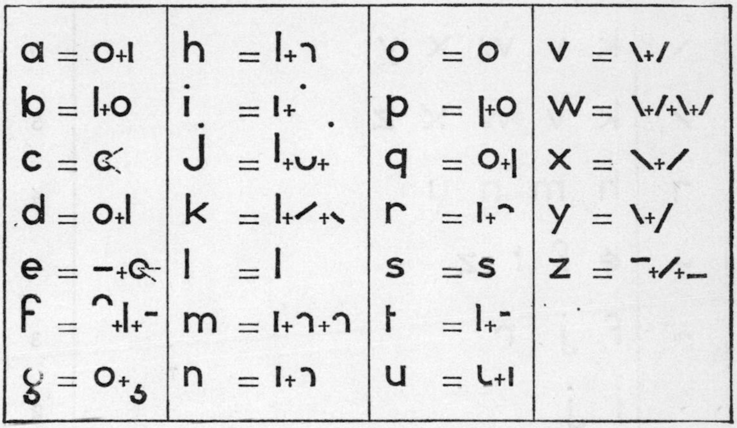

Fig. 1

On a donc bien affaire à un système d'unités [3], les lettres (a, b, c, etc.) étant articulées grâce à un jeu d'unités mini-

2. Hjelmslev avait souhaité qu'on fasse une analyse des manifestations graphiques du langage, sur le modèle de l'analyse structurale réalisée pour la langue parlée. Il jugeait la tâche pressante, et déplorait qu'elle ne plût pas à l'esprit philologique traditionnel (*La Structure fondamentale du langage,* p. 202). Le texte de Hjelmslev n'a été publié qu'après (1968) que notre exercice de travaux pratiques ait été entrepris en 1964-65.

3. On a utilisé ici pour l'analyse une variante courante dans laquelle la lettre g a la forme typographique commune, au lieu de la forme canonique g . La signification des conclusions finales n'en est pas affectée. Pour des raisons de commodité typographique, dans le texte de l'article on désigne la lettre script par sa forme typographique ordinaire.

males (o, i, etc.). On peut procéder à l'inventaire de ces formes graphiques minimales :

SIGNES	APPARAISSANT DANS	NOMBRE DE LETTRES
l	b d f h j k l p q ł	10
o	a b c d e g o p q	9
I	a ı m n r u	6
\	k v w x y	5
/	k v w x z	5
⌐	h m n u	4
—	e f ł z	4
⌒	f j r	3
·	i j	2
ﾗ	g	1
s	s	1
/	y	1

Fig. 2

Cet inventaire semble faire ressortir un type d'économie familier aux linguistes : 26 lettres sont construites au moyen, apparemment, de 12 formes graphiques minimales. Peut-on mettre en évidence le système des *oppositions* distinctives grâce auxquelles chaque lettre, pour parler comme Saussure, se définit comme étant ce que ne sont pas toutes les autres, en bref, le système des oppositions graphiques, dont l'enseignement traditionnel de l'écriture s'est toujours servi d'ailleurs ?

1/ lettres du corps d'écriture : a, c, e, i, m, n, o, r, s, u, v, w, x, z (14)

2/ lettres au-dessus du corps : b, d, f, h, k, l, t (7)

3/ lettres au-dessous du corps : g, j, p, q, y (5)

Dans la première série, on identifie assez bien trois types d'oppositions [4] : entre les lettres à base de cercles, ou de verticales, ou d'obliques :

o, a, e, c ~ i, m, n, r, u ~ v, w, x, z

Dans la seconde série, les choses sont moins simples ; lettres à cercles, lettres à élément du corps à droite de la hampe, et lettres sans élément du corps ni à droite ni à gauche de la hampe :

b, d, ~ h, k ~ l, t, f (?)

Dans la troisième :

g, p, q ~ j ~ y

/s/ est hors système aussi bien par sa forme unique que par son opposition globale à toutes les formes de la première série [5].

Il n'est pas possible de représenter ce système d'oppositions par un tableau à double entrée du type de ceux qu'on emploie couramment pour matérialiser le jeu des oppositions d'un système phonologique. En effet :

3 lettres n'utilisent qu'une unité graphique minimale (l, o, s)

19 lettres en utilisent deux (a, b, c, d, g, h, i, m, n, p, q, r, t, u, v, w, x, y, z)

ce qui ne pose apparemment pas de problèmes pour la mise en tableau. Mais *f, j, k,* (et *e,* si l'on considère que l'*amputation*

---

4. Le signe ~ indique l'opposition fonctionnelle, pertinente, de deux concepts ou faits.
5. Nous utilisons ici la forme courante réalisée, et non la forme canonique très complexe décrite comme formée, en trois parties égales, d'un arc supérieur, d'une oblique descendante de gauche à droite, et d'un arc inférieur plus grand que le premier. Cette forme n'est pas cursive et, comme le k de forme canonique, n'est réalisée que dans l'écriture dessinée, dite « bâton normalisée ». Sa prise en compte ici dans le système introduirait 2 traits différentiels supplémentaires (taille de l'arc supérieur et distribution de l'oblique).

d'un quart du cercle est une unité distinctive minimale, ce qui est logique, comme pour *c*) utilisent 3 unités graphiques minimales. On peut au moins donner un tableau de 22 lettres sur 26. Un tableau visualisant les oppositions qu'on a cru pouvoir dégager ci-dessus serait très complexe (trois « séries » horizontales pour : lettres du corps, au-dessus du corps, au-dessous du corps ; une douzaine d' « ordres » verticaux pour les unités avec cercle [complet, incomplet, avec tiret pour le *e*] ; les verticales avec point [i], jambage [m, n, u, h], ou arc de cercle [r, f, j] ; les obliques, soit juxtaposées [k, v, y, w], soit superposées [x] ; les hampes nues [j], ou avec tiret [t]). Pour la démonstration qu'on tente ici, un simple tableau à double entrée suffira et donnera toutes les lettres à une ou deux unités graphiques minimales supposées (dans la partie hachurée auraient figuré une seconde fois toutes les unités, dans des cases symétriques à celles où elles figurent déjà ici).

	|	o	ı	\	/	⌐	-	⌢	·	ϑ	s	/
|	|											
o	b d p q	o c										
ı		a										
\												
/				v w x								
⌐			m n u									
-	⊢				z							
⌢			r									
·			i									
ϑ		g										
s												s
/				y								

Fig. 3

Ce tableau, qui visualise à peu de chose près les résultats de notre analyse provisoire, suggère un certain nombre de remarques très intéressantes[6] :

1°) L'analyse en deux unités graphiques minimales (hampe + cercle) ne discrimine pas *b, d, p, q* — c'est-à-dire n'épuise pas leurs traits différentiels minimaux. Il faut, pour obtenir cette discrimination, introduire deux autres traits différentiels :
— un, de *position* : la hampe au-dessus du corps oppose *b* et *d* à *p* et *q* ;
— un autre, *d'ordre* : la hampe devant le cercle oppose *b* et *p* à *d* et *q*.

2°) L'analyse de *n* et *m* en deux unités graphiques minimales (verticale du corps + jambage) ne discrimine pas ces deux unités. Il faut introduire un autre trait différentiel : le *nombre* de jambages supplémentaires, $n = 1$, $m = 2$.

3°) Cette même analyse ne discrimine pas *n* et *u*. Pour le faire, il faut introduire un trait différentiel *d'ordre* (verticale du corps à gauche ~ verticale du corps à droite), et surtout un trait différentiel d'inversion : *n* = jambage droit, et *u* = jambage renversé. (Le trait d'ordre est redondant, puisque le trait *jambage renversé* suffit à opposer *u* à toutes les autres unités à jambage).

4°) L'analyse en deux unités graphiques minimales (oblique du corps descendant de droite à gauche + oblique du corps montant de droite à gauche) ne discrimine pas v, w, x. Il faut introduire deux nouveaux traits différentiels : la *juxtaposition* des obliques (*v, w*) qui s'oppose à leur *superposition* (*x*) d'une part ; et le *nombre* des obliques ($v = 2$, $w = 4$).

5°) De la même façon, l'arc de cercle ne suffit pas à discriminer *f* et *j* si on n'introduit pas des traits de *position* (en haut *et à droite* de la hampe ~ en bas *et à gauche* de la hampe, l'un des deux traits étant peut-être redondant).

6°) Enfin *k* n'apparaît plus composé des mêmes unités graphiques minimales que *x* par exemple : k n'est pas une sorte de K. Il y a là pour les obliques un trait différentiel de *taille* (les obliques de k sont en gros les moitiés des obliques de x). Il est,

---

6. Voir la figure 6, tableau construit à partir des huit catégories d'apprentissage des caractères, dans R. Echard et F. Auxemery, *Méthode moderne d'écriture,* Paris, éd. Magnard, 1949-1950.

pour les mêmes raisons, douteux que le « tiret » qui entre dans la construction de e, f, t, z soit toujours la même unité : la distribution (f et t ~ z), la taille (f et t ~ z, e) et la position f, t ~ z ~ e) du tiret sont graphiquement pertinentes. Il y a donc là non pas un, mais quatre traits différents.

	CERCLES			VERTICALES			OBLIQUES			HORS SYSTEME
	complets	mutilés		simples (ou avec _)	avec ⌐	avec ∩ et/ou _	juxta-posées	super-posées	avec tiret	
		sans tiret	avec tiret							
lettres du corps	o a	c	e	i	m n u	r	v w	x	z	s
lettres au-dessus du corps	b d			l t	h	f	k			
lettres au dessous du corps	p q g					j	y			

Fig. 4

On aboutit de la sorte à un système graphique mieux analysé, qui permet certaines conclusions. Les lettres du script sont évidemment des unités graphiques, isolables et commutables ; et ces unités sont bien décomposables en unités plus petites qu'elles-mêmes, vraisemblablement minimales au point de vue graphique (unités minimales pertinentes par la forme, l'amputation d'une partie de forme, la dimension, la disposition, la distribution, l'ordre, le nombre). Peut-on parler d'une « articulation » double ? Oui sans doute, car les unités graphiques minimales, ainsi qu'on l'a vu, servent à construire chacune deux à dix lettres différentes. Mais cette « double articulation » est-elle celle des langues naturelles ? On peut répondre hardiment que non. Tout d'abord, les unités complexes (les lettres de l'écriture script) ne sont pas des unités de première articulation, mais sont déjà des représentations graphiques d'unités de seconde articulation. Les unités graphiques minimales (ou traits graphiques différentiels) qui constituent les lettres sont tout à fait comparables aux traits pertinents des phonèmes, *mais non pas aux phonèmes*. Il y a cependant des différences notables : les traits pertinents des phonèmes des langues naturelles sont des unités distinctives

minimales *non successives,* simultanées ; tandis que les phonèmes sont des unités distinctives minimales *successives,* et
ce caractère est fondamental pour expliquer l'économie du
langage par la double articulation. Les unités graphiques
minimales qui constituent la lettre script sont successives quant
à la construction par l'émetteur, et probablement simultanés
pour la perception globale par le lecteur ; mais elles ne sont
pas simultanées quant à leur fonction distinctive. L'ordre
linéaire des unités graphiques minimales est en effet pertinent
pour au moins 13 caractères (*a, b, d, h, k, m, n, p, q, u, v,
w, y*) et la position spatiale (autre forme d'ordre) l'est pour
16 caractères (*g, f, j, r, b, d, p, q, v, w, x, u, n, f, e, t, z*),
c'est-à-dire au total pour 21 caractères sur 26 (sont exclus :
l, o, s, c, i). Cette différence, qu'il fallait analyser, n'est
plus essentielle une fois qu'on a bien vu que la similitude
des unités graphiques minimales de l'écriture script les rap-
proche des traits pertinents *et non pas des phonèmes ;* mais
elle est réelle, et sépare le fonctionnement des traits pertinents graphiques même de celui des traits pertinents linguistiques. La différence la plus remarquable est sans doute
ailleurs : si nous reprenons notre analyse des observations
découlant du tableau (fig. 3), nous nous apercevons que,
pour construire 26 lettres, il faut finalement 26 unités graphiques minimales (14 traits de forme y compris les « amputa-
tions » différentes du *c* et du *e,* plus 12 traits différentiels
d'ordre, de position, de taille, de nombre, etc., qu'il a fallu
introduire pour rendre compte des oppositions qui distinguent les 26 lettres)[7]. Il n'y a pas économie ici, au sens de
ce terme en linguistique (même si l'on abandonne tout rap-
prochement avec la double articulation du langage, et si l'on se
borne à la comparaison de deux systèmes de traits pertinents). La similitude qu'on croyait apercevoir intuitivement
entre l'écriture script et la double articulation du langage
reposait sur une impression fausse ; et les deux modèles structuraux ne sont pas formellement isomorphes.

---

7. Une analyse plus complète serait plus concluante encore : il faudrait y inclure la cédille du *ç,* les tailles spécifiques des hampes du *j*
et du *t* (un corps et demi), la taille de l'arc de cercle du *r* (différente
de celles de *n, m, u, j, f*), et le point de départ canonique des obliques
du *k* : la descendante de droite à gauche part au quart inférieur du
corps sur la hampe, la descendante de gauche à droite part du milieu
de la précédente — leurs tailles étant donc inégales, trait qui peut être
considéré comme redondant par rapport aux précédents. Cela ferait
5 unités graphiques minimales supplémentaires, donc 31 ; et 33 si l'on
y prenait en compte aussi celles de l'*s* canonique (pour 26 lettres).

2. Les symboles mathématiques.

Beaucoup plus que l'écriture script, l'objection des symboles mathématiques [8] surgit spontanément des auditoires à qui l'on expose les propriétés théoriques de la double articulation des langues naturelles humaines. Et pourtant, malgré des ressemblances sur le plan purement graphique, il s'agit de faits profondément différents de ceux qu'on a observés pour le script.

Si l'on prend comme matériau d'analyse le *Dictionnaire des mathématiques modernes* de Lucien Chambadal (Larousse, 1969) auquel nous avons emprunté l'essentiel de notre documentation, on peut avoir une vue assez complète, non pas du « langage » des mathématiques, mais du code ou lexique des unités graphiques qu'il emploie. La présentation qu'en fournit Chambadal (p. 241-245) est intéressante pour le sémiologue. Les représentations graphiques sont données selon la classification suivante :

1 — Des « notations courantes », au nombre de 23, utilisent l'alphabet grec.

2 — Les « notations canoniques », au nombre de 33, utilisent l'alphabet latin, uniquement les capitales grasses (sauf quatre exceptions : un caractère hébreu, 3 majuscules gothiques).

3 — D'autres « notations courantes », au nombre de 26, utilisent l'alphabet latin, mais avec des majuscules en ronde.

4 — D'autres « notations courantes » encore, au nombre de 88, utilisent l'alphabet latin, soit avec des capitales romaines, soit avec des minuscules en italiques, et 2 grasses ($\mathbf{x}$ et $\mathbf{y}$).

5 — Des « abréviations », au nombre de 81, utilisent l'alphabet latin, en romain (majuscules et minuscules), plus un symbole (Λ).

6 — Des « symboles », au nombre de 97, ne sont pas constitués de lettres d'alphabets quelconques.

---

8. Hjelmslev, dans *La Structure fondamentale,* déclare que « la logique moderne a montré que les systèmes de signes scientifiques, comme par exemple ceux qui sont employés en mathématiques, doivent bien être des langages, et que la structure de ces langages n'est en aucune sorte fondamentalement différente de la structure linguistique dans son ensemble ». Puis il passe outre sans autre forme de procès (p. 178).

Au total, un lexique de 348 entrées (et non pas unités, car beaucoup de ces entrées représentent des expressions).

Ce classement, peut-être lié à l'histoire du développement des mathématiques, semble être, au moins partiellement, de nature sémantique : chaque type de notation (lettres grecques, capitales grasses, rondes, etc.) se trouvant affecté de façon relativement systématique à un domaine précis des mathématiques. Dans les catégories 2, 3, 4, 5, ces représentations sont généralement obtenues par abréviation : B = base, SL = (groupe) spécial linéaire, A = anneau, End = endomorphisme, etc. Il s'agit donc essentiellement d'un code d'abréviations. Le très petit nombre des chevauchements des alphabets et des typographies entre les catégories semble indiquer un effort pour standardiser les représentations selon des règles fixées. Chaque représentation dénote une unité ou un groupe d'unités de première articulation, pourvues chacune d'un signifiant (μ, **N**, E, Var, etc.) et d'un signifié (ici : « mesure », « ensemble des nombres entiers naturels », « ensemble », « variance », etc.).

La sixième catégorie, celle des « symboles », mérite une analyse assez différente. Elle regroupe à peu de chose près les « signes mathématiques » auxquels nous sommes habitués : $+$, $-$, $=$, $\equiv$, $\neq$, $>$, $<$, $\geqslant$, $\leqslant$, etc., au total 45 sur 97 entrées (il y a des « signes » répétés dans des expressions composées). Ce qui frappe, comme pour l'écriture script, c'est que ces signes — qui cependant sont toujours ici des unités de première articulation pourvues d'un signifiant, par exemple ($<$) et d'un signifié (« plus petit que ») — semblent construits au moyen d'unités plus petites qu'eux-mêmes, *et qu'on a l'impression de voir réapparaître d'une unité à une autre* — d'où la tentation de parler d'une double articulation comme pour les langues naturelles humaines.

Sur les 45 « symboles » dénombrés, seulement 7 ne sont pas décomposables en unités plus petites (ce seraient des équivalents des monèmes monophonématiques comme *a, y, et* [e], *est* [ɛ], *ou* [u], etc. en français) :

$$U, O, \infty, o, I, -, \int$$

Les 38 autres seraient décomposables en unités graphiques minimales ou traits graphiques différentiels. Si l'on procède à l'inventaire intuitif (celui qui sous-tend l'impression qu'il y a ici double articulation) de ces traits graphiques différentiels récurrents dans les 38 symboles, on en trouve 10 :

$$-, I, \diagup, \lambda, ., U, O, (, [, \{$$

Voici le classement des unités décomposables en traits graphiques, par séries possédant le même trait :

POSSEDENT LE TRAIT	SIGNES
—	— + ½ ∈ ∉ = ≠ ≡ ≢ ⊥ T ⌐ Δ → ↦ ⇒ ⇔ ∀ ⊕
I	I ∥⋯∥ ∥⋯∥⋯∥⋯∥ ⊄ ⟨≇⟩ ↦ ⊥ T ⌐ + ⊕
\	> ⩾ < ⩽ ⟨⋯⟩ ∧ ∨ → ↦ ⇒ ⇔ × ⊗ Δ ∧ ∀
/	/ > ⩾ < ⩽ ⟨⋯⟩ ∧ ∨ → ↦ ⇒ ⇔ × ⊗ Δ ∧ ∀ ∉ ≠ ≢ ∅
•	• : ∷ !
∪	∪ ∩ ⊂ ⊄ ∪ ∩ ∈ ∉
O	⊕ ⊗ ∅ ∘
(	⟨⋯⟩ ⟨⋯⟩
[	[⋯] [⋯[]⋯]]⋯[
{	{⋯}

Fig. 5

Y a-t-il là système, et double articulation ? Oui, apparemment. Ces traits ont bien l'air d'avoir des valeurs oppositionnelles distinctives comme les phonèmes grâce auxquels sont construits les monèmes. Mais, comme pour l'écriture script, dès qu'on dépasse ce premier stade de l'analyse intuitive, on découvre une réalité bien différente.

Tous les « tirets » horizontaux sont-ils la même unité graphique minimale ? Non, car il y a entre eux des différences de taille : —, ⟶,]

de position, ou de nombre : —, =, ≡

de distribution : ⌐, ⊥, T

de « graisse » : ⌐, ⊥, T

qui sont autant de traits différentiels supplémentaires.

Il faut dire la même chose pour les traits verticaux, qui ne diffèrent pas par la taille (sauf chez |⟶), mais par la

146

forme (cf. !) et la graisse (⅂, ⅃, ⊤). Les obliques, elles aussi, sont différentes par la taille (>, ⩾, <, ⩽ s'opposent à Λ, etc.) par l'obliquité variable (cf., ≠, <, E/R) et par la graisse (Λ). Les cercles ont des tailles très diverses (o, etc.) ; et les « courbes » s'opposent entre elles par la forme, la taille, quelquefois la graisse, et l'orientation (⊂, ⋂, ⋃, ∩ , ∪).

Que conclure de cette analyse, non plus intuitive, mais proprement sémiologique et dûment informée de la notion d'opposition différentielle ? Que, dans les symboles mathématiques, à la différence de l'écriture script, il existe bien des unités de première articulation ; qu'il existe aussi des unités graphiques minimales non signifiantes, distinctives, qui servent à construire les premières. Sont-elles donc aux symboles mathématiques ce que les phonèmes sont aux monèmes ? Ici aussi, il apparaît bien que non. Certes, pour l'émetteur qui écrit les symboles, ces unités graphiques minimales sont successives (comme les phonèmes). Mais cette linéarité n'est pas pertinente, elle n'est pas perçue par le récepteur qui lit les symboles, elle n'intervient donc pas dans la communication graphique. Or, si la linéarité n'est pas pertinente ici, ce qui semble peu discutable, ce n'est pas aux phonèmes qu'il faut comparer nos unités graphiques minimales, mais aux traits pertinents (simultanés) qui construisent les phonèmes. Le modèle théorique du fonctionnement graphique des symboles mathématiques cesse d'être isomorphe avec celui de la double articulation des langues naturelles humaines. Du caractère graphique, c'est-à-dire spatial, non linéaire, de la représentation des symboles mathématiques découlent des propriétés du système qui sont très différentes de celles de la double articulation, profondément liée au caractère vocal des langues naturelles. Par exemple, ici aussi, comme pour le script — si l'on admet l'analyse complète des symboles en traits graphiques différentiels qu'on a esquissée ci-dessus —, on aboutit au fait que 39 traits différentiels (ou 42, selon le type d'analyse) construisent 38 unités signifiantes : autrement dit, les traits différentiels ne représentent aucun système *économique* — ce qui signifie probablement que les oppositions qui différencient les symboles sont perçues globalement, ou par l'intermédiaire de sous-systèmes d'oppositions (sans doute sémantiques au départ) du type = ~ , et = ~ ≠ etc., où le nombre des traits n'est jamais plus économique que le nombre des symboles.

Ici aussi, comme dans le script, l'intuition percevait certes un fait intéressant : que des unités soient construites au moyen d'unités minimales avec une certaine récurrence, susceptible de donner l'impression d'un système. Mais, ici aussi, l'analyse aboutit à comprendre pourquoi l'impression qu'il s'agissait d'une articulation double comparable à celle des langues humaines est une impression fausse [9].

(1970)

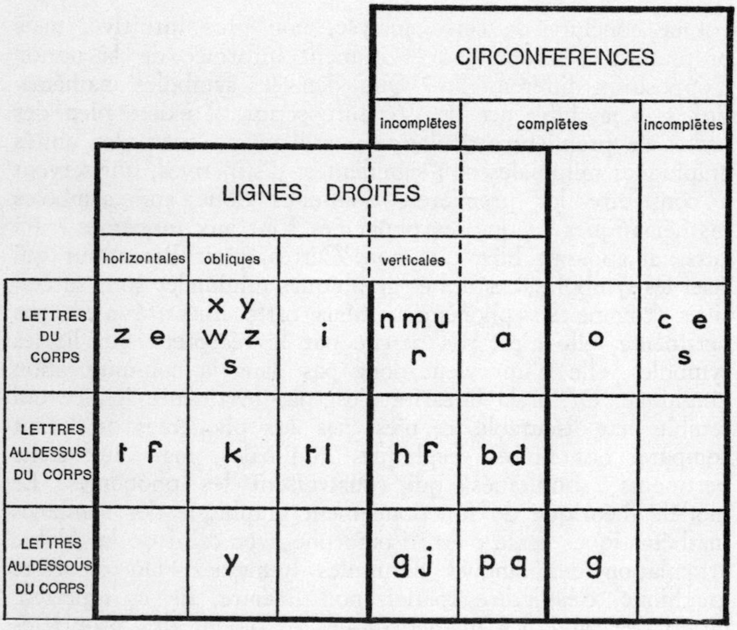

| | LIGNES DROITES | | | | CIRCONFERENCES | | |
	horizontales	obliques		verticales	incomplètes	complètes	incomplètes
LETTRES DU CORPS	z e	x y w z s	i	n m u r	a	o	c e s
LETTRES AU-DESSUS DU CORPS	t f	k	t l	h f	b d		
LETTRES AU-DESSOUS DU CORPS		y		g j	p q	g	

Fig. 6

---

9. La deuxième partie de ce texte a été publiée dans *Epistémologie sociologique*, n° 9, juillet 1970.

la chimie et les signes

Le livre de François Dagognet, *Tableaux et langages de la chimie* [1], nous apporte opportunément toute la documentation souhaitable au moins pour aborder ce problème de la signification sémiologique des symboles en chimie. Le travail est original, bien qu'il ne soit pas le premier. « Il est surprenant, note-t-il, que l'étude d'un des langages parmi les plus ambitieux, celui de la chimie, n'ait pas encore été entreprise. » Ce n'est pas tout à fait exact. En effet, dès 1958, dans sa *Linguistica*, le linguiste italien Bruno Migliorini en avait déjà bien indiqué le caractère, et l'intérêt théorique.

« Ce livre percutant, dit la jaquette de l'ouvrage, démontre le caractère créateur d'une linguistique qui est, bien plus que l'outil d'une reproduction de la matière, une production par elle-même. » En réalité, malgré beaucoup trop d'emprunts superficiels à la terminologie linguistique, l'intérêt du livre est dans les matériaux que l'auteur fournit à la réflexion du sémiologue, en simple et probablement solide historien-philosophe de la chimie, beaucoup plus que dans la « linguistique » de la chimie qu'il imagine. L'auteur se défend pourtant d'avoir écrit une histoire de la chimie. Il insiste sur le fait qu'il n'a pas « écrit à l'intention des chimistes, mais [...] des philosophes » (p. 9). Toutefois, au cours des pages, « nous écrivons, en simple historien de la chimie », dit-il (p. 93, note) ; et encore : « nous avons examiné [la chimie], en historien attaché aux méthodes », etc. Ce sont ces formules modestes qui ont raison : la valeur de l'ouvrage est bien là, et n'est bien que là.

Les faits qu'il apporte méritent d'être classés et distingués. C'est d'abord, dans les années 1780-1800, la refonte de la nomenclature vétuste des alchimistes, refonte proposée par Guyton de Morveau et surtout Lavoisier : la tentative de remplacement de désignations telles que *dragon mitigé, sucre de Saturne, beurre d'arsenic,* ou même *potasse, cobalt,* ou *tungstène,* par une terminologie cohérente, celle des acides

---

1. Paris, Editions du Seuil, 1969. Voir aussi N. Lozac'h, *La Nomenclature en chimie organique,* Paris, Masson, 1967.

(*sulfurique,* etc.) des sels (*sulfure, sulfite, sulfate,* etc.). Cette réforme est menée comme une lutte entre les « mots insignifiants », les « mots qui n'expriment rien », et ceux qui sont « transparents ».

Par la suite (Berzélius, 1829, notamment) se développe un système de notation, celui que nous connaissons, où les initiales des mots représentent (ou « symbolisent ») les corps simples : hydrogène = H, soufre = S, oxygène = O, etc. ; avec des règles strictes de formation. Les métaux dont les noms ont la même initiale sont discriminés par l'addition de la première consonne distincte suivante : argent = Ag, arsenic = As, antimoine (stibium) = Sb, étain (stannum) = Sn, etc. ; d'où les représentations de composés comme SO^4H^2, NO^3H, etc.

Puis (Laurent, 1856) on voit naître — pour résoudre des problèmes de représentation des corps de plus en plus complexes de la chimie organique — des figurations graphiques, géométriques, dont le prototype est « l'hexagone benzénique ». Ce type de représentation, qui n'utilise d'abord que les deux dimensions de la surface du papier, devra bientôt, pour exprimer adéquatement la structure compliquée des liaisons entre atomes dans les grosses molécules, utiliser des figurations tri ou multidimensionnelles, dont l'exemple le plus populaire aujourd'hui est sûrement la fameuse double hélice de l'acide désoxyribonucléique. Tels sont les faits, qu'il s'agit maintenant d'interpréter sémiologiquement.

Et tout d'abord sont-ils justiciables d'une interprétation sémiologique, sont-ils constitutifs d'un système propre de communication, dont il resterait ensuite à déterminer s'il est de nature linguistique ou non linguistique ?

Pour ce qui est de la refonte terminologique de Lavoisier, Dagognet pose tout de suite une série de formules qui, au lieu de résoudre le problème, le supposent résolu. Il parle en effet d'emblée de l' « élaboration d'un langage » (p. 26), de « langage chimique » (p. 33), d' « idiome chimique » (p. 92, 169), voire de « dialecte » (p. 174), et de « réforme linguistique » (p. 33, 61) : métaphores sans doute impropres, et du moins prématurées. (L'information linguistique de l'auteur est fragile : il croit que « les linguistes s'évertuent à transformer le langage en système », p. 183, ce qui est vraiment une formulation malheureuse ; le seul exemple linguistique qu'il donne est erroné, lorsqu'il parle de la possibilité de recombiner les éléments du mot *rose* pour donner *oser,* montrant qu'il confond encore phonème et lettre, p. 192). Or, pour le linguiste, il est évident que Lavoisier n'a pas « forgé une linguistique » (p. 78), mais simplement une terminologie technique. Dagognet qui en parle de la façon qu'on

vient de voir, en parle tout à côté, indifféremment mais justement cette fois, comme d'un « problème de lexicographie
rationnelle » (p. 20), d'une « révolution lexicographique »
(p. 165), d'un problème de « vocabulaire » (p. 209) ou de
« nomenclature » (p. 77, 92, 218) et il souligne de la sorte
le côté superficiel de son usage des termes, où *linguistique*
peut devenir un simple synonyme (littéraire et impropre) de
vocabulaire. La bataille de Lavoisier est certes intéressante :
linguistiquement, c'est celle de la normalisation d'un vocabulaire technique, problème bien connu [2]. Plus précisément
même, il s'agit surtout de la création d'une dérivation préfixale
et suffixale standardisée — comme si la langue française
décidait de réserver le suffixe -*ier* pour indiquer le nom de
l'arbre à partir du nom du fruit (*pomme* > *pommier*), ce
qui exigerait toutes sortes de refontes à cause de faits comme
datte > *palmier, pigne* > *pin,* etc., d'une part ; et d'autre
part, à cause de la nécessité de remplacer le suffixe -*ier* dans
les noms de métier qui désignent tantôt la production de
l'objet (*verrier*), tantôt sa vente (*poissonnier*), sans parler de
chalut > *chalutier, ordure* > *ordurier,* etc. Lavoisier, nourri
de tout le rationalisme du XVIIIᵉ siècle, qui rêve qu'une
science soit une langue bien faite, voudrait même que les
noms des corps simples soient significatifs par construction,
c'est-à-dire par étymologie : c'est ainsi qu'on forge *oxygène,*
mot prétendument fonctionnel mais qui devient inadéquat
dès qu'on connaîtra mieux les fonctions du corps qu'il désigne.
Comme on le voit par ces exemples, la meilleure façon de
décrire linguistiquement (et alors la linguistique est à sa
place) la préoccupation de Lavoisier, c'est de la décrire comme
une tentative de substituer à une nomenclature anarchique
faite de termes immotivés au sens saussurien du terme (*principe astringent, sel perlé de Haupt,* etc.) une nomenclature
fortement structurée par un système univoque de préfixes et
de suffixes, qui rend tous les termes motivés, formant système
(acides *gallique, prussique,* etc., *phosphate, phosphure,* etc.,
de *sodium,* de *potassium,* etc.). C'est la recherche d'un « langage transparent » (il eût fallu dire seulement : lexique)
opposé aux noms qui n'expriment rien. Dagognet traduit cette
ambition de Lavoisier dans une terminologie de néologismes
fourvoyants qui obscurcissent les faits au lieu de les éclairer
linguistiquement, quand il parle à leur propos de recherche
(presque métaphysique) de « correspondance voco-structu-

---

2. Voir G. Mounin, *Les Problèmes théoriques de la traduction,*
p. 125-143.

rale » page 19 et ailleurs, de « parallélisme physico-grammatical » (p. 26-27), de « chimie parlée » (p. 44), d' « idiomes reflets » (p. 183), de « chimie-langage » (p. 23). Il ne s'agit, répétons-le, que de création lexicographique normalisée : c'est certes un problème de linguistique, ce n'est ni *une* linguistique, ni un langage. Tout au plus, ce que la linguistique peut dire ici, c'est que la réforme de la nomenclature chimique offre un bel exemple du fonctionnement de la loi d'économie toujours à l'œuvre dans le langage : alors que la désignation de chaque corps chimique par un signifiant arbitraire distinct mènerait peut-être actuellement à un dictionnaire d'un million de termes, la création et le perfectionnement incessant d'une dérivation préfixale et suffixale univoque par l'Union internationale de chimie permet de construire ce million de dénominations avec infiniment moins de signifiants de base : soit triviaux (*cuivre,* où la forme du signifiant ne renseigne pas du tout sur la structure chimique du signifié) ; soit semitriviaux ou semi-systématiques (*méthane,* où la forme du signifiant ne renseigne que partiellement sur la structure chimique du signifié — ici le suffixe *-ane* indique un hydrocarbure saturé) ; soit systématiques (*trichloro-1,5,5 hexane :* ici, la forme du signifiant permet de reconstituer intégralement la structure chimique du signifié).

La notation chimique par symboles alphabétiques pose des problèmes d'un ordre tout à fait différent. Bien qu'il s'agisse de représenter les corps par des lettres, qui sont des initiales de mots, c'est une erreur de parler à leur propos d'un « alphabet » chimique (p. 20, 36-37, 39), sinon par un abus de langage. Cet alphabet prétendu, ces « lettres », ne fonctionnent pas comme dans l'écriture, ce qui apparaît à l'évidence dans une affirmation de l'auteur, selon qui les supersimples de Lavoisier (oxygène, hydrogène, etc.) seraient « les voyelles » (p. 27) ! En réalité, il s'agit là en premier lieu de ce que Buyssens appelle un système sémiologique substitutif qui parallélise et représente, avec plus ou moins de fidélité, la structure d'un système direct. Ce système direct ici, c'est essentiellement le lexique des corps chimiques, nommés par des mots des langues naturelles (*fer, zinc, soufre, acide chlorhydrique,* etc.). Le système substitutif est constitué, lui, par une écriture au sens propre, et non par un langage (mais la mode actuelle a réobscurci à souhait la distinction nécessaire entre ces deux termes). Le propre de cette écriture, qui n'a rien de mystérieux dans ses opérations, c'est qu'elle remplace les mots prononcés et prononçables dans les langues naturelles par des « symboles » (au sens mathématique, et non pas saussurien du terme). Ces symboles à leur tour — et

Dagognet ici aussi le voit très bien —, ce sont des « abréviations » (p. 93, 167, 184), une espèce de « sténographie » (p. 186). Mais il perd le bénéfice de ces sobres concepts, entièrement à leur place ici, parce qu'il les dénomme une « phonétique symbolique » (p. 174), une « symbolique parlée » (p. 44). Ces expressions ne seraient pas dangereuses si elles restaient des synonymes un peu plus imagés du terme : abréviations prononçables. Mais elles fournissent à Dagognet le tremplin d'où il s'élance pour parler de plus en plus lyriquement d'une « chimie scripturale » (p. 44), d'une « science scripturale » (p. 178), d'une « discipline scripturale » (p. 214), douées de merveilleuses propriétés, semble-t-il, du type de celles que le groupe *Tel quel* prête à son concept d'écriture (que les *Matinées structuralistes* proposent malicieusement d'écrire : *ecrithure,* pour bien marquer sa *différance* avec la plate écriture). En fait, il s'agit là, du point de vue de l'analyse sémiologique, d'un simple code d'abréviations, d'un système d'écriture idéographique : le rapport entre N et *azote* est le même qu'entre 8 (écrit) et *huit* (prononcé) ; et le fait de pouvoir transcrire *acide phosphorique* par PO^4H^3 n'a rien de plus « ontologique », sémiologiquement parlant, que celui de transcrire : *mil neuf cent soixante-dix* par 1970. Tandis que Dagognet, découvrant que ces initiales sont les représentations graphiques abrégées d'une suite de sons qui représentaient déjà un référent dans le monde des objets, dit de ces lettres qu'elles seraient des « signes de signes » (un peu comme on dit *roi des rois* ou *saint des saints*) (p. 175, 208) : des signes superlativement signes, plus profondément signes que les autres.

La représentation graphique des formules développées de la chimie organique donne lieu au même va-et-vient entre observations exactes et mouvements d'éloquence. Par exemple, Dagognet voit d'abord et dit bien qu'il s'agit là d'un type de « représentation » (le terme est parfait) de la réalité de la structure chimique (p. 215, et en maints autres endroits), d'un « formalisme graphique » (p. 174). Mais comme il a le malheur d'y voir « une opération picturale » (p. 10), cela déclenche un torrent de métaphores où la chimie devient un art de « peindre l'univers » (p. 215) : Laurent d'ailleurs était peintre en même temps que chimiste (p. 92). La chimie devient « peinture » (p. 216-217) et même « peinture abstraite idéalisante » (p. 208), bien qu'en fait la représentation des liaisons des molécules dans l'espace crée « une symbolique figurative » (p. 44) et finisse dans « le perspectif-pictural » (p. 193). Bref, une « chimie picturale » (p. 93), une « symbolique plus picturale » (p. 190), une « chimie configurationnelle » (p. 78). L'historien philosophe est redevenu poète métaphysique, on peut le craindre.

Le vrai paradoxe, c'est que cette ardeur à parler de chimie en termes inappropriés de linguistique fasse passer l'auteur — faute d'une meilleure préparation dans cette discipline — à côté d'un des vrais problèmes où la linguistique actuelle pouvait aider à bien décrire un fait d'épistémologie. Dagognet donne, au moins pour le non-spécialiste, un tableau saisissant des recherches de Mendeleïev aux prises avec la constitution de son fameux tableau de classification périodique des éléments chimiques. Tout le récit rend évident que le but de cette recherche était de trouver le caractère classificatoire *chimiquement pertinent ;* et l'extraordinaire réussite de Mendeleïev tient au fait que, pour des raisons génialement liées à sa pratique de l'analyse chimique, il choisit comme pertinente (malgré les difficultés de l'établir correctement toujours) la masse atomique, laquelle était liée au véritable trait chimiquement pertinent, qu'il ignorait : la structure atomique, la répartition des électrons en couches autour du noyau, et la distribution numérique des électrons dans ces couches.

Comme on voit, le livre pose des problèmes vrais, actuels, passionnants. L'auteur fait d'ailleurs partie de ces philosophes trop rares qui, comme Janet ou Meyerson, ayant décidé de toucher à la philosophie d'une science spéciale, se sont donné la double formation nécessaire : il est agrégé de philosophie et docteur en médecine. On ne comprend pas pourquoi, désireux de parler de linguistique, il n'a pas pris la même précaution. Le quart du temps qu'il a sans doute consacré à la biologie lui aurait permis d'écrire un livre bien plus utile encore à toutes les sciences humaines. Car la sémiologie est menacée, plus encore que la linguistique peut-être, de donner naissance à des généralités littéraires, à de la rhétorique sur les signes. Quand ce qu'il faudrait, ce sont de solides travaux pratiques, comme ceux que la chimie propose, et sur lesquels Dagognet n'a pas eu tort d'attirer notre attention [3].

(1970)

---

3. Une version abrégée de ce texte est parue dans *Le Monde* du 21 février 1970, sous un titre choisi par le journal — mais inadéquat, hélas ! — *Le Langage de la chimie.*

une étude sémiologique du code de la route

1

Le code de la route se présente comme un ensemble qui n'est d'abord délimité que juridiquement [1]. Comme le mot *code* possède ailleurs une signification sémiologique précise, on utilisera ici l'expression *signalisation routière*, arbitrairement, pour désigner l'ensemble juridique qui définit et décrit la totalité des indications concernant la circulation. Pour éviter toute ambiguïté, d'ailleurs, on ne nommera pas non plus *codes* mais *systèmes* les sous-ensembles caractérisés par l'utilisation homogène d'un canal de transmission distinct : panneaux, feux, gestes, sifflets et klaxons, marques sur la chaussée, qui suggèrent d'appréhender la signalisation routière comme un code composite, ou mieux comme un ensemble complexe de codes en distribution complémentaire selon les situations (transmission de jour ∼ transmission de nuit), ou en intersection partielle (sifflets, gestes et feux par exemple).

La signalisation routière ainsi définie constitue certainement un phénomène de communication, justiciable donc de l'analyse sémiologique au sens saussurien du terme. Il y a un émetteur (le législateur, ou les Ponts et Chaussées, la police de la circulation) et des récepteurs (piétons, cyclistes, automobilistes). Il y a des messages, constitués d'unités stables, séparables, opposables les unes aux autres, dotées d'un signifiant et d'un signifié. A la différence de maints autres phénomènes sociaux, comme la politesse par exemple, l'intention de communiquer au sens linguistique et sémiologique du terme est manifeste.

Mais de quel type de communication s'agit-il ? La réponse apparaîtra sans doute en fin d'analyse. Toutefois, dès le départ, un fait est visible. A la différence de ce qui se passe pour la communication linguistique, il ne semble pas y avoir de réversibilité possible : le récepteur ne devient pas à son tour émetteur par le canal du même système ou

---

1. Ce texte a été écrit en collaboration avec Marie-Laure Clergue, Michèle Giacobazzi et Jeanne Tan-Ham, étudiantes du C.E.S. de linguistique générale. Je les remercie de m'avoir autorisé à le publier ici.

d'un système complémentaire. Cela s'explique par la destination générale de la signalisation routière, où les récepteurs n'ont habituellement pas lieu de répondre aux messages émis autrement que par un comportement non sémiologique — un comportement qui n'est pas à son tour un message, mais un acte. Les situations où les récepteurs peuvent ou doivent devenir émetteurs sont très limitées. C'est le cas dans l'utilisation des clignotants de changement de direction, des feux rouges arrière avertissant du freinage (les manuels des auto-écoles conseillent d'actionner le feu stop commandé par le frein à pied, même si l'on n'a pas besoin de ralentir, pour « mettre en garde les usagers » qui suivent). C'est le cas aussi dans les appels de phares qu'on utilise soit pour signaler sa présence, soit pour demander au conducteur venant en sens inverse de passer en feux de croisement, soit même en plein jour pour obtenir la liberté dans la troisième voie au moment de doubler ou de croiser. Cette utilisation très partielle d'un codage permettant des *réponses* (dans le cas des appels de phares, au moins) par le même canal, signale peut-être une lacune du système, au niveau où est parvenue la circulation actuelle, car le code de la route s'est constitué empiriquement et fragmentairement à partir des besoins perçus. On peut penser qu'on manque aujourd'hui de quelques conventions simples et générales pour établir une communication réciproque entre conducteurs, par des messages du type : « Vous avez perdu quelque chose », « Votre portière arrière est ouverte », « Vous êtes à plat », et peut-être « Message reçu ». Les routiers ont, paraît-il, des signaux de ce genre : /carnet de bord collé au pare-brise/avec/trois appels de phares/ = « contrôle de police proche et nécessité de remplir son carnet en accord avec les règles professionnelles ».

2

Le premier problème d'analyse est celui de l'inventaire des unités employées par le système. Ici on peut se demander si l'unité minimale est le message global, inanalysable en segments plus petits, ou non. Ce problème est certainement moins simple qu'il ne paraît, parce qu'il faut sans doute distinguer deux moments peut-être très différents : celui de l'apprentissage des systèmes — où la présentation des « codes » en usage dans les auto-écoles témoigne d'une décomposition des signaux — et celui du conducteur après 10 000 kilomètres, où ce serait aux psychologues de dire comment les signaux sont perçus — probablement comme des *Gestalten* globales, inanalysées, aussitôt oubliées peut-être que perçues, peut-être même devenues purs déclencheurs de réflexes[2]. L'analyse sémiologique qu'on propose ici se placera au moment de l'apprentissage des signaux, dont la décomposition en éléments plus petits doit correspondre en gros à la logique des constructeurs initiaux des systèmes. De ce point de vue, il ne semble pas faire de doute que le système des panneaux, le plus important par son volume, est constitué d'unités-messages, segmentables elles-mêmes en unités plus petites, qu'on peut dégager par commutation.

3

Quelles sont ces unités ? Les codes des auto-écoles elles-mêmes suggèrent comme critères les formes, les couleurs, ainsi que les figures ou silhouettes et les signes divers que portent les panneaux. Tous les conducteurs ont appris les signifiés de ces signifiants : /triangle/ = « danger »[3], /cercle/ = « prescription absolue », /rectangle/ = « simple indication », /rouge/ = « danger », /bleu/ = « prescription ou indication », /croix de saint André/ (en x) = « croisement avec priorité à droite », etc.

Certes la sémantique n'en est pas rigoureusement univoque : ainsi la /croix de saint André/ dans un /triangle/ construit le signifié « danger » + « parce que croisement », mais aussi le signifié « priorité à droite », qui est une « prescription absolue », et requerrait donc un /cercle bleu/. L'ancien signal, vers 1950, était d'ailleurs une /croix de saint André/ dans un /triangle/ à /listel bleu/ — ce qui constituait une combinaison du type « danger » + « prescription ». Le signal /flèche verticale barrée/ indiquant qu'une « route à grande circulation va croiser une route secondaire » se présentait alors comme une /croix de saint André/ inscrite dans un /triangle jaune/, lui-même inscrit dans un /carré bleu/. On peut penser que la nouvelle signalisation a privilégié le signifié « danger » considéré comme primaire.

Il apparaît tout de suite que ces unités sont soit des signes arbitraires, soit des symboles au sens saussurien du

---

2. La rédaction du présent article n'a, pour tout arrière-plan dans ce domaine, que *La Psychologie de la circulation routière*, de C. G. Hoyos (P. U. F., 1968), et notamment l'article de F. Burkardt, p. 124-157 — le tout découvert après coup.
3. On utilisera ici les conventions de la linguistique : un terme entre guillemets de dialogue précise qu'on prend en considération son seul signifié ; entre barres obliques, son signifiant seul.

terme — des unités dans lesquelles le rapport entre signifiant et signifié n'est « jamais tout à fait arbitraire », et présente au contraire « un rudiment de lien naturel entre les deux » (*Cours*, p. 101). Dans la première catégorie sont à placer les formes (triangle, etc.), les couleurs, ainsi que certains dessins (flèche de priorité sur les routes à grande circulation, trait vertical indiquant un danger particulier, etc.). Dans la seconde, toutes les figurines à silhouette reconnaissable (« attention bétail », etc.). Mais la répartition des emplois entre signes arbitraires et symboles ne forme pas système, c'est-à-dire n'obéit pas à une ou plusieurs règles perceptibles, ou déduisibles de l'observation. A première vue, il semblerait pourtant qu'une répartition régulière ait été voulue, les formes et les couleurs étant arbitraires, les figures inscrites étant symboliques.

Mais, si l'on examine l'emploi des couleurs, on voit que le système n'est pas cohérent jusqu'au bout. On peut même admettre déjà que le /rouge/ a été choisi comme signifiant de « danger » à cause de sa valeur symbolique traditionnelle (depuis quand ?) dans notre civilisation, bien que cette valeur ne soit pas univoque, puisque ailleurs il peut signifier aussi la passion, l'incendie, la violence et la révolution. Mais il signifie encore ici « route nationale » (par opposition au /jaune/ des départementales, et au /blanc/ des communales) sur le sommet des bornes kilométriques portant le numéro de la route, et sur l'écusson qui coiffe les panneaux d'indication des agglomérations (destiné au même usage), sans qu'on voie bien le rapport entre « route nationale » et « danger ». Il signifie même « neige » (mais a-t-il été choisi pour signifier ce signifié ?) sur les /balises de virage/ quand elles portent un /capuchon rouge/ en montagne. Si la neige est présente, le signifié serait « danger » plutôt que « neige ». S'il n'y a pas de neige, le /rouge/ ne signifie pas (association d'un signal avec une *situation* pour qu'il y ait lecture correcte). Les /balises à capuchon rouge/ et /sans capuchon/ sont deux variantes d'un même signal, en distribution complémentaire : zone à gros enneigement, zone sans risque de gros enneigement.

Le reste du temps, le /rouge/ signifie bien « danger », mais quand il est associé à un /triangle/. Il signifie « prescription absolue » (dont on comprend d'ailleurs que la violation comporte un « danger ») quand il est associé à un cercle. Cependant toutes les prescriptions absolues n'impliquent pas danger possible lorsqu'elles sont transgressées. Si c'est bien le cas pour « interdiction de tourner à gauche », « interdiction de dépasser », etc., c'est moins évident pour « halte gendarmerie » et encore moins pour « douane/Zoll » : aucun code ne mentionne que la violation de ces seules prescriptions puisse entraîner le tir à vue sur un véhicule qui les enfreindrait ; en fait, le danger de tir à vue est lié à des sommations spécifiques. Pour « stationnement interdit », on ne voit pas le danger couru. Le /rouge/ est donc polysémique, avec trois ou quatre signifiés différant sensiblement selon les contextes constitués par les signaux eux-mêmes et les situations routières où ils apparaissent (ce qui élimine à peu près toutes les ambiguïtés possibles au décodage).

L'usage du /bleu/ lui aussi signifie tantôt obligation (« sens obligatoire », etc.), tantôt « fin de prescription absolue » (« fin d'interdiction de klaxonner », etc.), tantôt « indication » (« parking », « hôpital », etc.). Peut-être pourrait-on l'interpréter, plutôt que par les polysémies que lui attribuent les commentaires des codes d'auto-écoles, comme la couleur du « non-danger » pur et simple, opposée au rouge ? Aucun lien de nature symbolique, en tout cas, ne lie le /bleu/ à ces divers signifiés. Et on peut penser que son choix a été déterminé par opposition au /rouge/ plutôt pour des raisons de perception des couleurs (exactement comme on aurait pris /blanc/ si le /noir/ avait signifié « danger »).

Le /jaune/ ne semble pas avoir de signifié *dans le système des panneaux.* Pour la S. N. C. F., il a la valeur « avertissement ». Y a-t-il eu emprunt pour les fonds des panneaux, puisque la signalisation routière est postérieure ? Ou utilisation déterminée par des raisons de psychologie de la perception des contrastes ? Ou bien même considérants esthétiques ? Il faudrait ici l'analyse historique des procès-verbaux des commissions qui ont élaboré le code. On fera la même observation pour le /crème/ des panneaux de fin de prescription, différent du /jaune/ ; et pour le /noir/ et le /blanc/. Dans l'ensemble donc, le choix des signifiés des couleurs est largement arbitraire, et seuls le /rouge/ et le /bleu/ ont une fonction significative dans le système des panneaux proprement dit. Tous deux sont polysémiques.

4

Les formes sont sans discussion possible arbitraires. Le /cercle/ est certes une forme longuement commentée par les symbolismes théosophiques et les chercheurs d'archétypes — avec des interprétations divergentes où domine peut-être le signifié « perfection » : on ne voit pourtant pas comment le rattacher aux signifiés qu'il a dans le code sans acrobaties interprétatives. Moins encore s'entendrait-on sur les angles du triangle comme exprimant l' « insécurité ». Quant au rectangle, il ne pourrait guère que représenter la planchette ou la feuille de papier sur laquelle on inscrit généralement des avis depuis toujours. Tout cela ne mène sémiologiquement nulle part. On pourrait penser toutefois que la différence d'usage entre les formes arbitraires et les symboles reconnaissables est commandée par une distribution fonctionnelle entre catégories *générales* (/triangle/ = « danger », etc.) et catégories *spécifiques* (toutes les figures inscrites dans les formes). Mais on aperçoit vite que, parmi ces dernières, s'il y a certes beaucoup de symboles (/avion/ = « aérodrome », etc.), il y a aussi quelques signes arbitraires : les chiffres (40, 60, 100, etc.), bien qu'ils soient universels ; les lettres, qui ne le sont pas (que représenterait le P de « parking » pour un Russe ?). Notons encore la /barre verticale / des dangers particuliers, précisés chaque fois par une inscription linguistique (« chaussée déformée », etc.). Le /rectangle blanc/ qui, sur /cercle à fond rouge/ signifie « sens interdit » peut être pris comme un bon exemple d'enchevêtrement inextricable entre arbitraire et symbolique. Sans compter tous les signaux qui sont des symbolisations déjà très évoluées vers une stylisation qui n'en permet plus une lecture univoque sans apprentissage : toutes les flèches d'abord, dont le symbolisme ne fonctionne ici que parce qu'il est emprunté à une tradition qui se manifeste dans d'autres systèmes ; et la /flèche barrée/ qui signale le maintien de priorité d'une route à grande circulation. Ajoutons à cet inventaire des figures trop stylisées pour être des symboles déchiffrables sans apprentissage préalable, tous les dessins de /virage/ et la simple /croix de saint André/ qui indique bizarrement un croisement, qu'on attendrait symbolisé mieux par quelque chose qui ressemble au signe +.

Mais le cas le plus intéressant doit être celui de ce qu'on pourrait appeler le symbole ou le signe de la /biffure/. On désignera ainsi, ici, le dessin /barre oblique/ qui apparaît dans les signaux de « fin de prescription » (/barre oblique bleue/), « interdiction de tourner à droite » ou « ...à gauche », « interdiction de stationner » ou « ...de klaxonner », « fin d'agglomération », « sortie d'autoroute », (/barre oblique rouge/). Le fonctionnement de ce signe est complexe. L'idée d'interpréter la /barre oblique/ comme symbolisant l'action de biffer une indication ou une prescription qui figure dans un panneau antérieur est suggérée par tous les panneaux qui comportent une /barre bleue oblique descendante de droite à gauche/ — où la /barre bleue/ commute avec la /barre rouge/ au moins dans un cas, celui d' « interdiction de klaxonner ». Mais cette règle systématique ne joue ni pour « fin d'interdiction de stationner » (qui ne comporte pas de barre), ni pour « fin d'agglomération », ni pour « sortie d'autoroute », où les panneaux d'entrée ne comportent pas de barre non plus : dans ces cas, la /biffure/ qui est /rouge/ s'oppose à un signifiant zéro « entrée d'agglomération » ou « ...d'autoroute ». C'est le même cas pour « interdiction de tourner à droite », à quoi ne correspond aucun panneau positif. En outre, la /barre oblique rouge/ est /descendante de gauche à droite/ pour « stationnement interdit », et « interdiction de tourner à gauche ». Mais elle est /descendante de droite à gauche/ pour « interdiction de tourner à droite » (probablement pour cause de symétrie) et aussi pour « interdiction de stationner », sans qu'on voie de raison. L'emploi « symbolique » de la /biffure/ n'est donc pas absolument « systématique ».

5

Toutes ces unités paraissent d'abord *discrètes,* au sens que la linguistique donne à ce terme : elles ne représentent presque jamais des variations continues du signifié par des variations continues du signifiant. Ceci peut être considéré comme une conséquence de la nature des choses codées : on n'interdit pas, on ne prescrit pas *plus ou moins.* (Pour les « dangers », où cette même nature des choses pouvait impliquer gradation, le cas est différent, ce qui a été perçu empiriquement par les constructeurs du code, ainsi qu'on verra ci-dessous.) Même les symboles qu'on vient d'examiner obéissent à cette grande loi des systèmes de communication proprement dits, la loi du caractère discret des signes, qui doit être liée au type de fonctionnement de la perception visuelle chez l'homme. Même les signaux « virage à droite dangereux », « ...à gauche... », « plusieurs virages dangereux » (dits baïonnette, épingle à cheveux) aussi bien que « interdiction de tourner à gauche » ou « ...à droite... » sont des signes discrets en ce sens que le dessin du /virage/ ou du /tournant/ y est conventionnel et ne cherche pas à représenter par analogie stricte la vraie courbe du virage ou du lacet réels, ni par exemple l'angle vrai du tournant, qui n'est pas forcément à 90°. Mais, dans les /panneaux de présignalisation de direction/, par exemple : /carrefour vers Le Mans, Châteaudun et Orléans/, les angles des voies dessinées respectent les valeurs des angles sur le terrain. Ce sont probablement des raisons d'économie financière qui sont à l'origine de cette standardisation des panneaux de virage : une représentation analogique fidèle n'était pas nécessaire étant donné les vitesses des véhicules au moment de la création des signaux. Peut-être, avec les vitesses d'aujourd'hui, sans aller jusqu'à faire un panneau différent sur mesure pour chaque courbe différente, pourrait-on envisager une gamme de signaux plus proches de la configuration réelle des virages qu'on va rencontrer ou au moins de la vitesse maximum compatible avec le tracé, parce qu'ils exigent des rétrogradations de vitesse très différentes, et réservent des surprises (cas des tournants de plus de 90°, jusqu'à presque 360° parfois).

Les autres exceptions à la nature discrète des unités de la signalisation routière concernent le /triangle crème à listel rouge pointe en bas/ qui annonce qu'on va « déboucher sur une route à grande circulation ». La taille de ce signal semble offrir au moins trois variantes, dont deux selon l'importance empiriquement appréciée du danger présenté par le croisement. On peut penser que ces variations de taille, pour des signes par ailleurs discrets dans le système, jouent ici comme des accents d'insistance à valeur stylistique, une sorte de prosodie qui permettrait, comme pour la langue, de différencier ou de multiplier les messages de contenu intellectuel semblable, par leurs nuances affectives, sans alourdir le code lui-même. Il en va de même pour certains signaux de « travaux en cours », où la dimension des panneaux est manifestement proportionnelle à l'importance des chantiers qu'on va rencontrer ; et pour les largeurs du corps des flèches, variables avec l'importance des routes, sur les panneaux de « présignalisation de direction ».

6

Le fait que les unités d'un système de communication soient linéaires, c'est-à-dire susceptibles de construire des messages structurés dans le temps (par succession des unités) est un caractère distinctif important. Il est presque évident que, dans la signalisation routière, les signaux ne possèdent pas ce caractère. Chaque panneau est un message. Et quand ce message est construit au moyen de plusieurs unités, par exemple « passage à niveau sans barrières avec ligne électrifiée » (qui comprend les signifiants /triangle jaune à listel rouge/ + /silhouette de locomotive/ + /bande rouge à la base du triangle/ + /portant l'inscription : haute tension/), les unités sont juxtaposées dans l'espace — et non pas successives dans le temps, comme ce serait le cas pour le message linguistique qui traduirait approximativement ce signal : « Vous allez rencontrer un danger constitué par un passage à niveau sans barrières avec ligne électrifiée à haute tension ». Les unités du panneau sont appréhendables, et sans doute appréhendées — ce serait à la psychologie de nous le dire — globalement, comme des configurations qui fonctionnent à la manière des cartes. C'est en réalité le discours routier, formé par la succession des messages au bord de la route, qui peut être considéré comme linéaire pour le conducteur. (Ce qui n'est plus le cas sur les cartes, où tous les énoncés possibles sont donnés ensemble.) La seule exception à ce caractère non linéaire des signaux routiers paraît constituée par les /balises à bandes obliques rouges/ qui signalisent les « passages à niveau » (et où les bandes sont /inclinées vers la chaussée/, ce qui est un bon exemple d'essai de combiner un certain symbolisme avec l'arbitraire). Ces /balises/, toujours au nombre de trois, signifient : « passage à niveau à 150 m », « ...à 100 m », « ...à 50 m ». On pourrait interpréter ces trois signifiants comme émettant trois messages distincts, mais ils ne fonctionnent pas isolés, leur suite est obligatoire. On pourrait donc aussi les interpréter comme les signifiants discontinus d'un seul et même message qui n'est complet que dans la succession des trois signifiants dans l'ordre (même fonctionnement qu'en français la négation *ne...pas*). En réalité, l'analogie avec la linguistique ici décrit moins la spécificité du fonctionnement *sui generis* de ce signal qu'elle n'aide à bien la voir.

Les panneaux « limitation de vitesse », « interdiction de doubler », opposés à « fin de... » présentent, sous une forme un peu différente, et plus faible, ce même caractère d'utilisation d'une lecture linéaire, qui les lie dans le temps.

7

Une fois segmentées et caractérisées, définies puis classées les unités qui forment le système, il reste à résoudre les problèmes posés par les règles de combinaison de ces unités entre elles ; c'est-à-dire à décrire, si elle existe, la « syntaxe » de ce système.

On peut interpréter les messages construits au moyen d'au moins deux unités (triangle, etc. + figure centrale) comme des énoncés du type : déterminé + déterminant, par exemple : *danger* + *de traversée de bestiaux,* etc. Dans ces énoncés, les déterminants forment une classe paradigmatique où les éléments (*bestiaux, gibier, rétrécissement,* etc.) sont commutables entre eux, mais seulement dans le cadre d'un certain déterminé. Par exemple, les silhouettes qui figurent dans les /triangles jaunes à listel rouge/ ne commutent pas avec celles qui figurent dans les /cercles à couronne rouge/, ni avec celles des /rectangles bleus/. Les signifiants de « virage à gauche » et « défense de tourner à gauche » qui figurent, le premier dans un triangle, le second dans un cercle, ont des formes distinctes, comme des quasi-synonymes, qui seraient en même temps des quasi-homonymes. De plus, ils sont en distribution complémentaire : sur route ∼ en ville.

On peut se demander légitimement, puisqu'il s'agit chaque fois d'énoncés complets et non de segments d'énoncés, si la meilleure interprétation ne serait pas : *prédicat* (danger, ou indication, etc.) + *expansion* du prédicat (par exemple : de chute de pierres, etc). La forme et la couleur de chaque panneau joueraient le rôle de prédicat au sens opératoire que lui donne la linguistique d'André Martinet : la seule unité qui ne puisse être ôtée de l'énoncé sans le détruire en tant que tel. Les figurines inscrites dans les panneaux seraient des expansions, dans le même sens opératoire : tout élément ajouté à un énoncé minimal, qui ne modifie pas les rapports mutuels et la fonction des éléments préexistants (*Eléments de linguistique générale,* p. 124 à 128).

L'analyse ci-dessus pourrait alors se traduire ainsi : dans le système de la signalisation routière par panneaux, trois types de prédicats (danger, obligation, indication) n'admettent chacun qu'une classe d'expansions, qui leur est spécifique (non commutable avec les expansions d'un autre prédicat). Le système permettrait certes les signifiants /cercle à couronne rouge/ + /chaussée rétrécie/ ou /image de voiture dérapant/, mais leurs signifiés seraient sémantiquement absurdes dans le code de la route : « interdiction de chaussée rétrécie » ou « ...de dérapage ».

8

Avant de passer aux autres systèmes, il vaut la peine de s'arrêter sur quelques problèmes particuliers posés par le système des panneaux, parce qu'ils présentent un intérêt du point de vue de l'analyse sémiologique.

Le premier de ces problèmes est celui des signaux qu'on peut considérer comme étant peut-être hors système au sens linguistique du terme. Un exemple en est le /triangle pointe en bas/ qui s'oppose à tous les autres /triangles/. La pointe /en bas/ est utilisée avec le sens de « stop » qui serait l'expansion (non présente à l'intérieur du triangle : c'est le seul

qui soit vide) du prédicat « danger ». Les possibilités
/triangle pointe à droite/ ou /...à gauche/, qui auraient pu
créer un sous-système, n'ont pas été utilisées. Un autre exemple est le « sens interdit » : c'est le seul signal circulaire
utilisant d'une part le /fond rouge plein/ et d'autre part le
/dessin central blanc/. Le signal « accès interdit à tout
véhicule à moteur », dont le signifiant est /cercle à couronne
rouge/ + /fond blanc/, /séparé en deux par une ligne
rouge horizontale/ + /silhouette d'auto dans le demi-cercle
supérieur/ + /silhouette de moto dans le demi-cercle infé-
rieur/ est aussi le seul de son espèce *en ce qui concerne la
barre rouge horizontale* — avec une variante où la case
supérieure est occupée par une /silhouette de camion/ +
/30/ ; et l'inférieure par /...d'auto/ + /60/ ; plus une autre
variante pour l'interdiction des poids lourds de plus de 5 t 5.
Il y a donc là un petit sous-système susceptible de développement, plutôt qu'une unité hors système.

Quelques autres anomalies structurales du même genre
pourraient sans doute être relevées : par exemple encore,
pour le panneau « danger d'incendie de forêt », qui est
classé comme une simple indication, donc dans un panneau
rectangulaire, mais avec un /listel rouge/.

La signalisation routière ne comporte pratiquement aucune
synonymie vraie, ce qui se comprend, la synonymie parfaite
étant inutile à l'intérieur de chacun des systèmes du code de
la route. Même les signaux « interdit à tout véhicule de plus
de 5 t 5 », dont le signifiant est un /cercle rouge/ + /ins-
cription des chiffres/, n'est pas synonyme de « interdit à
tout transport de marchandises de plus de 5 t 5 », dont le
signifiant comporte une /silhouette de camion/ + /inscrip-
tion des mêmes chiffres/. Dans le premier cas, l'interdiction
vise aussi le transport des voyageurs ; dans le second cas, non.

Un autre problème intéressant est celui de la redondance
des messages. Elle est très fréquente. On pourrait poser qu'il
y a redondance fondamentale entre les signifiés des formes
et ceux des couleurs correspondantes, les figures inscrites
comportant en elles-mêmes le signifié de leur prédicat (« danger », etc.). On aurait donc pu imaginer une forme unique,
la couleur servant à distinguer les trois classes de prédicats, ou
inversement une couleur unique pour trois formes ; à l'ex-
trême limite, toutes les expansions dans des panneaux de
même forme et de même couleur. Dans le panneau « interdiction de doubler », le /rouge/ de la voiture de gauche est
redondant, la position des deux silhouettes de voitures et
la règle de circulation suffisant à dire quelle voiture est concer-
née. Dans le panneau « danger travaux », le mot inscrit

danger est redondant aussi. On trouverait aisément quelques autres exemples. Mais, naturellement, ces observations ne sont pas à interpréter comme dénonçant les imperfections logiques du code : l'utilisation abondante des redondances traduit une des grandes contraintes imposées à ce code par les situations dans lesquelles il fonctionne : à cause de la gravité des risques courus et des vitesses pratiquées, nécessité de saisir immédiatement le message sans danger d'erreur. Ces redondances sont de même type que celles que la stylistique analyse dans le discours de l'orateur (insistance, répétition, mise en relief, emphase).

L'usage de signifiants linguistiques sur les panneaux mérite aussi un examen. Même si l'on ne retient pas leur caractère souvent redondant (« priorité à droite », « danger », etc.), on pourrait penser qu'ils ont le défaut de ne pas permettre une lecture internationale, d'une part ; et que, d'autre part, leur lecture est sans doute la plus lente de toutes [4]. En fait, ces signifiants jouent un rôle qui paraît très précis (ou de plus en plus précis) dans le code. Ils permettent, pour chaque prédicat, de maintenir le caractère *ouvert* des expansions possibles. Ce sont des panneaux fourre-tout, où viennent trouver place toutes les informations non encore symbolisées à un moment donné de l'élaboration du code. Cette utilisation s'explique très bien dans la mesure où la signalisation routière doit pouvoir rendre compte de situations nouvelles en diachronie, à cause des transformations techniques, de l'augmentation des vitesses, etc. Cette interprétation serait confirmée par l'étude diachronique des signaux, dans laquelle on verrait disparaître des panneaux comportant un texte (« gravillons », « chute de pierres ») à mesure que des panneaux symboliques sont adoptés après étude, et sans doute internationalisés. Le seul panneau qui fasse problème est probablement le /triangle/ + /croix de saint André/ + /inscription *passage protégé*/, où l'ambiguïté de la formule linguistique peut inciter l'usager à hésiter pour savoir le *passage* de qui (action de passer) ou quel passage (voie) est *protégé* (une enquête sociologique révélerait sans doute des indécisions frappantes, par exemple chez les enfants, ou les non-conducteurs, concernant ce panneau).

9

Le système des signaux lumineux présente deux classes paradigmatiques : les feux alternatifs de signalisation, les cli-

4. Cf. Burkardt, *ouvrage cité*, p. 137-139.

gnotants de voitures. Les premiers n'offrent pas matière à remarques sémiologiques, sauf qu'ils sont souvent utilisés pour illustrer le caractère discret des signes : en effet, le rouge plus ou moins rouge d'un feu à un autre ne signifie pas obligation de s'arrêter plus ou moins. De plus, les couleurs y ont des signifiés distincts de ceux qu'elles ont sur les panneaux : le /rouge/ ici signifie bien « interdiction » (+ « danger » redondant), mais par opposition au /jaune (orange)/ qui a un signifié propre (« préavis de stop ») à la différence du /jaune/ des panneaux ; et au /vert/, dont le signifié /voie libre/ est différent de celui du /bleu/ des panneaux. (Illustration parfaite du fait qu'une même unité formelle, ici le signifiant /couleur/, n'a de valeur qu'oppositionnelle et différentielle par rapport aux autres unités qui font système avec elle). Les feux clignotants n'appellent pas d'observation particulière, en dehors de celles qu'on a formulées ci-dessus, si ce n'est que le clignotant peut signifier « Je m'arrête » ou bien « Je tourne ». Ce serait une ambiguïté si l'on ne tenait pas compte du fait que, comme toujours dans la signalisation routière, la *situation* dans laquelle est perçu le signal permet au récepteur de choisir le message correct (ici, présence ou absence concomitante d'un croisement annoncé ou visible).

Le système des gestes des agents de la circulation est un système simple à trois messages : passage libre, attention à l'arrêt, arrêt, qui sont des synonymes des feux vert, orangé, rouge ; mais non redondants avec les feux, puisqu'ils ont priorité sur tous autres signaux, y compris les feux. Celui des signaux sonores (sifflets et klaxons) est aussi très limité pour des raisons de fait : ils sont toujours utilisés dans des situations de *bruit* élevé, ce qui rend aléatoire leur perception. D'autre part, quand ils visent un récepteur particulier dans le flot de la circulation (coup de sifflet d'agent), presque toujours ils sont ambigus quant au destinataire. Comme pour les feux de route, il est intéressant de signaler qu'ils ont donné lieu à des extensions non contrôlées par le code : coups de klaxon de rappel à l'ordre, concerts de klaxons, slogans rythmés sonores.

Le système des marques sur la chaussée est intéressant du point de vue sémiologique parce que les couleurs y ont, ici encore, des signifiés différents de ceux qu'ils ont dans les autres systèmes. La /bande jaune continue/ a ici valeur d'interdiction. La /bande blanche transversale/ signifie « stop ». Les marques /rouges et blanches alternées/, qui ailleurs signifient « travaux », ici valent « interdiction de stationner ». Il y a un symbolisme très stylisé dans le passage de la /bande jaune continue/ à la /discontinue/, où la discon-

INTRODUCTION A LA SÉMIOLOGIE

tinuité suggère l'idée de passage possible ; et un symbolisme plus apparent lorsque les intervalles entre /traits jaunes discontinus/ se font de plus en plus courts, aboutissant au /pointillé/ qui annonce la proximité de la bande jaune continue. Il y a des synonymies entre les bandes jaunes « passage pour piétons », les bandes blanches transversales « stop », les bandes blanches obliques « passage pour cyclistes », et les panneaux correspondants ; mais ces synonymies ne sont pas des redondances, les bandes ayant, ce que n'ont pas les panneaux, la fonction de « tracé ».

10

L'analyse qu'on vient de proposer, si poussée qu'elle ait été sur certains points dans le cadre d'un article, n'est pas exhaustive. Elle n'a pas d'abord essayé de délimiter, puis d'identifier toutes les unités du code, ni de les classer ensuite selon leur fonction : elle n'a donc pas donné la description sémiologique du code. Elle a encore moins cherché à étudier la signalisation routière d'un point de vue logico-normatif ou psychologique, c'est-à-dire cherché si ce code était construit bien ou mal, soit du point de vue de l'apprentissage (économie paradigmatique et syntaxe) soit du point de vue du fonctionnement (lisibilité, décodage sans ambiguïté). On a voulu seulement mettre en évidence la structure des systèmes (dont les anomalies peuvent avoir et ont sûrement des explications d'ordre tantôt historique, tantôt psychologique). En fait, on a surtout tenté de fournir un exemple d'investigation proprement sémiologique sur un matériel qui se prête à illustrer toutes les complexités structurales et fonctionnelles d'un système de communication non linguistique *apparemment simple*[5].

(1969)

---

5. Ce texte a été publié dans *Epistémologie sociologique*, n° 9, juillet 1970.

le mime contemporain

1

L'analyse du mime tel qu'il est actuellement pratiqué, tout au moins en France, représente la tentative la plus aventurée d'application des concepts familiers à la sémiologie saussurienne dans un domaine-frontière et dont on ne peut pas affirmer qu'il n'est pas au-delà de la frontière (c'est-à-dire en dehors de la compétence du sémiologue). En effet, sans parler des problèmes soulevés de ce point de vue par tout spectacle [1], il s'agit peut-être d'une utilisation du geste au quatrième degré (ni le geste comme acte, ni comme signe social, ni même comme représentation théâtrale d'un événement), avec une valeur purement poétique que la sémiologie de la communication n'est pas encore armée pour étudier. On prendra quand même ce risque, quand ce ne serait que pour expérimenter la validité des concepts de l'analyse dans ce domaine, et pour apercevoir une des limites de leur application.

2

Avant d'étudier l'utilisation du geste dans le mime, il ne sera pas inutile de situer la sémiologie du geste elle-même. On dispose à cet égard d'un panorama, le numéro spécial de la revue *Langages* [2] intitulé : *Pratiques et langages gestuels,* avec un article-programme de Greimas [3]. L'auteur y définit d'abord le domaine des « langages par gestes », qu'on appelle aussi la gestualité, voire la gestique, mais qu'il vaudrait mieux nommer : les systèmes de communication (?) par gestes.

---

1. Cf. « La Communication théâtrale », ci-dessus, p. 87.
2. Larousse éd., n° 10, 1968. Voir aussi A. J. Greimas, *Du sens,* Le Seuil, 1970, p. 49-91.
3. Autant que de cet article, on se servira d'un projet de recherche coopérative sur programme présenté au C. N. R. S. par le même auteur, rédigé par Christian Metz, et resté inédit. Voir aussi l'article « Geste » de Metz dans le *Larousse du XXe siècle.*

est proposé comprend les gestes des personnages dans la peinture figurative, dans les dessins animés, ceux des speakers à la télévision, ceux des dessins dans les projections des méthodes audio-visuelles, des personnages dans les films surtout muets, des orateurs, pédagogues et conférenciers, des chefs d'orchestre, du ballet, de la pantomime, le code gestuel des sourds-muets, ainsi que le rôle des gestes dans les sociétés archaïques. Outre cette énumération, le texte fait allusion aux gestes du cirque, à ceux du maquillage féminin (en France et en Inde) et à ceux qui sont décrits dans les textes littéraires. Bien que l'inventaire n'ait pas prétendu être exhaustif, on peut relever quelques oublis sensibles, comme les gestes des agents de la circulation (domaine modeste, mais par-là même instructif au moment où il faut commencer la mise au point d'une méthode d'analyse *ex nihilo*), les indications gestuelles dans les livres de classe de langues vivantes, ou dans les pièces de théâtre (pour la même raison), les gestes au théâtre, et peut-être même d'abord à l'opéra. Il ne s'agit là, évidemment, chez Greimas, que d'un commencement d'inventaire, dont la véritable insuffisance est peut-être d'ailleurs de ne suggérer aucun principe sémiologique de classement, c'est-à-dire de ne refléter aucune hypothèse générale, aucune méthodologie proprement sémiologique, parce que ne sont pas posées les questions pertinentes au départ. Metz et Greimas proposent de distinguer les langages gestuels substitutifs de la parole (sourds-muets, films muets, pantomimes), les complétifs (accompagnateurs de la parole), les purs. La distinction est utile, mais extérieure aux systèmes eux-mêmes, s'ils existent. C'est en passant qu'ils mentionnent l'opposition entre ce qui est code et ce qui est non-code, puis entre les codes « naturels » et les codes artificiels. Mais, par exemple, y a-t-il intention de communication ? Ceci sélectionnerait, comme étant à explorer en première ligne, le code gestuel des sourds-muets, les gestes des agents de la circulation ; peut-être la politesse et la pantomime classique, non sans problèmes déjà ; peut-être aussi le rôle des gestes (fortement ritualisés ?) dans les sociétés archaïques. Y a-t-il communication entre des participants actifs, à la fois émetteurs et récepteurs ; ou seulement (ou en plus), spectacle de cette première communication regardée par d'autres récepteurs passifs ? Y a-t-il absence d'intention de communication, au contraire, ce qui est partiellement le cas des gestes non fonctionnels chez les speakers, les orateurs, voire les danseurs, les acteurs. (Metz et Greimas voient bien l'importance du problème : comment distinguer le geste-acte du geste-signe ? Mais ils ne proposent pas de critères distinctifs, même à partir de l'intention de communication, si délicate puisse-t-elle être à mettre en évidence dans certains cas).

Et comment séparer le fonctionnel du non-fonctionnel, le pertinent du non-pertinent ? Y a-t-il même absence *totale* d'intention de communication, comme dans le cas des femmes à leur toilette ? Et quelle est la fonction, c'est-à-dire la pertinence, des gestes transcrits dans un texte littéraire ? Enfin, de quels types de communication s'agit-il, s'il y a vraiment communication ? Par exemple, s'agit-il ou non de communication réciproque où tout récepteur peut devenir émetteur à son tour et vice versa ? S'agit-il ou non de communication transitive, où le message initial peut être relayé sans altération par une chaîne d'émetteurs successifs comme dans les langues naturelles, ou dans le télégraphe Chappe (ce qui n'est pas le cas chez les abeilles, par exemple, où les butineuses qui dansent derrière l'éclaireuse ne peuvent pas transmettre à leur tour à d'autres abeilles les informations qu'elles ont reçues) ? S'agit-il de communication universelle, où les messages peuvent transmettre tout ce que contient l'expérience sociale des émetteurs, ou de communication restreinte à un domaine sémantique très limité (cas des gestes des agents de la circulation, du chef d'orchestre, etc.). Les messages forment-ils système ou non, les unités qui les construisent sont-elles discrètes ou non ? Quelle est la nature des liaisons entre construction des unités et des messages dans l'espace (ce qui est toujours le cas pour des gestes), et dans le temps ? La première et très instructive exploration de Metz et Greimas, peut-être parce qu'elle n'emprunte à la sémiologie que des concepts isolés entre eux et non une théorie solidement structurée (comme celles de Buyssens ou de Prieto par exemple), peut désorienter autant qu'elle oriente : elle n'exploite pas les distinctions fondamentales entre acte et geste, entre système direct et système substitutif, entre code et non-code, entre discret et continu, qu'elle a moins posées sans doute qu'évoquées. De plus, elle les met sur le même plan ; et sur le même plan aussi que des problèmes moins centraux comme les rapports entre geste et musique, geste et langues naturelles, geste et image. Toute la documentation fournie par le numéro spécial de *Langages* (sauf les articles de Creswell et de Clélia Hutt, ainsi que la précieuse amorce de bibliographie de Lacoste et Kristeva) est sans aucun doute affaiblie par ces tâtonnements conceptuels initiaux.

3

Le mot *mime,* en grec, est un mot de signification transparente, il désigne l'*imitateur* (cf. *mimésis, mimétique,* etc.). C'était l'acteur comique doué de la faculté d'imitation, qui survit toujours dans notre spectacle de variétés. Le *pantomime,* à Rome, était l'acteur capable, uniquement par le moyen des gestes, de jouer à lui seul tous les personnages d'une pièce. On voit par ces définitions l'origine historique au moins partielle de la chose, et celle du mot. Mais, dans l'étude qui suit, nous laisserons de côté à la fois le problème des origines (magico-religieuse à partir des rites propitiatoires ou d'envoûtement, des scènes des mystères ? ludique, à partir des jeux d'enfants, comme celui des métiers, qui fut d'ailleurs un jeu d'adultes au xviiie siècle [4] ?), et le problème de toutes les interprétations philosophiques, esthétiques, littéraires.

Nous laisserons de côté aussi ce qu'on pourrait appeler le commentaire lyrique que constituent les déclarations des mimes contemporains eux-mêmes — dont les modèles sont les écrits d'Artaud sur le théâtre, ou ceux des peintres sur la peinture. Il s'agit là de documents inappréciables, mais dont la lecture au pied de la lettre et l'interprétation correcte sont également difficiles, parce que nous y sommes en présence de témoignages subjectifs, exprimés par des artistes, de façon très subjective aussi, et qui cherchent comme la poésie à faire dire par le langage certaines expériences vécues très richement individuelles que le langage n'est généralement pas équipé pour exprimer. Si Jacques Lecoq, par exemple, dit : « Quand je tire et que je pousse, je prends et je reçois, j'aime et je hais » [5], il essaie d'expliciter son expérience en termes d'interprétation symbolique, et c'est un document sur lui-même en face de son art, non une certitude scientifique. Quand il déclare que « si le geste est l'enfance et la finalité du mot, le sport est peut-être l'enfance du théâtre, et l'un de ses plus beaux prolongements », les liaisons qu'il indique sont sans doute aussi importantes que les formules, plus suggestives que rigoureuses. Quand il pose que « le Masque est là,

---

4. Cf. J. O. Grandjouan, *Les Jeux de l'esprit,* Ed. du Scarabée, 1953, p. 152.
5. Les citations de J. Lecoq proviennent d'une interview (ronéographiée) à l'Antenne culturelle de Malakoff, et d'une plaquette-programme éditée dans le cadre de la Biennale de Venise sous le titre *Seminario e tavola rotonda sul ritorno all'espressione fisica dell'attore,* 17-19 septembre 1969, 10 p.

objet de passage, qui nous porte d'une rive [la quotidienne] à l'autre [l'artistique], d'une dimension à l'autre », il ajoute le problème de sa propre expérience du masque à celui de la fonction du masque, plus qu'il ne nous livre celle-ci. Quand il suggère que « le mouvement naît d'un déséquilibre qui cherche son équilibre », au lieu de penser qu'on est devant un truisme, il faut essayer de déceler quelle expérience difficile à transmettre voudrait ici affleurer à l'expression. Sans rejeter ces témoignages, sans même les critiquer (ce sont toujours des tentatives pathétiques de décrire à l'aide de mots des expériences biologiques, psychologiques, esthétiques souvent aux frontières de l'incommunicable), on essaiera, tout en cherchant parfois à en tirer parti, de ne pas les prendre pour des réponses oraculaires aux questions difficiles que pose une interprétation du mime.

Le corpus à partir duquel on réfléchira sur le fonctionnement peut-être sémiologique du mime constitue une troisième délimitation : des spectacles vus, à des époques diverses et parfois éloignées, de Charlot, de Marceau, Decroux, Boulanger, ainsi que Jean-Louis Barrault dans *Les Enfants du paradis ;* mais surtout des démonstrations ou spectacles plus récemment observés de Jacques Lecoq, Gilles Ségal, Pierre Byland, Renée Citron et Philippe Avron. S'y ajoutent des textes et des exposés de Jacques Lecoq sur son enseignement du mime, difficiles à utiliser pour les raisons qu'on a dites, mais sans lesquels rien de ce qu'on trouvera ci-dessous n'aurait pu être écrit.

4

Le mime, dans le second quart puis la seconde moitié du XXᵉ siècle, semble se détacher de plus en plus, formellement, de la pantomime traditionnelle ou pantomime blanche — et cela peut-être comme une variation d'époque sur la pantomime qui n'aura pas de suite ; ou pour une séparation, productive et définitive, comme un nouveau genre à partir de l'ancien. La pantomime paraît garder le souvenir de ses origines, elle est souvent comique, comme à Rome et dans la *Commedia dell'Arte.* Son système est très clair : un geste mimé représente un geste fait dans la vie quotidienne, sans paroles (raboter, manger, ramer, nager ou écrire), ou avec paroles (« Pas possible ! », « Non, non, non », « Comment allez-vous ? », « Là-bas ».) Dans ce dernier cas, le geste, qui était l'accompagnateur de la parole dans la réalité, demeure seul dans le spectacle, et suggère à lui seul la situation qui contenait cette parole. Un des corollaires de ce système est l'utilisation sans réserve de tous les gestes sociaux, qu'ils soient accompagnateurs de la parole ou non (« se gratter la tête d'un air dubitatif », « ce n'est pas moi, c'est lui », « venez vite », etc.). On peut penser qu'un autre corollaire est l'utilisation systématique de stéréotypes moteurs, qui ne sont pas à proprement parler des gestes sociaux, mais des actes biologiques universels, « froncer les sourcils », « pleurer », « dormir », etc. ; gestes qui deviennent stéréotypes à la scène par une certaine stylisation ou conventionalisation ; par exemple, pour « pleurer », se frotter les yeux d'une certaine façon, hoqueter en s'accompagnant d'un mouvement très grossi des épaules, etc. Il s'agit sans doute là d'un répertoire qui tend à devenir code et dont le décodage tend à devenir universel, dans la mesure où il sélectionne des formes universelles de la biologie ou de l'activité humaines. La transmission traditionnelle de ce répertoire ou des règles de son élaboration toujours la même à travers des états de civilisation qui évoluent, depuis au moins la *Commedia dell'Arte* jusqu'à Debureau, puis de celui-ci jusqu'à Marceau, consolide ce caractère de code. Mais seule une investigation d'ordre historique, appuyée sur la documentation peut-être unique rassemblée par Jacques Lecoq dans sa bibliothèque, pourrait confirmer cette hypothèse dans son détail.

En quoi le mime d'aujourd'hui tend-il à différer de la pantomime ? Avant de le préciser, soulignons d'abord la part de pantomime qui subsiste dans le mime du XXᵉ siècle. Celui-ci reste fondé sur le système de base selon lequel un geste représenté est le symbole analogique transparent de l'acte ou du geste de la réalité (« voler », « plonger », « jouer du piano », « peindre une toile », etc.). Il ne s'interdit pas non plus le recours aux gestes fortement socialisés (« prier » ou « supplier », « chut », etc.). Même, on peut penser qu'un spectacle de mime reste accessible dans la mesure où ces deux sortes de gestes restent la base de tout le numéro, le contexte intelligible grâce auquel vont pouvoir passer (au moins dans l'état actuel de préparation, voire d'impréparation, du public à ce nouveau genre) d'autres gestes moins directement clairs qui sont le propre du mime opposé à la pantomime.

La première différence entre pantomime et mime me paraît porter sur l'élargissement thématique, le mime à la limite devenant poésie, c'est-à-dire expression formelle peut-être jamais réalisée auparavant d'un vécu strictement ou profondément individuel, avec les risques d'hermétisme gestuel qu'une telle ambition comporte inévitablement.

5

Mais l'examen des grandes lignes de l'enseignement du mime, au moins tel qu'il apparaît chez Jacques Lecoq, aide sans doute à mieux cerner l'originalité du mime du XXᵉ siècle par rapport à la pantomime.

La règle première est de partir de l'observation dans la vie quotidienne (*Antenne*, p. 1 et 11), d'abord « au stade de la simple constatation, privée de préoccupations interprétatives et littéraires — l'observation scientifique des actions et des états économiques d'équilibre de l'homme » (*Seminario*, p. 3 ; cf. aussi p. 4). Cette règle ne peut certainement pas différencier totalement le mime de la pantomime, qui devait et doit toujours reposer plus ou moins empiriquement sur une base analogue, même si une école moderne de mime se distingue sans doute assez souvent par l'observation plus « scientifique », et surtout par l'analyse plus poussée des attitudes et des mouvements à la lumière de ce que sait aujourd'hui l'éducation physique et sportive. A cet égard, une partie pourtant très importante de la formation du mime ne doit pas être confondue avec une théorie du mime : il s'agit du rôle considérable justement de l'entraînement physique et sportif de l'acteur, allant jusqu'à l'acrobatie. Ce sont des moyens et non des fins dans le mime, ou si l'on veut des sciences auxiliaires du mime et non des composantes du système qu'il forme peut-être.

La seconde règle de l'enseignement dont nous parlons ici est de chercher à extraire de l'observation un certain *quelque chose* (qui devienne proprement le geste du mime). Un quelque chose difficile à identifier à travers ce qu'on en dit d'empirique, d'approximatif et de subjectif dans l'enseignement. Et cependant sans doute il s'agit là de l'opération fondamentale qui change les gestes de la vie quotidienne en gestes de mime ; c'est-à-dire de la pertinence, au sens linguistique, de ces gestes. Jacques Lecoq paraît attacher beaucoup d'importance à cet égard au fait qu'on perçoit toujours une différence qualitative entre l'imitateur amateur non acteur et le mime ; et que « toute personne sensible [douée] peut jouer la vie [*recitare la vita*] sans être capable de jouer sur la scène » (*Seminario*, p. 4). Cette différence proviendrait de ce que l'acteur doué, formé et entraîné, extrait consciemment ou intuitivement de ce qu'il observe « un point commun » du même geste chez tous les hommes, « une espèce de dénominateur commun » (*Antenne*, p. 11 ; *Seminario*, p. 5). En

termes sémiologiques, on peut penser que le mime décrit
ainsi la recherche, la sélection et l'organisation des *traits
pertinents* gestuels qu'il perçoit dans un grand nombre de
gestes semblables, et dont il construit son propre geste de
théâtre.

Mais le travail de l'acteur va plus loin que cette première
élaboration, dont Lecoq dit aussi qu'elle restitue « un état
neutre du geste et de l'attitude, dépouillé de l'anecdote individuelle » (*Seminario,* p. 5). Que fait-il donc, avec ces traits
pertinents du geste, qui le distingue de l'imitateur non
acteur [6] ? Jacques Lecoq tourne autour de cette nouvelle
opération, différente de la précédente, par une série de formulations approchées. Pour lui, cette opération consiste en « un
besoin de classer [mais aussi] d'épurer, d'aller à l'essentiel »
(*Antenne,* p. 7), formule où l'on peut considérer que les mots
épurer, essentiel ont à la fois valeur scientifique (chercher
les traits pertinents du geste) et, déjà, valeur esthétique.
La même valeur esthétique de cette opération se trouve soulignée quand il répète « qu'il faut exprimer l'essentiel *très
haut* et *très fort* » (*Antenne,* p. 7) sans dire comment atteindre
ces objectifs. Il fournit au contraire deux précisions sur ce
point, sans doute convergentes, lorsqu'il indique, d'une part
qu'il s'agit là d'un effort « d'*agrandissement* [...] pour passer
sur le plan de la création » (*Seminario,* p. 5), et d'autre part
qu'il faut transformer le geste en style par le moyen de «' ce
minimum d'effort pour un maximum de rendement qui
définit [justement] le style » (*Seminario,* p. 5).

6

Cependant, pour Jacques Lecoq, ce qui sépare le mime
contemporain de la pantomime traditionnelle, c'est pourtant
le rejet de ce qu'il nomme la « stylisation » (*Antenne,* p. 11 ;
Seminario, p. 4) et qu'il oppose donc au style. Mais par le
premier de ces termes il entend très explicitement, d'abord,
l'emploi de gestes stéréotypés, « de gestes artistiques conventionnels (gestes d'un autre temps) » ; ensuite « de gestes
narcissiques, gestes pour eux-mêmes, les prétendus beaux
gestes » (*Seminario,* p. 4), « l'esthétisme » gestuel (*Seminario,*

---

6. On peut penser que Lecoq a bien perçu ici la différence qu'il y
aurait entre un phonéticien très doué, qui pourrait *reproduire* un énoncé
dans une langue inconnue avec toutes ses variantes phonématiques et ses
nuances prosodiques les plus individuelles — et le linguiste qui analyse
le même énoncé en phonèmes et traits prosodiques pertinents.

p. 6). Au contraire, le style du geste chez le mime, c'est de « distiller les gestes vers un seul, symbole de tous les gestes, ce geste unique qui devient peu à peu un point immobile dans le cercle qui nous entoure. Dans un geste, une attitude, un mouvement, dit-il encore, il faut chercher leur immobilité » (*Antenne,* p. 11). Il semble qu'on retrouve bien dans ces formules, encore sybillines parfois, les deux composantes évoquées ci-dessus : la composante proprement mimique, le talent d'extraire (de la réalité de mille gestes qui sont les variantes individuelles d'une expression sociale) le geste dépouillé, réduit au signifiant de ses seuls traits pertinents ; puis la composante économique, ou plastique, le talent né de l'éducation physique acrobatique, qui permet d'exécuter ce signifiant gestuel à la perfection.

Cette opposition définit-elle entièrement le mime en regard de la pantomime ? Il ne semble pas, d'abord parce que cette dernière cherchait à sa manière, à travers l'observation, les traits pertinents d'un geste, elle aussi ; et parce qu'elle cherchait, toujours à sa manière, une exécution, dynamique et plastique, qui eût aussi valeur esthétique. La coupure passerait plutôt, me semble-t-il, ailleurs : entre dénotation et connotation. La pantomime privilégiait et cherchait le geste totalement social, et totalement transparent : ce qui dans la valeur d'un geste est commun à l'ensemble des membres d'une même communauté socio-culturelle, le « stéréotype gestuel » commun à tous — en bref, sa dénotation au sens que les linguistes donnent à ce terme[7]. On croit sentir au contraire chez le mime contemporain la recherche privilégiée *de tout ce que,* dans un geste commun à tous, ce geste peut « évoquer, suggérer, exciter, impliquer de façon nette ou vague » et qui soit strictement, peut-être même ineffablement, individuel —, en bref, les connotations de ce geste, au sens que les linguistes donnent à ce terme[7].

Cette façon de situer le mime par rapport à la pantomime expliquerait le souci marqué de « conserver [...] l'instant fugitif » des gestes (*Antenne,* p. 11), préoccupation qui paraît contradictoire avec celle qui consiste à l'épurer de tout ce qui n'est pas pertinent. Cela expliquerait aussi l'accent mis sur la nécessité, pour le mime, de « se connaître » intérieurement (*Seminario,* p. 3) ; et l'importance accordée, dans l'enseignement de Lecoq et de ses élèves Philippe Avron, Renée Citron, à la concentration, à la recherche de l'intériorité (pour apercevoir ? pour revoir ? pour revivre ? pour analyser ? pour

---

7. Voir André Martinet, « Connotations, culture et poésie », dans *To Honor Roman Jakobson.* t. II, p. 1290, Mouton, La Haye, 1967.

imaginer le geste, ou le trait le plus individuels, le plus authentiquement vécus par le mime lui-même d'abord). On comprendrait mieux aussi la place accordée à l'improvisation dans l'entraînement pour aider le mime à se découvrir dans toutes ses virtualités intérieures, et non pas simplement pour exercer sa mobilité technique : découvrir en soi pour inventer sur scène, ou quelquefois l'inverse, inventer beaucoup pour choisir le vécu quand il passe. Pour créer le spectacle tel qu'il le conçoit, le mime d'aujourd'hui a besoin de toutes les connotations les plus fugitives du geste le plus personnel, sans cesser d'être reconnaissable, qu'il choisira de faire.

Certes, cette coupure entre pantomime et mime n'est pas absolue, il s'agit plutôt d'un déplacement d'accent. La pantomime ne rejetait pas l'accent expressif personnel, mais ne lui accordait que la marge du geste. Et le mime, comme on l'a dit, continue à construire, s'il ne veut pas tomber dans l'hermétisme, son numéro le plus intériorisé sur une trame de pantomime qui en constitue le contexte, indispensable à l'intelligibilité des inflexions personnelles moins aisément identifiables.

7

Resterait à parler de l'utilisation du masque par le mime. C'est un sujet vaste, chargé d'une affectivité considérable par tous ceux qui l'évoquent, alourdi d'interprétations, obscurci de théories, toujours très dramatisé. L'investigation de tout ce que les hommes qui le portent ou qui le regardent déposent dans le masque est hors des prises du sémiologue de la communication.

Mais, à travers l'enseignement du masque et sa pratique chez les mimes, on croit entrevoir au moins sa fonction de base dans ce domaine. Il y a pour le mime trois types de masque : le neutre, qui supprime le visage ; l'expressif, qui supprime la mimique de l'acteur-mime en lui superposant *a priori* une expression généralement paroxystique, et figée d'un bout à l'autre du numéro ; le contre-masque, qui non seulement supprime la mimique de l'acteur-mime mais lui superpose une mimique contraire à celle qu'aurait appelée spontanément son numéro (par exemple, un masque stupide dans un numéro d'intellectuel, un masque bestial dans un numéro de tendresse). Ce qui frappe, c'est que le port du masque a toujours pour résultat premier d'*empêcher le mime de s'exprimer par son propre visage,* de l'obliger à tout dire au moyen du geste seul ; de l'empêcher de tricher avec son métier de mime, car, sous le masque, le visage ne peut pas suppléer aux insuffisances de l'expression corporelle, le corps doit tout dire tout seul.

8

Au terme de ce premier contact avec le mime, il est à peine moins difficile de répondre à la question fondamentale de toute analyse sémiologique : le mime est-il un système de communication, au sens strict où *système* implique des unités stables combinées selon des règles stables ? Tout ce qu'on sait de la pantomime suggère qu'elle tendait et tend toujours à la constitution d'un code analogique où le geste de la réalité est symbolisé par le geste théâtral — code dont l'apprentissage est spontané dans la vie sociale aussi bien pour les gestes biologiques (« dormir », « pleurer ») que pour les gestes sociaux conventionnels (« c'est ma faute ») ; mais il est visible que le mime contemporain, lui, se caractérise par la tentative de ne garder de ce mode que le minimum propre à assurer l'intelligibilité du numéro. Le problème reste entier, de savoir si ce code sert à communiquer ; et surtout à communiquer quoi ? Manifestement, l'acteur de pantomime qui « joue du piano » se sert surtout de la valeur dénotative du geste pour nous raconter une histoire et nous dire quelque chose sur un personnage. Il reconstruit sous nos yeux un événement, à travers lequel il veut nous faire saisir un message (et/ou exercer sur nous une action) qui n'est pas la description de cet événement lui-même. Le mime qui « joue du piano » fait la même chose, mais accorde beaucoup plus d'importance à la frange connotative des gestes, cherchant à nous faire saisir un message plus personnel, à exercer sur nous une action plus intime. Mais l'événement reconstruit, le message qu'on peut en extraire ne sont pas l'objet propre de la communication du mime, ne sont que le prétexte de l'action, disons le mot : de la stimulation recherchée sur le spectateur, car il s'agit d'un spectacle, et très probablement la nature réelle et profonde de cette stimulation se trouvera derrière les mots participation, projection, identification, communion, quand on saura bien ce qu'ils veulent dire — comme au théâtre. Il y a la même différence entre l'emploi du geste dans la vie sociale et dans le mime actuel qu'entre l'emploi du langage pour décrire un réfrigérateur d'une part, et pour écrire un poème d'autre part. Dans les deux cas il s'agit bien d'un code au départ — linguistique, ou gestuel —, c'est-à-dire d'un instrument social que des artistes obligent à faire ce qu'il n'est pas fait pour faire : transmettre les expériences non encore socialisées, les messages presque indicibles du vécu personnel, en violant le code, mais sans le détruire, afin de sauvegarder une part aussi importante que possible de transmissibilité de ce vécu.

(1970)

quelques traits du style de jacques lacan

Il ne serait pas illégitime d'enfermer Lacan dans son style ; de le caractériser, de le définir, de le psychanalyser même sur le seul examen de son style. Lui-même en effet, dès la première ligne de son gros recueil, place ce style au premier plan, comme égal au sujet qu'il traite, comme commandé — c'est son mot — par ce sujet. Ailleurs, il pratique, à l'égard de ce style qu'on lui reproche, la bonne tactique polémique, celle de la défensive offensive : non seulement il accepte, mais il se glorifie, d'être « le Gongora de la psychanalyse, à ce qu'on dit » — parce que, dit-il en généralisant au maximum tout ce qu'on a écrit sur le style, « il n'est pas de forme si élaborée de style où l'inconscient n'abonde » (*Ecrits*, p. 497). Dans l'interview qu'il accorde au *Figaro littéraire* du 29 décembre 1966, il le justifie encore autrement, tout à fait sur la défensive cette fois : comme une « barrière », dit-il, opposée aux « interprétations aberrantes », à « l'exploitation » vulgarisatrice qu'on a faite de sa pensée : « Tout est organisé, dit-il, pour interdire que ces textes soient lus en diagonale ». Justification certainement *a posteriori*, car le style de Lacan a la quasi-totalité de ses caractères dès 1944, dans l'article qu'il donne aux *Cahiers d'art*, à une époque où il n'est nullement menacé par un vedettariat journalistique de mauvais aloi.

Toutefois, ce qu'on tente ici, ce n'est pas ce diagnostic qui serait légitime au regard de la doctrine de Lacan même : on n'est pas psychanalyste. On recherche uniquement quelques-uns des traits, soit superficiellement signalétiques, soit plus profondément caractéristiques du style de Lacan.

Sa marque la plus voyante, c'est qu'il a un style à tics ; et, pour la majorité des lecteurs non snobs, un style agaçant dès l'abord. Par exemple, il manifeste un goût qui n'est pas répréhensible, mais qui modifie sensiblement la fréquence habituelle du mot, pour *promu, promeut, promotion, promeuve* (p. 9-10, 61, 336, etc.). Il se délecte à l'usage de *remparder* (p. 379, 877), sans doute un néologisme qui mériterait de survivre. Il préfère, à *mouvement, motion* (p. 97). Tout cela reste anodin, quoique caractéristique : on attribuerait à Lacan n'importe quelle page anonyme sur ces seuls indices.

Mais le maniérisme lacanien, tel qu'il est sans doute perçu sans analyse par la plupart de ses lecteurs, tient à d'autres tics encore, parfaitement analysables. Chose curieuse, l'un des plus anciens, et des plus typiques, est une série d'emplois anormaux des prépositions (*à, de,* plus rarement *pour*) et des pronoms adverbes (*en,* plus rarement *y*).

Par exemple, pour *à :* « Non certes que nous allions à conseiller... » [1945], p. 199 ; « On sait que je vais à penser... » [1951], p. 377 ; « Et je ne veux induire ce que Freud pouvait en penser qu'à rappeler ses sentiments... » [1954], p. 377 ; « La strate psychique s'évoque là, déplaçant le phénomène à suggérer une possible endoscopie » [1966], p. 718 ; « Et dépourvue de toute forme à s'inscrire dans l'intimité » [1966], p. 719 ;

Les emplois de *en* ne sont pas moins remarquables : « Il n'est que de faire apparaître au terme logique des autres la moindre disparate pour qu'il s'en manifeste combien... » [1945], p. 212 ; « Certes me faudra-t-il indiquer que l'incidence de la vérité comme cause dans la science est à reconnaître sous l'aspect de la cause formelle. Mais ce sera pour en éclairer que la psychanalyse par contre en accentue l'aspect de cause matérielle » [1965], p. 875 ; « Le style c'est l'homme, en rallierons-nous la formule, à seulement la rallonger » [1966], p. 9.

Le maniement de la préposition *de* semble encore plus inattendu, souvent sous la forme *de ce que :* « Il pourrait même trouver dans la nouvelle initiative des autres la confirmation logique de ce qu'il se croit d'eux dissemblable » [1945], p. 209-210 ; « Or c'est bien là que le coup d'arrêt que Jones entend y apporter d'y être le champion de Freud, prend la valeur... » [1966], p. 719.

Il ne s'agit pas ici de chicaner purement la correction de tous ces tours (qui fourniraient matière à maintes discussions), mais seulement d'en constater la fréquence élevée par rapport à l'usage courant, fréquence qui sert elle aussi d'indice et suffit à repérer n'importe où trois pages de Lacan. Les exemples ci-dessus sont en effet loin d'être seuls ou presque seuls. On les relèvera par dizaines ; et, pour *à,* par centaines. Ces tics sont d'ailleurs allés s'aggravant de 1945 à 1966, au point que les deux premières pages des *Ecrits,* l' « Ouverture de ce recueil » datée d'octobre 1966, en sont tapissées jusqu'au pastiche.

Expliquer ce trait serait difficile. Il ne semble pas né d'un parti pris volontaire, ni même conscient, comme le gongorisme syntaxique. On se demande parfois si la peut-être longue familiarité avec l'allemand n'en serait pas responsable. Ou quelque bilinguisme d'enfance ? L'explication, quoi qu'il en soit, n'ajouterait ni n'ôterait rien au fait.

D'autres traits sont aussi des tics assez superficiels encore : un goût certain pour *en* archaïque à la place de *dans* (« en l'adage », p. 9 ; « en la fiction de Poë », p. 10 ; « en le double rayon », p. 498), qui fait penser à Mallarmé ; comme y fait penser aussi la véritable passion de Lacan pour l'inversion calculée, archaïsante elle-même (« Le titre ici s'évoque du poème où Pope... », p. 10 ; « la suivante combinaison », p. 205 ; « sur soi conclure », p. 201). La dernière phrase du livre est typique de cet amusement devenu mécanisme invétéré : « Cet index est aussi celui qui nous pointe le chemin où nous voulons aller cette année, c'est-à-dire là où vous-mêmes reculez d'être en ce manque, comme psychanalystes, suscités » (p. 877).

Un pas de plus et nous rencontrons un trait de style probablement moins superficiel, et moins ludique, quoique vraisemblablement très conscient. C'est — à la manière de Breton qui fournit sans doute ici son modèle à Lacan — le mariage très voulu d'un style tellement savant dans sa syntaxe qu'il en devient académique et même pontifiant d'une part, alternant par voisinage abrupt avec l'agressivité, l'insolence et l'outrecuidance, jusqu'à la grossièreté dans les prises à partie personnelles, d'autre part. La syntaxe alambiquée n'a pas besoin de références, elle est partout. Mais qu'on aille lire les insultes et les sarcasmes dont Lacan couvre à brûle-pourpoint ses confrères. *Usage abêti, idée proprement imbécile, âneries, préceptes macaroniques, Purgons obsédés, ton fendant* (oui, c'est Lacan qui fait ce grief aux autres) y sont les aménités les plus banales (p. 369-376). Qu'on aille lire les quatre lignes qu'il assène au psychanalyste qui a la malchance de s'appeler Saussure aussi (p. 414), au nom d'un Saussure que lui Lacan vient de découvrir, en 1954, et comprend d'ailleurs fort approximativement. Qu'on aille lire encore l'exorde de « La Chose freudienne » [1955] (p. 401-408) et certains passages de la leçon d'ouverture à l'Ecole normale [1965], où Lacan convoque son futur biographe pour fustiger tel adversaire innommé (p. 866). Ou bien qu'on aille savourer la majesté tranquillement bretonienne avec laquelle Lacan dit : Freud et moi (p. 868).

L'ensemble de tous ces détails esquisse, il faut bien le dire, un personnage amusant quelquefois jusqu'à la bouffonnerie (p. 499, 857, 869), mais plus souvent déplaisant, théâtral et même cabotin, tranchant, fragile aussi. Personnage public d'autant plus troublant qu'on sait qu'il ne cadre pas avec le personnage privé, sa gentillesse, sa fascination, ses immenses lectures, son art clinique d'écouter. Contrairement à ce qu'il pense et dit, le style de Lacan sur ce point n'est probablement pas organiquement lié au sujet dont il parle, au combat qu'il mène. Il n'est probablement lié organiquement qu'à la personne même de Lacan, qui s'en sert comme moyen d'attaque et surtout de défense, moins contre les autres que contre un certain lui-même peut-être. Et ce style, au contraire aussi de ce qu'il disait au *Figaro,* ne le protège pas contre les commentaires abusifs : il les attire.

Mais peut-être n'a-t-on jusqu'ici exploré vraiment que les extérieurs du monument lacanien. Je voudrais maintenant tenter d'analyser trois colorations de son style qui, je crois, le qualifient intrinsèquement.

La première est la coloration logico-mathématique sur laquelle je ne m'arrêterai pas, faute de compétence. Elle m'est sensible au simple niveau du langage, elle m'impressionnait beaucoup quand je lisais « Le Temps logique et la certitude anticipée », dans *Les Cahiers d'art* en 1944 ; ou bien « Le Nombre treize et la forme logique de la suspicion », dans *Les Cahiers d'art* de 1945-1946. Je ne suis plus aussi assuré aujourd'hui que, quand Lacan parle de topologie (p. 10, 856, 873) ou de la bande de Mœbius, il y prenne plus qu'une métaphore. Un mathématicien nous le dira, si la chose en vaut la peine.

La seconde est une coloration peut-être hégélienne ou marxiste. Le mot *dialectique* court comme un fil rouge à travers les écrits de Lacan depuis longtemps. L'étude de la fréquence croissante, puis sans doute décroissante, de l'emploi du terme chez lui mériterait d'être faite exhaustivement. Le certain, c'est que même aux époques où le mot reste très fréquent (1951-1960 ?), il n'a pas de valeur spécifiquement hégélienne, ni marxiste, même escorté de plus rares *matérialisme* ou *matérialisme historique.* Il est un synonyme plus savant de mouvement, de changement, de renversement. C'est toujours un stéréotype, quelquefois redondant (« mouvement dialectique », « renversement dialectique »). On est plutôt devant une teinture d'époque que devant une coloration solide.

La troisième, plus importante, est la coloration linguistique, présente dès 1945 en apparence. « L'entrée en jeu comme *signifiants* des phénomènes ici en litige, écrit-il alors, fait prévaloir la structure temporelle » (p. 203) ; et aussi : « Ce par quoi elles [les motions] sont *signifiantes...* » (p. 203). Mais les deux contextes, tout à fait isolés à cette date, indiquent bien qu'il n'y a ici nulle référence, et nul emprunt direct, à la linguistique. *Signifiant* y est en fait un synonyme qui commence d'être à la mode, pour *significatif* au sens banal du terme. Il est probable que l'usage en arrive à Lacan par Merleau-Ponty, qui semble inaugurer ce type de contresens pseudo-linguistique dès 1945 avec la *Phénoménologie de la perception*. Les autres références à la linguistique chez Lacan sont d'ailleurs à cette date et jusque vers 1954 franchement vétustes : soit une référence à ce que « les linguistes désignent sous le terme de *prothase* (*sic*) et d'apodose » (p. 205), où il s'agit de la rhétorique la plus traditionnelle ; soit quelques allusions à la sémantique, également traditionnelles (p. 93, 104, 219, 336). Dans ses textes de 1936 à 1946, Lacan — comme tout le monde en France ou presque, et ce n'est pas un crime — ignore la linguistique moderne à dominante saussurienne. On en jugera par le niveau de ce fragment : « Le donné de cette expérience est d'abord du langage, un langage, c'est-à-dire un signe [*sic*]. Dire ce qu'il signifie, combien complexe est le problème, quand le psychologue le rapporte au niveau de la connaissance, c'est-à-dire à la pensée du sujet. Quel rapport entre celle-ci et le langage ? N'est-elle qu'un langage, mais secret, ou n'est-il que l'expression d'une pensée pure, informulée ? Où trouver la mesure commune aux deux termes de ce problème, c'est-à-dire l'unité dont le langage est le signe ? Est-elle contenue dans le mot : le nom, le verbe ou bien l'adverbe ? Dans l'épaisseur de son histoire ? Pourquoi pas dans les mécanismes qui le forment phonétiquement ? Comment choisir dans ce dédale où nous entraînent philosophes et linguistes, psycho-physiciens et physiologistes? » (p. 82). Ce texte est de 1936 ; en 1946, on trouve quelques banalités psychologiques sur le langage (« Le langage de l'homme, cet instrument de son mensonge, est traversé de part en part par le problème de sa vérité », etc. (p. 166) ; et sur le fait que « le mot n'est pas signe, mais nœud de signification » (*ibid.*). Où qu'on soit, on est à cent lieues de Saussure, et de la linguistique. A cette époque-là, ce sont les références gestaltiste et phénoménologique qui fournissent à Lacan sa coloration théorique extra-psychanalytique.

Il ne découvre véritablement Saussure que tard d'après les *Ecrits,* peut-être à travers Merleau-Ponty, vers 1954. C'est alors qu'apparaît la coloration proprement due à l'usage d'une terminologie saussurienne encore timide, et limitée : le refoulement, par exemple, défini comme une « discordance entre le *signifié* et le *signifiant* » (p. 272) ; et une allusion aux phénomènes d'oubli, de doute, qui « sont à interpréter comme *signifiants* dans cette parole » (p. 378). Dans ce dernier contexte, *signifiant* n'est toujours rien d'autre qu'un doublet de *significatif*. En 1955 et 1956, ses mentions de Saussure restent cavalières, cursives et peu compromettantes : «' Si vous voulez en savoir plus, lisez Saussure [...] qu'on peut dire le fondateur de la linguistique moderne » (p. 414) ; « Freud [...] n'a fait que formuler avant la lettre [ces lois] que Ferdinand de Saussure ne devait mettre au jour que quelques années plus tard, en ouvrant le sillon de la linguistique moderne » (p. 446-447) ; « Ce rudiment est la distinction du *signifiant* et du *signifié* dont on honore à juste titre Ferdinand de Saussure, de ce que par son enseignement elle soit inscrite maintenant au fondement des sciences humaines » (p. 467). Les définitions du langage qui surgissent alors sous sa plume sont encore surprenantes pour un lecteur linguiste : « Il n'est parole que de langage » (?) (p. 412 et 413). Cette formule sibylline est glosée aussitôt par celle-ci, dont le moins qu'on puisse dire est qu'elle n'a rien de résolutoire : «' Le langage, c'est différent de l'expression naturelle et [...] ce n'est pas non plus un code (?) ; [...] Ça ne se confond pas non plus avec l'information, collez-vous-y pour le savoir à la cybernétique » (p. 413).

C'est en 1957 que Lacan consacre à Saussure son plus long développement (p. 496-503), qui ne témoigne pas d'une meilleure compréhension. Pour s'en rendre compte, il suffit à n'importe qui de méditer le passage suivant : « Pour pointer l'émergence de la linguistique, nous dirons qu'elle tient, comme c'est le cas de toute science moderne, dans le moment constituant d'un algorithme qui la fonde. Cet algorithme est le suivant : $\frac{S}{s}$ qui se lit : *signifiant* sur *signifié,* le *sur* répondant à la barre qui en sépare les deux étapes. Le signe écrit ainsi mérite d'être attribué à Ferdinand de Saussure, bien qu'il ne se réduise strictement à cette forme en aucun des nombreux schémas sous lesquels il apparaît dans l'impression des leçons diverses. [...] Publication primordiale à transmettre un enseignement digne de ce nom, c'est-à-dire qu'on ne peut arrêter que sur son propre développement. [...] La thématique de cette science est dès lors suspendue à la position primordiale du *signifiant* et du *signifié,* comme d'ordres distincts et séparés initialement par une barrière résistant à la signification » (p. 497). Tout linguiste, et même tout simple lecteur de Saussure, appréciera cette volée de contresens. S'il fallait ajouter quelque chose quant à l'incompréhension dont Lacan témoigne à l'égard de la pensée saussurienne, on noterait qu'il conclut ainsi : « Cette distinction primordiale du *signifiant* et du *signifié* va bien au-delà du débat concernant l'arbitraire du signe » (*ibid.*) !

C'est à partir de cette date de 1957 que la fréquence du terme *signifiant* se met à croître dans les *Ecrits*. En fait, on assiste alors à l'élimination pure et simple d'un des deux termes qui sont rendus synonymes : *significatif* et *signifiant*. Où Lacan disait auparavant qu'un symptôme est *significatif* (de ceci ou de cela), il dira maintenant que ce symptôme est (*un*) *signifiant,* coulant par là sa psychanalyse dans une terminologie à la mode, sans s'assurer de la légitimité de ce transfert de sens. (Ainsi écrit-il, en 1966, et même sans nécessité psychanalytique aucune : « Une parenthèse [...] 1940-1944, signifiante pour beaucoup de gens » (p. 197). Ou bien, en 1965, à propos de la théorie des jeux : elle réduit un sujet « à la formule d'une matrice de combinaisons *signifiantes* » (p. 860).

C'est sans doute dans le fragment suivant que s'explicite le mieux ce glissement (jamais justifié) de la notion de symptôme significatif à celle de *signifiant :* « C'est dire que nous retrouvons là la condition constituante que Freud impose au symptôme pour qu'il mérite ce nom au sens analytique, c'est qu'un élément mnésique d'une situation antérieure privilégiée soit repris pour articuler la situation actuelle, c'est-à-dire qu'il soit employé inconsciemment comme élément *signifiant* avec l'effet de modeler l'indétermination du vécu en une signification tendancieuse » (p. 447). Nulle part on n'établit que les symptômes psychanalytiques ont les propriétés très particulières des unités signifiantes en linguistique. Ainsi lorsque Lacan parle en 1957, figurément, des « maladies qui parlent » (p. 217) ; lorsqu'il affirme en 1965, plus linguistiquement, que « l'inconscient est un langage » (p. 266) ; ou même que « l'inconscient [...] est structuré comme un langage » (p. 268) ; ou encore, en 1966, que « la psychanalyse n'est plus rien dès lors qu'elle oublie sa responsabilité première à l'endroit du langage » (p. 721), il extrapole à partir d'une hypothèse qu'il n'a jamais vérifiée : que les symptômes psychanalytiques fonctionneraient comme des systèmes de signes linguistiques (et, à mon avis, le véritable apport que la psychanalyse soit en droit d'attendre pour analyser ses systèmes de symptômes, c'est du côté non pas de la linguistique superficiellement décalquée, mais du côté d'une sémiologie comme celle de Prieto qu'elle doit le chercher [1]).

---

1. Ernesto César Liendo, dans la *Revista de Psicoanálisis* de Buenos-Ayres (tome XXIV, 1969, n° 4, p. 839-897) a tenté de le faire, d'une façon qui ne me convainc pas, mais qui fournit une base intéressante pour une discussion claire entre psychanalystes et sémiologues.

INTRODUCTION A LA SÉMIOLOGIE

La coloration linguistique du style de Lacan, moins superficielle que les autres, l'est donc encore beaucoup trop. Tout linguiste regrettera que Lacan lui-même, qui fait ce reproche à d'autres, ait lu Saussure en diagonale. Ses autres références indiquent une fréquentation hasardeuse, et plus tardive : *synchronie* et *diachronie* n'apparaissent qu'entre 1960 et 1966 (p. 10, 835, 856, 862). Quant à ses mentions des autres linguistes, Benveniste, Chomsky, Hjelmslev, Jespersen ou Sapir, ce ne sont que des mentions. *Pertinent,* pur calque terminologique aussi, la dernière mode, pointe en 1966, sous forme d'approximations (p. 719, 721).

Une telle analyse du style de Lacan laisse intacte la qualité probable de sa pensée psychanalytique. L'enseignement le plus instructif est peut-être ici celui des rougeoles terminologiques successives subies par un esprit si original. Pour avoir été l'un des derniers touchés par la contagion linguistique, Lacan n'est pas le moins atteint. Son exemple, grâce à ce recueil d'écrits qui jalonnent un tiers de siècle, permet justement de suivre pas à pas le passage de cette ignorance linguistique (dans la culture française) à la fringale classique des retardataires. Le style de Lacan ne prépare pas à la curiosité sainement orientée pour la linguistique : à cet égard on peut déplorer que l'Ecole normale, où eût dû par priorité se produire l'*aggiornamento* linguistique de haute qualité, ait perdu, en partie à cause de Lacan, quelque dix ou quinze ans difficiles à rattraper, encore aujourd'hui. Mais au moins, le style de Lacan prépare-t-il à la saine approche de la psychanalyse, dont je ne crois pas que nous ayons moins besoin que de la bonne linguistique ? [2].

(1969)

---

2. Ce texte a paru dans la *Nouvelle Revue Française* du 1er janvier 1969.

la sémiologie de roland barthes

1

Il est difficile de parler de Roland Barthes, je veux dire d'en parler scientifiquement. D'abord, à cause de la variété des références théoriques qu'il utilise, Marx et Freud, Hjelmslev et Merleau-Ponty, philosophie, psychologie, sociologie, linguistique et sémiologie, critique littéraire, anthropologie — d'une façon telle qu'on est au moins sûr que l'interdisciplinarité, ce n'est pas cela. A cause aussi de cette agilité et de cette versatilité qui font que, lorsqu'on s'adresse au chercheur, il a toujours l'air de répondre qu'il n'est qu'un essayiste ; mais quand on touche à cette rapidité suggestive et *fragile* de l'essayiste, il se réfugie volontiers dans les maquis théoriques et terminologiques du « scientifique » où bien peu des « littéraires » auxquels il s'adresse sont équipés pour le suivre. Enfin, c'est bien là le pire, la générosité de ses combats, le côté maintes fois stimulant de ses propositions, sa sensibilité de poseur de problèmes vivants, de découvreur de domaines ou de points de vue prometteurs, font qu'on n'a guère le désir d'escarmoucher contre une œuvre qui entraîne souvent plaisir et sympathie, et dont l'opportunité et la fertilité sont plus d'une fois évidentes. Mais, justement, ce n'est pas l'essayiste qui fait école, c'est le théoricien qu'on croit qu'il est. On n'examinera ici que ce qui, dans ses travaux, s'est référé explicitement à la sémiologie proprement dite, c'est-à-dire *Mythologies* et les « Eléments de sémiologie » [1].

On pourrait penser qu'il est malhonnête d'utiliser le premier de ces recueils pour attaquer Barthes, parce que c'est un ouvrage vieux de treize ans, l'un des premiers d'un chercheur qui cherchait encore sa voie : mais le livre a été réédité

---

[1]. On ne traitera pas non plus de l'application que Barthes fait de sa doctrine « sémiologique » à la littérature. Egaré probablement par Hjelmslev, ce qu'il fait alors à travers une terminologie linguistique impropre, c'est de la critique littéraire moderne ordinaire, ou de la stylistique. (Voir ci-dessus, p. 100, à propos des langues de connotation chez Hjelmslev.)

en 1965, puis en 1970 dans une collection de poche, et reste donc aux yeux de son auteur justiciable d'une critique actuelle.

2.

Nous examinerons « Le Monde où l'on catche », parce que c'est le texte le plus long de *Mythologies* (p. 11-21), le plus détaillé, le plus typique de sa manière, et qu'on trouverait à répéter les mêmes observations partout ailleurs ; et aussi parce que la bonne manière d'appréhender les insuffisances de Barthes, c'est l'explication de texte : dès qu'on essaie de comprendre pas à pas, au lieu de se laisser exciter agréablement l'esprit, tout ou presque craque.

Si l'on examine avec cette méthode comment Barthes applique les concepts de la linguistique au catch, cette application se révèle à l'analyse comme fondée sur une série de confusions à propos de tous les concepts de base de la linguistique actuelle.

En premier lieu, Barthes confond la communication de type linguistique avec autre chose (de passionnant sans doute, là n'est pas la question). Pas une fois il ne se pose le problème de savoir si le spectacle de catch peut être considéré comme un fait de communication dans le sens linguistique du terme ; il ne le démontre pas, il le pose comme acquis. Son analyse passe incessamment de ce qui est le contenu manifeste du catch, à ce qui *peut* être un de ses contenus latents, perçu ou non — consciemment ou non — par tel ou tel spectateur. Il ne se dit jamais que, pour l'analyse de type linguistique, *on ne peut jamais être pris dans un processus de communication à son insu,* ni comme émetteur, ni comme récepteur.

En second lieu, même dans la mesure où il aurait prouvé qu'il y a pour partie dans le catch un certain type de communication, Barthes confond entre système et moyen de communication. Bien que, dans sa dissertation sur le catch, le mot *signe* revienne à chaque page, Barthes semble ignorer que le mot *système* (de signes) implique que l'on ait identifié les unités (discrètes ou non, c'est-à-dire segmentables et opposables les unes aux autres sans ambiguïté) dont l'inventaire exhaustif est la base de toute analyse de ce type ; et les règles de leur combinaison entre elles. De plus, il ne lui vient pas à l'esprit qu'il faudrait démontrer, ceci fait, que ces unités et ces lois dégagées dans le catch sont réellement isomorphes à celles de la linguistique.

Par une troisième confusion, Barthes élimine le problème de savoir si un système de communication (à supposer que le catch en soit un) qui déroule assez largement ses structures dans l'espace peut être assimilé sans autre forme de procès à un système de communication comme celui des langues naturelles humaines où la linéarité (c'est-à-dire le déroulement nécessaire des unités dans le temps) est fondamentale, parce qu'elle participe à la structure intime du fonctionnement du système, et non pas seulement à la structure des récits qu'on peut faire avec ce système.

Une quatrième confusion porte sur les concepts de signe et de symbole, et même d'indice et de symptôme en rapport avec les premiers. Tantôt chez lui signe égale indice et rien d'autre, quand il dit par exemple que « les choses répétées signifient » (p. 8). Tantôt signe égale symbole (au sens littéraire, qui est saussurien, du terme), quand par exemple il écrit que « chaque type physique exprime à l'excès l'emploi qui a été assigné au combattant ». Thauvin *symbolise* « le salaud », « la laideur », « la bassesse », « la viscosité », tous signifiés qui découlent d'un rapport naturel et non arbitraire à son physique (p. 13) ; mais Barthes énonce à ce propos, page 14, que « le physique des catcheurs institue donc un *signe* de base ». Il est si peu sensible à la propriété des termes qui dénomment linguistiquement ses concepts fondamentaux qu'il peut écrire à quelques pages d'intervalle qu' « au catch [...] la Défaite n'est pas un *signe conventionnel* » (p. 17), et « qu'au catch, il n'y a aucun *symbole* » (p. 21), bien qu'il ait évoqué entre les deux le catch comme image de la Souffrance et de l'Humiliation publiques (p. 17), et du « combat mythologique entre le Bien et le Mal » (p. 19). Comprenne qui pourra. Dans les « Eléments de sémiologie », par une tentative de clarification terminologique, Barthes arrive à des distinctions valides (auxquelles il ne se tiendra pas) sur *signe* et *symbole* ; mais le rapport exact de l'*indice* au *signe* lui échappe toujours, parce qu'il néglige la principale opposition pertinente : communication ou non ?

L'utilisation que fait Barthes des notions de la linguistique actuelle n'est donc ni satisfaisante, ni convaincante. Chez lui, le catch (ou tout autre fait social *significatif,* c'est-à-dire indice ou symptôme de quelque chose qui est latent — significatif, et non pas signifiant) se trouve associé par de purs emplois métaphoriques avec une série de termes qui, à elle seule, révèle la confusion des analyses. Comme Barthes ne sait résister à aucun joli mot scientifique à la mode, la linguistique n'est pas le seul ornement de son exercice de style sur le catch, qui ressemble à une composition de Concours général

l'année d'après la publication de *Tristes tropiques*. Tantôt
le catch est un système de signes (p. 13-14, 16-17, 21),
mais nous savons que tous les systèmes de signes ne sont pas
des langages. Tantôt c'est une « écriture » (sans que le
contexte permette de distinguer si le terme a ici son sens
linguistique de système substitutif de la phonie, ou son sens
barthésien) ; et même une «' écriture *diacritique* » (p. 14),
(autre terme imprudent ici, parfaitement ornemental). Mais il
est aussi « iconographie » (p. 16) ; mais aussi un « spectacle »
(p. 11, 19) sans que Barthes pose un seul des problèmes du
spectacle comme possible système d'une communication très
différente en tout cas de la communication linguistique [2]. Mais
ce spectacle lui-même est tantôt « pantomime (p. 15), tantôt
«' *Commedia dell'Arte* » (p. 13), tantôt « guignol » (p. 20),
et Barthes n'envisage pas qu'il y ait là des types de spectacles
très différents des premiers, qui méritent une analyse spécifique. Mais le catch est aussi un rite, une cérémonie (p. 21),
un culte (p. 21), un mythe (p. 21), un mimodrame (p. 20),
qualifications à propos desquelles il faudrait dire la même
chose. Enfin le catch est « une algèbre » (p. 15). Il serait
difficile de faire mieux comme page d'écriture. C'est toujours
une analyse littéraire en effet qui permettra de comprendre
le pourquoi de la présence d'un gros mot scientifique dans
une phrase de Barthes : c'est parce qu'on peut dire que
« chaque moment du catch [...] dévoile instantanément *la
relation d'une cause et de son effet* », que cette phrase appelle
dans l'esprit les mots *rigoureuse* et *mathématique,* et qu'on
peut écrire « comme une *algèbre* ». Cela n'aurait pas d'importance pour les chercheurs de la génération de Barthes, qui
tout de suite ont pu le situer. Mais il n'en va pas de même
pour les jeunes qui s'engagent sur les chemins de la recherche
dans les sciences humaines et qui, fascinés par des hypothèses
saisissantes, par de trop vastes synthèses, surtout par une
terminologie superbement scientifique, perdent de belles années
à découvrir une impasse déguisée en avenue de l'Arc de
Triomphe. D'autant plus, répétons-le, que tout ce que Barthes
aperçoit, pressent, saisit, suggère à propos du catch comme
fait de psychologie sociale est probablement tout à fait valide.
Il faudra seulement, pour que ce soit solidement scientifique,
en parler autrement.

2. Voir ci-dessus, p. 87.

3

Toutes ces confusions sont couronnées, plutôt que conditionnées, par une confusion radicale à l'endroit du concept de sémiologie. Cette confusion est perceptible dès la préface de *Mythologies*, écrite après le livre, et où Barthes définit son intention : construire une « sémiologie générale du monde bourgeois dont [il] avait abordé le versant littéraire dans des essais précédents » (p. 7). Parler d'une sémiologie *du monde bourgeois*, c'est manifester qu'on prend encore le terme au plus près de sa signification médicale, où la sémiologie est la science des symptômes. Ce que Barthes a toujours cherché à faire, c'est une symptomatologie du monde bourgeois : l'étude, tout à fait légitime, des symptômes révélateurs des maladies psychosociologiques de ce type de société. Ce qu'il fait lorsqu'il écrit « Les Romains au cinéma », « Photo-chocs », aussi bien que la signification (psychosociale) de la dinde aux marrons comme « rhétorique alimentaire » lors d'un repas de Noël, ou de l'automobile comme indice (psychosocial) sur son propriétaire, etc.

On peut certes plaider pour l'absolue liberté terminologique de tout novateur, et soutenir que Barthes était libre de nommer l'objet de sa recherche une sémiologie. C'est un problème de savoir exactement s'il est sur ce point indépendant de Hjelmslev en 1957. D'une part ce dernier n'est pas nommé. D'autre part, le schéma de la page 222 traduit graphiquement la thèse de Hjelmslev sur les langages de dénotation et les langages de connotation, mais sans utiliser cette terminologie hjelmslevienne. Au contraire, Barthes nomme ce que Hjelmslev appelle « langue de connotation [3] » un *méta-langage*. Il y aurait encore à analyser ici un bel exemple de contamination terminologique, car ce que Barthes analyse alors est un méta-langage (au sens où, chez Aristote, il y a une méta-physique), parce qu'il s'agit de quelque chose de latent au-delà du contenu manifeste d'un « langage ». Mais ce quelque chose qui est chez Hjelmslev une langue de connotation, Barthes affirme que c'est un méta-langage « parce qu'il est une seconde langue *dans laquelle* on parle de la première » (p. 222). Ce qui est inexact, aussi bien pour ce que Hjelmslev étudie que pour ce dont Barthes ébauche la description.

L'inconvénient majeur de cette collision terminologique est

---

3. Voir ci-dessus p. 100.

que, en même temps [4], Barthes donne à penser et pense manifestement que les principes et les méthodes de sa recherche prolongent et réalisent l'ambition de Saussure : « La mythologie — telle est sa déclaration liminaire — n'est en effet qu'un fragment de cette vaste science générale des signes que Saussure a postulée il y a une quinzaine d'années sous le nom de sémiologie » (p. 217).

La racine de toutes les confusions réside dans l'emploi du mot *signe*. Quand Barthes appelle signe, en vingt endroits, (voir notamment p. 8, 26-28, 57-58, 119-121, 155, 175, 181, 197, 201, 217, de beaux exemples), tout fait qui a une signification (ou auquel par une investigation scientifique on peut en trouver une), il commet les paralogismes originels : tout ce qui a une signification serait un signe, or toute collection de signes serait un système de signes, et comme tout système de signes serait un langage, les collections de faits dont je cherche la signification (psychosociale) seraient des langages ; je ferais donc de la sémiologie, et donc je pourrais emprunter directement à Saussure et à la linguistique issue de lui les principes et les méthodes de l'analyse linguistique. Or tous les syllogismes de ce raisonnement sont faux au regard de la linguistique. Ce que Barthes étudie, ce ne sont jamais des signes au sens saussurien du terme, ce sont assez souvent des symboles (dont les systèmes, si systèmes il y a, ne sont jamais analysés, bien que leur fonctionnement doive être assez différent d'une langue), et très souvent des indices. Un indice est un fait observable qui nous renseigne sur un autre qui ne l'est pas directement : l'interprétation correcte de la signification des indices, *c'est toute la science* [5], ce n'est pas la linguistique ni même la sémiologie. Et l'interprétation des indices est une activité profondément différente du décodage des signes. C'est toute la méthode scientifique et l'épistémologie qui l'enseignent. Ce n'est ni la linguistique, ni la sémiologie.

Ce qui contribue le plus à l'établissement de la confusion chez Barthes, c'est qu'il travaille souvent à relever des indices dans des domaines qui sont en premier lieu des systèmes de signes ou de symboles. C'est évident quand il étudie des productions linguistiques, des récits, des romans, des pièces

---

4. Par une référence initiale (en 1957, dans « Le Mythe aujourd'hui », conclusion théorique de *Mythologies*), ensuite obstinément alléguée (en 1964, dans « Eléments de sémiologie »).

5. Barthes écrit au contraire : « Or, postuler la signification, c'est recourir à la sémiologie », posant ainsi que tout ce qui a un sens est un message au sens linguistique et sémiologique du terme.

de théâtre, des poèmes de Minou Drouet ; ce l'est moins mais c'est toujours vrai quand il étudie le cinéma, le portrait d'art, la photo de presse, etc. Ce qu'il cherche, ce n'est pas à constituer la sémiologie du cinéma, de la photo, ni même celle de la structure romanesque : c'est à utiliser les contenus *manifestes* de toutes ces activités (construites selon des systèmes qui peuvent être des systèmes de communication au sens saussurien, ou non, des comportements rituels ou ritualisés, dont le statut reste à décrire justement) pour y trouver des indices d'autres contenus non faits pour être communiqués, des contenus *latents*. Barthes le sait pourtant, le dit même (p. 220). Quand Minou Drouet parle d'un arbre, ce qui intéresse Barthes, ce n'est pas le système qui permet de construire ce message linguistique, ni même ce message poétique ; c'est ce que ce message, correctement interprété, révèle du mythe que le monde bourgeois se fait de l'enfance, ou à travers l'enfance. Recherche tout à fait légitime, répétons-le, mais qui aurait eu tout intérêt à se nommer psychologie sociale, psychopathologie sociale, ou même psychanalyse sociologique. En la nommant sémiologie, en nommant signes les indices qu'il relevait, en nommant langages les ensembles d'indices qu'il esquissait, Barthes s'autorisait à emprunter pour analyser ces faits les concepts, les principes et les méthodes de la linguistique. Il croyait prendre un raccourci, mais se perdait dans les sables d'une rhétorique.

4

Ce qui complique encore les choses, c'est que le maniement de ces concepts linguistiques, à travers le prisme déformant desquels on pourrait apercevoir cependant les phénomènes qu'il interprète, manque toujours chez Barthes de la sûreté qui rendrait au moins leur lecture univoque. Quand le linguiste le mieux disposé lit une assertion comme celle-ci : « Soit un caillou noir : je puis le faire signifier de plusieurs façons, c'est un simple signifiant ; mais si je le charge d'un signifié définitif (une condamnation à mort, par exemple, dans un vote anonyme), il deviendra un signe » (p. 220), le linguiste est obligé de penser que Barthes n'a pas même compris la théorie saussurienne du signe, et qu'il ne sait réellement pas manipuler les outils conceptuels dont il se sert. Quand le même linguiste lit successivement que « le mythe est une parole » (p. 215), que c'est « un message » (*ibid.*), puis que « c'est un mode de signification » (*ibid.*), que c'est aussi

« une forme » (*ibid.*) ; et que « la sémiologie est une science des *formes* puisqu'elle étudie des *significations* indépendamment de leur *contenu* » (p. 218) ; et que, « puisque le mythe est une parole, tout peut être mythe, *qui est justiciable d'un discours* » (p. 215) ; mais qu'en même temps « le mythe est un *système* de communication » (*ibid.*), le linguiste le plus mesuré se sent au moins perplexe. Certainement Barthes sait ce qu'il veut dire, mais la façon dont il l'exprime en termes linguistiques est franchement inadéquate, et presque toujours incorrecte.

5

Dans les « Eléments de sémiologie », six ans plus tard, on perçoit que Barthes a fait un effort considérable pour se donner la culture linguistique dont il ne parlait manifestement que par ouï-dire en 1958. Mais on a toujours l'impression qu'il est trop tard, et qu'une initiation ratée reste ratée. Dans tous les exemples qu'il allègue : cuisine, vêtements, mobilier, voitures automobiles, les problèmes proprement sémiologiques au sens saussurien du terme sont supposés résolus *a priori.* La nourriture est-elle un système de communication ? Barthes ne l'établit nulle part. La structure des repas devient la « langue alimentaire », les usages deviennent une « rhétorique alimentaire », les variations personnelles et quotidiennes sont « la parole alimentaire », « les libres variations et combinaisons dont un locuteur (?) a besoin pour un *message* particulier » (p. 100). Mais nulle part Barthes n'examine si un repas est *toujours* un message (et un message structuré comme un énoncé linguistique). Sa décalcomanie linguistique le fait passer à côté du fait véritablement intéressant : pourquoi et comment, *dans certains repas,* se manifestent certains indices ayant valeur psychosociologique ? La dinde aux marrons sur une table de Noël ne signifie pas [un message], mais elle peut avoir des significations variées (tenir son rang, jeter de la poudre aux yeux, faire comme tout le monde). Barthes ne se pose jamais ici les questions pertinentes : il croit que le mensonge social est un message social, alors que sa psychanalyse sociologique, bien conduite, lui démontrerait que c'est le contraire d'un message : tout le travail du récepteur, ou de l'observateur, est de déceler (derrière le signifiant /dinde aux marrons/ produit expressément pour suggérer à tort le signifié « standing bourgeois ») le contenu latent réel « poudre aux yeux de parvenu », ou « conformisme béat » — *contenu que l'émetteur ne souhaite absolument pas communiquer.* Un indice ne fonctionne pas comme un signe, bien que, par une polysémie désastreuse, on dise que tous deux ont une *signification.* Barthes, en s'enferrant sur cette polysémie, a manqué la grande psychanalyse sociologique sur laquelle il ne fait qu'attirer l'attention, en très brillant précurseur [6].

(1970)

---

6. La substance de ce texte provient d'un exposé sur le même thème, fait par l'auteur lors d'un séminaire pluridisciplinaire à la faculté des lettres d'Aix-en-Provence en 1962.

lévi-strauss et la linguistique

1

L'analyse de la façon dont Claude Lévi-Strauss a utilisé les concepts de la linguistique structurale exigerait sûrement plusieurs années d'un séminaire, si l'on veut lui accorder l'examen soigné qu'elle mérite. Ici, je me limiterai à l'*Anthropologie structurale* (1958). Il s'agit d'un recueil d'articles dont la publication s'était échelonnée de 1944-1945 à 1956. Ils reflètent les dix premières années de contact entre Lévi-Strauss et la linguistique. L'ouvrage est donc bien placé dans la chronologie du problème. En outre, il s'agit d'un bon échantillonnage, quatorze articles en onze ans : 1944-1945 (deux), 1947 (un), 1949 (trois), 1951 (un), 1952 (deux), 1954 (un), 1955 (un), 1956 (trois). C'est probablement le livre décisif à ce sujet. Toutefois, avant de pouvoir émettre une opinion définitive, il faudrait faire le même travail avec *Tristes tropiques* (1955), *Les Structures élémentaires de la parenté* (1949), *La Pensée sauvage* (1962), *Le Cru et le cuit* (1964), *Du miel aux cendres* (1967) et *L'Origine des manières de table* (1969).

Précisons avant tout que, malgré les apparences, la linguistique n'est pas la référence fondamentale unique pour éclairer la pensée de Lévi-Strauss. Tout ce qui est lié à la lecture de Freud, et à la notion d'inconscient, est sans doute au moins aussi important. Tout ce qui est lié à celle de Marx aussi ; et là tout reste à faire. Sans parler de Jean-Jacques Rousseau. J'y ajouterais volontiers pour ma part ce que je me risque à nommer les séquelles d'une formation philosophique, notamment les références explicites à un *esprit humain* toujours postulé comme étant universel, au moins quant à son activité inconsciente (surtout p. 28, mais aussi p. 8, 67, 75, 81, 224, 250, 255). On peut émettre l'hypothèse que l'utilisation si personnelle que Lévi-Strauss a faite de la linguistique ne sera pas pleinement expliquée sans tenir compte de ces trois, ou quatre composantes de sa réflexion — car Lévi-Strauss y ajoute la géologie (*Tristes tropiques*, ci-après : *T. T.*, p. 42 et 44 de l'édition 10×18).

Avant d'aller plus loin, j'aimerais dire aussi que j'admire beaucoup l'œuvre de Lévi-Strauss, ses lectures immenses, la qualité de l'homme quand il discute les doctrines auxquelles il doit beaucoup (Boas, Radcliffe-Brown, Lowie, Kroeber, Malinovski), l'étendue de ses compétences interdisciplinaires — mais on pourrait m'objecter que j'admire précisément l'anthropologue et l'ethnologue, que je ne saurais juger. Pourtant, ce n'est pas là de ma part une clause de style : je mets vraiment très haut des chapitres comme « Le Sorcier et sa magie », « L'Efficacité symbolique », « La Postface », « L'Enseignement de l'ethnographie ». C'est à d'autres, malheureusement, que revient la tâche de faire l'inventaire positif des grands apports de Lévi-Strauss.

C'est donc sans plaisir intellectuel qu'on doit discuter son utilisation de la linguistique (il suffirait d'ailleurs, pour s'ôter toute présomption, comme toute prétention de faire la leçon à un tel esprit, de relire les cinquante-cinq admirables premières pages de *Tristes tropiques,* une des plus belles biographies intellectuelles qu'on puisse lire).

2

L'observation première à faire est que le contact entre Lévi-Strauss et la linguistique est tardif. *L'Anthropologie structurale* (ci-après : *A. S.*) est caractéristique à cet égard. Le livre ne recueille que dix-sept articles sur « quelque cent textes écrits depuis bientôt trente ans » (p. 1). La bibliographie ne cite que vingt et une références à des travaux de l'auteur, dont seulement cinq antérieurs à 1945, ce qui montre mieux que tout raisonnement la présence d'une coupure dans l'œuvre et la pensée. Coupure confirmée par le chapitre VI de *Tristes tropiques* (« Comment on devient ethnographe », notamment p. 42), et par le chapitre XX sur l'art caduvéo, qui représente le développement d'un fragment d'un article paru en 1944-1945 (cf. L'*A. S.,* p. 269, et 281, note 1). Dans cet article-charnière, on trouve des références à « l'analyse structurale des formes » (p. 273 ; cf. aussi p. 294), mais aucune à la linguistique, ni dans la rédaction de 1944, ni dans celle de 1955 (*T. T.,* p. 153-169 de l'édition 10 × 18). Tout au plus le concept de fonction, de liaison et surtout d'opposition fonctionnelle (*A. S.,* p. 280, 281, 287, 288, 291) indique-t-il une tentative encore fluctuante d'emprunter peut-être à la linguistique une de ses notions-clé. Le contraste de ce texte avec le grand article de *Word* (publié en août 1945, *A. S.,* p. 37-62) reste frappant.

De plus, ce contact tardif avec la linguistique est et restera très unilatéral. Il est essentiellement contact avec Jakobson, avec la linguistique de Jakobson, qu'il rencontre à l'Ecole des hautes études de New York, fin 1943 ou début 1944 (cf. la confirmation, dans *L'Arc*, n° 26, 1965, p. 4). Jakobson est toujours le linguiste le plus cité, celui dont la pensée linguistique est le mieux assimilée par Lévi-Strauss. Et peut-être est-ce à certaines caractéristiques de la pensée jakobsonienne que l'utilisation de la linguistique par Lévi-Strauss doit les limitations, voire les distorsions qu'il faut y relever. Il connaît bien, sans doute depuis longtemps, l'œuvre de Franz Boas, à laquelle il fait de fréquentes références, mais c'est l'anthropologue et non le linguiste (sauf, tardivement, en 1949, p. 26-27)[1], qu'il utilise et qu'il admire. Les mentions qu'il fait de Meillet, de Sapir, de Hjelmslev (qui n'est pour lui qu'un nom), de Benveniste, de Troubetzkoy, sont cursives, tardives aussi, sans portée véritable dans l'œuvre. De Saussure, dont *Tristes tropiques* a confirmé que sa culture universitaire ne lui parla jamais (*T. T.*, p. 42), le nom n'apparaît aussi qu'épisodiquement pour des généralités (p. 27, 39) ; ou bien, malencontreusement, sur l'arbitraire du signe, où Lévi-Strauss avalise longuement les critiques incompréhensives du Benveniste de 1939, p. 101-109 et 230. Au contraire, en quinze endroits, les thèmes jakobsoniens sont présents, parfaitement assimilés, pour le meilleur et pour le pire.

3

Lévi-Strauss a mis la phonologie au centre de son grand article de *Word* (*A. S.*, p. 37-62), et de la rénovation de sa pensée par la linguistique. Or, à travers Jakobson, il ne connaît manifestement la pensée de Troubetzkoy que par un article de 1933, paru dans le *Journal de psychologie* (cité p. 40, note 1). Les *Principes de phonologie*, eux, ne sont mentionnés (p. 101, note 1) que pour un appendice de Jakobson qu'ils contiennent, et dans la bibliographie, pour mémoire. C'est de l'article en question que Lévi-Strauss extrait les quatre « démarches » qui, selon lui, définissent la phonologie. Deux de ces démarches, historiquement parlant, ne caractérisent pas la phonologie comme telle, et lui sont bien antérieures : la notion de système, et la recherche de lois générales. Que Lévi-Strauss les prenne pour des nouveautés introduites par la phonologie montre à quel point Saussure lui est inconnu à cette date. La troisième démarche, Lévi-Strauss ne le voit pas, n'est qu'une autre for-

---

1. Toute référence sans indication d'ouvrage renvoie à l'*A. S.*

mulation de la seconde : dire que les unités linguistiques forment système, et dire que la phonologie refuse de les traiter comme des entités indépendantes mais au contraire prend comme base les relations entre les termes (p. 40), c'est exactement la même chose (et tout cela est dans Saussure). Mais la première démarche caractéristique de la phonologie, ce serait qu'elle « passe de l'étude des phénomènes linguistiques *conscients* à celle de leur infrastructure *inconsciente* » (p. 40). Il s'agit là d'une lecture totalement fausse : les linguistes ont toujours su — au rebours des philosophes, et des grammairiens puristes — que toute l'activité linguistique (les choix des articulations phonétiques, comme des unités lexicales, et des marques morphologiques, et des structures syntaxiques) ne saurait se décrire en termes de processus conscients, mais d'habitudes. Il n'y a donc pas, antérieurement à la phonologie, de science linguistique qui se serait adonnée à l'étude des phénomènes linguistiques conscients. De plus, rien de tel n'apparaît chez Troubetzkoy, ni dans l'article de 1933 ni dans les *Principes*. D'où vient donc l'erreur de lecture de Lévi-Strauss ? Je pense, finalement, de cette phrase de l'article de 1933 : « Grossièrement parlé, la phonétique recherche ce *qu'on prononce en réalité* en parlant une langue, et la phonologie ce *qu'on s'imagine prononcer* »[2], bien qu'ici, notons-le, la phonologie dût correspondre à la « conscience », et la phonétique à l' « inconscience ». Or, dans les *Principes,* Troubetzkoy s'attache minutieusement (p. 36-46) à répudier tout ce qu'avaient encore de psychologisant ses formulations de 1933. Je crois pouvoir affirmer qu'il vise expressément la phrase ci-dessus lorsqu'il écrit : « Il n'y a [...] aucune raison pour considérer quelques-unes de ces représentations [psychiques des sons du langage] comme « conscientes » [celles qui correspondraient aux traits pertinents du phonème] et d'autres comme « inconscientes » [celles qui correspondraient aux éléments non pertinents des réalisations des variantes d'un phonème] » (p. 42). Il est curieux que la conjonction, dans la pensée de Lévi-Strauss, entre Freud et Troubetzkoy se produise à la faveur d'un *lapsus lectionis*. Mais il s'agit bien d'un lapsus qui se tient au centre du maniement que Lévi-Strauss va faire des concepts de la linguistique.

Ceci écarté — et c'est justement ce à quoi Lévi-Strauss accorde le plus de prix —, tout ce qu'il emprunte à la phonologie, la notion de *structure* (ou de système) et celle d'*opposition,* n'ont rien de spécifiquement linguistique, comme l'avaient bien vu Saussure, et Troubetzkoy (notamment, *Prin-*

---

2. Cf. *Essais sur le langage,* Editions de Minuit, 1969, p. 149.

cipes, p. 69), et comme l'a montré l'exploitation qu'en a fait Gardin, par exemple, en archéologie [3]. De plus, sans doute à cause de la place et de la signification gênantes du concept de fonctionnalisme en ethnologie, Lévi-Strauss ne lie jamais correctement les notions d'opposition ou de structure à celle de fonction [4]. Or cette liaison est fondamentale en phonologie troubetzkoyenne (cf. *Principes,* p. 12-13). Pour lui, notamment — c'est une tendance qui est allée en s'accentuant chez Jakobson —, il s'établit une confusion synonymique *entre différentiel* et *pertinent* (p. 27, 66, 101) : « Des mots, écrit-il, le linguiste extrait la réalité phonétique du phonème, de celui-ci, la réalité *logique* des éléments différentiels. » Or cette synonymie est fourvoyante : tout ce qui est différentiel entre deux sons (la sourdité du *l* de *pluie,* par exemple, opposée à la sonorité du *l* de *lui*) n'est pas pertinent : n'est pertinent en fait de son, selon l'expression de Troubetzkoy, « que ce qui remplit une fonction déterminée dans la langue » (*Principes,* p. 12). Cette fausse synonymie, qui n'est pas dangereuse pour un linguiste rompu à la phonologie, induit Lévi-Strauss, par exemple à propos de cuisine, à construire « un tableau où les signes + et — correspondent au caractère pertinent ou non pertinent de chaque opposition dans le système considéré :

	Cuisine anglaise	Cuisine française
endogène/exogène	+	—
central/périphérique	+	—
marqué/non marqué (savoureux)	—	+

(*A.S.,* p. 99)

où absolument rien n'est avancé pour démontrer que ces traits, peut-être différentiels, *sont pertinents, c'est-à-dire assurent une fonction distinctive privilégiée pour caractériser les deux cuisines* (fonction pour le descripteur, ou fonction pour le mangeur ? Ce serait encore un autre problème de pertinence).

4

Sur la notion de phonème elle-même, qui joue un rôle central dans le modèle formel d'analyse linguistique structurale, Lévi-Strauss est aussi vulnérable.

3. Voir G. Mounin, *Les Problèmes théoriques de la traduction,* p. 113-124.
4. Une analyse du concept de fonction dans l'*A. S.* (où il reparaît une vingtaine de fois) dépasserait les dimensions de la présente étude. Le concept ne paraît jamais y être employé dans son acception troubetzkoyenne.

Tantôt il prend à Jakobson la partie la plus discutée de sa phonologie, le rêve d'une phonologie universelle qui remplacerait précisément la réalité fonctionnelle des phonèmes, spécifiques pour chaque langue, par leur réalité *logique,* [leurs oppositions acoustiques abstraites universelles][5] ; et il écrit que lorsque le linguiste « a reconnu *dans plusieurs langues,* la présence des *mêmes phonèmes* ou l'emploi *des mêmes couples d'oppositions,* il ne compare pas entre eux des êtres individuellement distincts : *c'est le même phonème,* le même élément, qui garantissent sur ce nouveau plan l'identité profonde d'objets empiriquement différents. Il ne s'agit pas de deux phénomènes [phonèmes ?] semblables, mais d'un seul. Le passage du conscient [?] à l'inconscient [?] s'accompagne d'un progrès du spécial vers le général » (p. 28). Une telle citation suffirait à établir que Lévi-Strauss n'a pas pleinement saisi les fondements de l'analyse phonologique, même au niveau de la compréhension abstraite. (Cf. aussi p. 66 le rêve jakobsonien d'un tableau de Mendeleïev *phonologique.*)

Tantôt, s'éloignant de Jakobson, il aboutit à des formulations qui ne font pas sens pour un linguiste : ainsi, pour justifier son application du modèle phonologique aux structures élémentaires de la parenté, il pose que « l'analyse phonologique n'a pas de prise directe sur les mots, mais seulement sur les mots préalablement dissociés en phonèmes » (p. 44) ; ce qui est, selon la façon dont on voudra le lire, soit un truisme, soit une erreur : il y a une phonologie du mot. Mais la distorsion de Lévi-Strauss est significative : elle est liée à sa propre pensée. En effet, il ajoute aussitôt « qu'il n'y a pas de relations nécessaires à l'étage du vocabulaire ». Comme il nous renvoie pour nuancer cette formulation de 1945 à un texte ultérieur (1956) sur les limites de l'arbitraire du signe, nous comprenons que les relations nécessaires dont il s'agit seraient des relations intrinsèques entre chaque phonème et la signification totale d'un mot, relations dont il affirme à juste titre, en 1945, qu'elles n'existent pas.

Mais il n'en maintient pas moins l'une de ses formules capitales, sur laquelle on reviendra : « Comme les phonèmes, les termes de parenté sont des éléments de signification ; comme eux, ils n'acquièrent cette signification qu'à la condition de s'intégrer dans un système » (p. 40). L'expression « élément de signification », appliquée aux phonèmes, n'a aucun sens linguistique. Le phonème ne participe pas à la construction du signifié du monème, mais seulement de son signifiant ; il est,

---

5. Cf. A. Martinet, *Economie des changements phonétiques,* p. 67, note 8, et 73-77.

peut-on dire à la limite, un élément différenciateur de significations, dans les paires minimales du type *brique* ~ *crique* — ce qui n'est pas la même chose. L'analogie des phonèmes avec les termes de parenté paraît plus que douteux. (D'une manière générale, le développement des p. 40-45, est plein de repentirs et de contradictions internes ; sans parler des erreurs historiques : c'en est une de croire qu'à un moment donné, pour la linguistique, « la fonction [du langage] était évidente [mais] que le système restait inconnu » : la fonction de communication du langage et la notion de système phonologique sont nés pratiquement ensemble, chez Troubetzkoy).

5

Les concepts saussuriens de synchronie et de diachronie qui sont très fréquents dans *l'A. S.* ne sont pas maniés avec plus de sûreté. Pour la moitié des références, le terme *diachronie* est employé comme synonyme banal et général d'histoire, d'évolution, d'ordre dans le temps. Pour un quart des citations, Lévi-Strauss suit la position jakobsonienne (anti-saussurienne) selon laquelle « même l'analyse des structures synchroniques implique un recours constant à l'histoire » (p. 28-29 ; cf. aussi p. 17, 41) et « l'opposition entre synchronie et diachronie est largement illusoire » (p. 102 ; cf. aussi p. 101) — ce qui revient à n'avoir pas aperçu que, chez Saussure, il ne s'agissait pas d'une dichotomie essentialiste ni d'une hiérarchie, mais d'une règle méthodologique [6].

D'ailleurs, en dépit de ce rejet de la notion, celle-ci est sans cesse présente dans le texte, mais pervertie totalement. Page 99, par exemple, on lit cette déclaration surprenante, que « la cuisine française est diachronique ». (Que l'on songe à ce que pourrait vouloir dire, en linguistique, que « la langue française du xxᵉ siècle est diachronique, alors que la langue chinoise ne l'est pas »). Lévi-Strauss explicite sa formule en disant que « les mêmes oppositions ne sont pas mises en jeu aux divers moments du repas ; ainsi les hors-d'œuvre français construits sur une opposition : *préparation maxima/préparation minima,* du type : charcuterie/crudités, qu'on ne retrouve pas en synchronie dans les plats suivants », etc. (p. 99-100).

On s'aperçoit ainsi qu'il semble totalement confondre ici l'opposition synchronie/diachronie avec l'opposition paradigmatique/syntagmatique. Si l'on veut en effet transplanter cor-

---

6. Voir G. Mounin, *Saussure,* Seghers, 1968, p. 41-49.

rectement les concepts linguistiques dans l'analyse culinaire, un repas donné ne peut être considéré que comme l'équivalent d'un énoncé, ou d'un discours, une chaîne syntagmatique en synchronie. La diachronie ici ne pourrait viser que la série évolutive des structures d'un même repas, celui de midi par exemple, en France, du XVIIᵉ au XXᵉ siècle. En parlant de la diachronie pour évoquer les moments successifs d'un même repas, Lévi-Strauss montre bien qu'il confond l'évolution des systèmes culinaires dans l'histoire avec le déroulement d'un repas : sa pensée, retraduite en termes linguistiques, aboutirait à dire cette fois que « la phrase [française] est diachronique » par exemple au lieu de dire qu'elle est une suite syntagmatique, une chaîne parlée. La description contrastée qu'il fait du repas français par rapport au repas chinois prouve qu'il confond aussi — c'est une conséquence de la première confusion — les oppositions paradigmatiques proprement dites du type charcuterie/crudités (qui représentent des choix au même point de la chaîne), avec les oppositions syntagmatiques du type hors-d'œuvre/rôti (qui représentent des choix successifs dans la chaîne). L'exemple de la cuisine chinoise vue par lui, où tous les plats d'un même repas seraient susceptibles d'être servis tous ensemble, prouve assez que la transposition mécanique ici des concepts linguistiques se heurterait à bien des difficultés.

Cette méprise étonnante sur le concept de diachronie n'est pas un accident. Nous la retrouvons aux pages 230-234, à propos de considérations fondamentales. La *langue* (saussurienne) y est présentée comme appartenant « au domaine du temps réversible », tandis que la *parole* appartient « à celui d'un temps irréversible » (p. 230) (*réversible,* au même endroit, se trouve glosé par *structural,* tandis qu'irréversible l'est par *statistique ;* gloses qui n'éclairent pas). De ceci, Lévi-Strauss est amené à conclure que le temps du mythe « est à la fois réversible et irréversible, synchronique et diachronique » (p. 233).

Nous avons donc :

temps réversible = t. structural = langue = synchronie
temps irréversible = t. statistique = parole = diachronie

C'est bien la confirmation de l'interprétation que nous proposions des transpositions culinaires : le déroulement de la parole (sur le plan synchronique) est confondu avec l'évolution du système dans l'histoire (sur le plan diachronique). Que le mythe possède ces propriétés contradictoires, Lévi-Strauss en est persuadé : « Ce système [du mythe], écrit-il, est en effet à deux dimensions : à la fois diachronique et synchronique, et réunissant aussi les propriétés caractéristiques de la *langue* et celles de la *parole* » (p. 234). Si tel était bien le cas — et sur ce point la décision appartient aux anthropologues —, nul doute que l'utilisation du modèle linguistique soit inadéquat pour décrire le système du mythe. Mais on peut en douter fortement lorsqu'on voit que, cette double structure du mythe, Lévi-Strauss l'explicite avec l'image de la partition d'orchestre qui « n'a de sens que lue diachroniquement selon un axe (page après page, de gauche à droite), mais en même temps synchroniquement selon l'autre axe de haut en bas » (p. 234). Cette double lecture d'une partition d'orchestre serait décrite correctement si l'on en ôtait toute référence à la synchronie et à la diachronie des linguistes, qui n'y ont que faire — sauf pour nous confirmer une fois encore que l'auteur confond langue et synchronie, parole et diachronie ! Il se peut que Lévi-Strauss ait trouvé là le vrai secret pour décrypter les mythes, mais on peut affirmer que tout cela n'a rigoureusement rien à voir avec la linguistique, sinon à la faveur d'une suite de contresens.

6

Même sur le concept de communication, l'utilisation que Lévi-Strauss a faite de la linguistique est incorrecte. Comme il s'agit là d'un exemple typique de glissements logiques et conceptuels, il vaut la peine d'analyser la démarche en détail.

Au départ, il faut rappeler le postulat fondamental de l'auteur selon qui « l'activité inconsciente de l'esprit consiste à imposer des formes à un contenu, et [...] ces formes sont fondamentalement les mêmes pour tous les esprits, anciens et modernes, primitifs et civilisés » (p. 28 ; cf. aussi p. 67). (Postulat qu'introduit un : « Si, comme nous le croyons... »).

De ce postulat découle une conséquence, c'est qu'on peut et qu'on doit « élaborer une sorte de code universel, capable d'exprimer les propriétés communes aux structures spécifiques relevant de chaque aspect » [« de la vie sociale (y compris l'art et la religion) dont nous savons déjà que l'étude peut s'aider de méthodes et de notions empruntées à la linguistique »] (p. 71).

En effet, Lévi-Strauss a posé par ailleurs « l'étroite analogie de méthode qui existe entre les deux disciplines » [ethnologie et linguistique] (p. 37), sur les bases qu'on vient de voir.

Tout cela lui permet de construire une hypothèse : « Postulons donc qu'il existe une correspondance formelle entre la structure de la langue et celle du système de parenté » (p. 72).

Sur ce dernier point, le cheminement des formulations doit être suivi très soigneusement.

Tout d'abord (p. 61), « un système de parenté » est présenté comme « un système arbitraire de représentations »[7] [sociales, ou sociologiques]. Le mot « représentations » (cf. p. 5, 23, 309-310, 391), peut-être parce qu'il est linguistiquement neutre, paraît particulièrement heureux au linguiste. Toutefois ce serait à l'anthropologue de dire si ces représentations sont réellement arbitraires.

Mais, presque aussitôt, sans que rien justifie le passage d'un terme à l'autre, les systèmes de parenté deviennent « des systèmes de *symboles* » (p. 62).

Puis on saute à la formulation suivante, selon laquelle il serait loisible de « considérer les règles du mariage et les systèmes de parenté comme UNE SORTE DE *langage,* c'est-à-dire un ensemble d'opérations destinées à assurer, entre les individus et les groupes, UN CERTAIN TYPE DE *communication* » (p. 69).

Le glissement final amène à dire, sans aucune précaution de formulation, ni progression dans la démonstration, que « le système de parenté EST un langage » (p. 58). (La gradation dans ce *glissando* terminologique n'est pas chronologique : la première, la seconde et la quatrième citations sont de 1945 ; la troisième, de 1951).

Comme il apparaît bien, pour un linguiste, que le nœud du problème est lié à un vieux syllogisme philosophique erroné (le langage est communication, or x représente un type de communication, donc x est langage)[8], examinons si et comment Lévi-Strauss a démontré que le système de parenté est un système de communication. Ce serait au moins la justification partielle du droit d'appliquer le modèle linguistique formel ici, dans la mesure où le langage est un système de communication et possède des caractéristiques structurales qui lui sont communes avec les autres systèmes de communication.

Mais Lévi-Strauss ne s'engage pas dans cette voie, qui mènerait à se demander en quoi consistent alors le signifiant et le signifié, qui est l'émetteur et qui le récepteur, etc. dans les règles de mariage, et surtout s'il y a véritablement message,

---

7. Toutes les mises en relief des termes à partir d'ici (italiques, petites capitales) jusqu'à la fin de cette sixième partie, sont le fait du citateur, et non de Lévi-Strauss.
8. Voir à ce sujet, G. Mounin, *Clefs pour la linguistique,* Paris, Seghers, 1968, p. 35-46 ; et, pour un traitement plus détaillé, « Langage et communication », dans *Économies et sociétés,* Cahiers de l'I. S. E. A., août 1969, p. 1493-1510.

et en quoi il consiste. La construction lévi-straussienne ici aussi semble uniquement reposer sur quelques synonymies terminologiques, postulées d'ailleurs, et non pas démontrées. Les règles de mariage observables « représentent toutes autant de façon d'assurer la *circulation* des femmes au sein du groupe social » (p. 68). Ce premier terme permet de passer au langage, sous la forme suivante : « Que le « message » soit ici constitué par les femmes du groupe qui *circulent* entre les clans [...] (et non, comme dans le langage lui-même, par les mots du groupe *circulant* entre les individus) n'altère en rien l'identité du phénomène considéré dans les deux cas » (p. 69). Mais, puisque au moins maintes langues européennes décrivent la conversation comme un *échange* de paroles, Lévi-Strauss pose, d'abord sous une forme interrogative, que « l'impulsion originelle qui a contraint les hommes à *échanger* des paroles » doit être la même, que « dans le cas des femmes » (p. 70), qu'on décrit aussi comme un échange entre groupes sociaux. Ces rapprochements purement verbaux entre *échange, circulation* et *communication* permettent à l'auteur, vingt-cinq pages plus loin, sans aucune autre analyse sémiologique, d'affirmer, sans clauses restrictives ni prudences de formulation cette fois, que « les règles de la parenté et du mariage servent à assurer la communication des femmes entre les groupes, *comme* les règles économiques servent à assurer la communication des biens et des services, et [*comme*] les règles linguistiques, la communication des messages » (p. 95).

Nulle part n'est démontré l'isomorphisme de la « circulation » des mots, des biens et des femmes (cf. aussi p. 326 et suiv.) ; nulle part l'isomorphisme entre la fonction d'un énoncé, celle d'un mariage, celle d'un achat-vente. Comme Lévi-Strauss est, de fort loin, le plus intelligent des lévi-straussiens, il voit lui-même tout ce qu'il y a de fragile et de contestable dans ce flux d'hypothèses — bien que les objections qu'il se fait à lui-même soient linguistiquement puériles, et ne vaillent rien si l'isomorphisme structural était vraiment fondé : ainsi, lorsqu'il s'empêtre dans le fait « qu'à l'inverse des femmes, les mots ne parlent pas » (!) ; ou que « celles-ci, en même temps que des signes, sont des producteurs de signes » (p. 70). Mais il maintient pourtant son schéma.

Nous sommes ici, par deux fois, véritablement en présence non pas d'une démonstration logique mais d'un passage insensible et purement verbal, de l'hypothèse (et même des « spéculations aventureuses » [p. 71]) à l'interrogation dubitative, et de celle-ci à l'affirmation nuancée (*une sorte de, un certain type de*), puis à l'affirmation à peine atténuée par des italiques (*circulation*) ou des guillemets (« échange », « message »),

INTRODUCTION A LA SÉMIOLOGIE

puis à l'affirmation pure et simple, qui n'a pour validité finale que l'habituation du chercheur à ses propres formulations.

7

Un dernier exemple de manipulation linguistique chez Lévi-Strauss mérite d'être médité. Il s'agit des pages dans lesquelles, en 1952, il avance, sous forme d'hypothèse, qu'il pourrait exister une corrélation entre systèmes de parenté, systèmes d'organisation sociale et systèmes linguistiques. Il en donne une esquisse de démonstration en comparant, dans les deux aires géographiques indo-européenne et sino-thibétaine, les traits structuraux des règles de mariage et des unités sociales, avec ceux — discutables — que Jakobson avait dégagés pour les systèmes linguistiques correspondants. « Tous ces traits, conclut-il, ne ressemblent-ils pas à ceux que nous avons retenus à propos de la structure sociale ? » (p. 90).

Une telle hypothèse appelle de nombreuses objections, dont la moindre n'est pas que, du moins pour ce qui est de l'aire indo-européenne, des structures parentales et sociales aussi différentes apparemment que celle de la tribu archaïque, de l'empire esclavagiste de la famille bourgeoise et de la famille socialiste actuelle ont coexisté et coexistent encore, en Russie par exemple, avec les structures linguistiques du slave, qui sont restées parmi les plus proches de celles de l'indo-européen commun.

Le plus intéressant d'ailleurs ici n'est peut-être pas d'incriminer Lévi-Strauss, mais d'observer comment le phénomène de fascination par un grand talent peut jouer sur des lecteurs même avertis : l'hypothèse de Lévi-Strauss est à peu près sur ce point celle de Marr, qui provoqua en Occident des ricanements supérieurs lorsque Staline et/ou les linguistes qui le conseillaient condamnèrent le marrisme en 1950. A ma connaissance, aucun de ceux qui se gaussaient de Marr en 1950 ne s'est aperçu de la palinodie que leur faisait chanter le Lévi-Strauss qu'ils célébraient en 1958.

8

Notre examen ne serait pas complet si nous ne tenions pas compte d'un dernier élément, très important, très visible et pourtant jamais aperçu (ou du moins jamais pris en considération) dans l'utilisation que Lévi-Strauss a faite de la linguistique entre 1945 et 1958. Il s'agit de ses nombreux repentirs, de ses multiples mises en garde, de ses avertissements inlassables sur le caractère hypothétique, fragmentaire et provisoire de beaucoup de ses constructions. Dès 1945, il conseille de ne pas « s'empresser de transposer les méthodes d'analyse du linguiste » (p. 43), de « ne pas négliger non plus la différence très profonde qui existe entre le tableau des phonèmes d'une langue et le tableau des termes de parenté d'une société » (p. 44). Il souligne aussi dès lors « le caractère ambigu des relations qui unissent [les] méthodes [d'une sociologie du vocabulaire] à celles de la linguistique » (p. 45). Toujours à la même date, il précise encore que « le système de parenté est un langage », mais que « ce n'est pas un langage universel » puisque « d'autres moyens d'action et d'expression peuvent lui être préférés » (p. 58) — observation qui, suivie jusqu'au bout, eût pu le mener loin, peut-être vers une bonne sémiologie. Dans l'article de 1951, qui jette les bases d'un isomorphisme entre structure de la parenté et structure du langage *puisque* toutes deux sont des types de communication, tout cela reste présenté comme pouvant paraître, on l'a vu, « des spéculations aventureuses » (p. 71), dont « pourtant, si on nous concède le principe, il découle au moins une hypothèse qui peut être soumise à un contrôle expérimental » (p. 71). La conclusion même de l'article est celle-ci : « Nous n'insisterons jamais assez sur le caractère précaire et hypothétique de cette reconstruction » (p. 74). L'article de 1953 (« Linguistique et anthropologie ») est tissu de semblables réserves (« De telles formalisations sont-elles transposables ?... » [p. 83] ; « sans préjuger de l'issue du débat... » [p. 87] ; « Qu'on ne me fasse pas dire... » [*ibid.*], etc). Même chose en 1956, où il se défend de vouloir « réduire la société ou la culture à la langue » (p. 95) et d'affirmer « que de telles comparaisons [de *certaines* structures linguistiques avec *certaines* structures sociales] seront toujours fécondes, mais seulement qu'elles le seront *parfois* » (p. 98). En 1956 encore, polémiquant avec Jean-François Revel, il demande qu'on le juge sur la typologie (ethnographique) qu'il propose et « non sur des hypothèses psychologiques ou sociologiques [qui ne sont pas] autre chose que des échafaudages, momentanément utiles à l'ethnologue » (p. 374). Le linguiste aurait aimé que la linguistique soit mise au rang de ces simples échafaudages momentanément utiles.

Malheureusement, tant de nuances semblent inefficaces pour notre époque de lecteurs pressés et de lectures simplificatrices qui constituent l'inculture des gens cultivés. Toutes ces réserves sont lues comme des précautions oratoires, oubliées aussitôt que lues. De ces textes qui n'offrent souvent, quant à la validité d'application, qu'un système formel *à démontrer,* les lecteurs ne tiennent pas compte, et n'extraient qu'un système formel *démontré* dans sa validité quant à l'application qu'on en fait à l'anthropologie. Le malheur est, comme nous l'avons vu (à propos de *circulation, échange, communication,* puis de *communication* et *langage*) que Lévi-Strauss lui-même, tout le premier, ne tient pas compte de ses propres mises en garde.

9

Ce qui ressort d'un tel examen, c'est que la linguistique a révélé à Lévi-Strauss la fécondité de la notion de structure, dont il n'y a pas lieu de douter qu'il avait fortement l'intuition depuis longtemps, comme il l'a raconté à Bernard Pingaud (dans le numéro 26 de *L'Arc,* 1965). Il a sûrement été ce structuraliste sans le savoir qu'il décrit et peut-être depuis sa quinzième année — à travers le goût de la collection exotique, peut-être l'amour de la géologie, peut-être celui de la musique, et l'illumination née en 1940 de la contemplation d'un fruit de pissenlit. Mais, ce qui était visible dès 1958, et même auparavant, à travers les textes réunis dans l'*Anthropologie structurale,* c'est que le succès de la linguistique structurale lui a servi seulement d'incitation, de stimulation, de justification, voire d'*autorité,* pour asseoir sa tentative d'utiliser la méthode structurale en ethnologie. Lévi-Strauss a confirmé lui-même cette interprétation (que j'enseignais depuis 1961, sur la foi de l'analyse de ses textes), dans les confidences qu'il a faites en 1965 à Pingaud : « Claude Lévi-Strauss, écrit celui-ci, trouve asile [vers 1943-1944] à l'Ecole des hautes études de New York où Roman Jakobson [...] enseigne la linguistique. Ecoutant ses cours, l'ethnographe apprend qu'un savant qui fait autorité dans sa discipline, non seulement s'est posé les mêmes problèmes que lui, mais les a déjà résolus, mis en forme, et qu'il utilise pour analyser le langage la méthode que, sans le savoir et pour son plaisir, il n'avait cessé d'appliquer à la « lecture » de la musique, d'un paysage ou d'une fleur. Il n'a même pas lui-même inventé le structuralisme. L'aventure a commencé un demi-siècle plus tôt avec le linguiste genevois, Ferdinand de Saussure, etc. » (*L'Arc,* p. 4.)

Tout le problème est alors de savoir si cet emprunt des concepts linguistiques s'est révélé adéquat. Le seul moyen de sauver Lévi-Strauss des critiques qu'on vient de lui faire dans les pages qui précèdent, c'est d'affirmer qu'il n'a pas réduit les phénomènes anthropologiques qu'il décrit à un schéma qui les assimilerait au langage ; qu'il n'a pas emprunté à la linguistique ses concepts et ses notions, ni même ses procédures, mais seulement un modèle abstrait *formel,* qui peut n'avoir d'autre part aucun rapport *substantiel* avec le langage ou la linguistique. Comme on a pu le voir, il n'en est rien. Mais admettons un instant ce point de vue, qui pourrait permettre une évaluation critique de l'apport lévi-straussien : toutes les assimilations métaphoriques des phénomènes anthropologiques à des phénomènes de communication proprement linguistique seraient erronées, ou fragiles, ou très contestables ; au contraire, toutes les utilisations prudentes du modèle abstrait formel extrait de la linguistique structurale seraient valides. En effet, Lévi-Strauss a hésité, ou flotté, entre les deux attitudes. Il a parlé plus d'une fois d' « appliquer le même type de formalisation » (p. 71) à des faits anthropologiques et linguistiques, et a déclaré que « le principe fondamental est que la notion de structure sociale ne se rapporte pas à la réalité empirique, mais aux modèles [formels] construits d'après celle-ci » (p. 305 et suiv.). Mais, en fait, il a toujours privilégié la première attitude, l'attitude métaphorique : parler de langage et de communication comme d'un fait acquis, à propos de phénomènes dont on n'a pas prouvé d'abord, autrement que verbalement, qu'ils possèdent bien les traits *pertinents* d'un langage, ou d'un système de communication. De la sorte, il violait (sciemment) la règle fondamentale des logiciens et des mathématiciens auxquels il doit la notion de modèle formel. Cette règle énonce qu'un système formel est une construction logique hypothético-déductive qui n'est entièrement soumise qu'à ses postulats, ses définitions et ses règles de calcul, et à ce titre n'est soumis qu'à la seule exigence de cohérence logique interne. C'est le stade théorique, le stade du modèle abstrait, du calcul non interprété. Mais, dès que l'on veut passer au calcul interprété, c'est-à-dire à l'application du modèle abstrait formel dans un domaine de la réalité, « la ressemblance à la réalité est requise pour que le fonctionnement du modèle soit significatif » (Neumann et Morgenstern, cités dans l'*A. S.,* p. 306, note 1). Parler de langage ou de communication à propos des systèmes de parenté n'a pas plus de sens que de vouloir faire de la démographie un chapitre de la physique des températures, sous prétexte que dans ces deux domaines, à un certain niveau, on se sert d'équations formelles découvertes d'abord dans le domaine de la thermodynamique.

Le paradoxe est sans doute que cette stimulation trouvée dans la linguistique structurale n'ait pas totalement fourvoyé Lévi-Strauss : à la linguistique, il empruntait des lois générales de toute structure, et des lois spécifiques aux structures linguistiques. Alors que le décalque mécanique des secondes dans le domaine anthropologique le menait à des formulations fallacieuses, l'application des premières lui ouvrait tout le champ de l'analyse structurale stricte en ethnologie. Et il se pourrait que là, parce qu'il raisonnait faux mais sur des figures justes, aucun de ses résultats (sinon ses formulations, quand elles restent « phonologiques » ou « linguistiques » au pied de la lettre) ne soit perdu : par exemple, tout ce qu'il dit de la structure des mythes, abstraction faite de sa volonté que le mythe soit un langage sans l'être tout à fait bien qu'étant beaucoup plus (cf. p. 229-234).

Cela nous amène à l'essentiel : en tant qu'initiateur de l'analyse structurale en anthropologie, l'expérience des contacts de Lévi-Strauss avec la linguistique est irrépétable.

Il faut d'autant plus le dire que Lévi-Strauss a passé et passe encore aux yeux de beaucoup de chercheurs des sciences humaines, psychologues, sociologues, ethnologues, anthropologues et philosophes, pour une sorte de raccourci grâce auquel on pourrait acquérir une formation linguistique sans passer par la linguistique, une espèce de linguistique pour tous (ceux qui ne sont pas linguistes), et de phonologie sans larmes. Or ce rôle d'introductrice au structuralisme, que la linguistique a joué pour Lévi-Strauss, il n'est pas sûr qu'elle doive encore aujourd'hui le jouer pour ses successeurs [9] — sinon pour assurer la lecture critique d'un maître qui n'a pas sans doute fini d'orienter, ni de fourvoyer.

Lors de la cérémonie où il reçut la médaille d'or du C. N. R. S., Lévi-Strauss, une fois de plus fidèle à soi-même, a mis en garde contre un structuralisme « dont la mode n'a que trop tendance à s'emparer ». Il a répété que « le structuralisme n'est pas responsable des abus qu'on commet si souvent en son nom ». Il ajoutait, non moins fortement, que « le structuralisme sainement pratiqué n'apporte pas un message, ne détient pas une clé capable d'ouvrir toutes les serrures, ne prétend pas formuler une nouvelle conception du monde, et se garde de vouloir fonder une thérapeutique ou une philosophie » (*Le Monde*, 13 janvier 1968). La façon la plus profonde d'honorer Lévi-Strauss, et ceci n'est pas dit du bout des lèvres, c'est d'appliquer ces conseils à la lecture de l'*Anthropologie structurale*, où l'ancien philosophe a trop souvent forcé la main de l'anthropologiste, et celui-ci trop souvent aussi forcé celle de l'apprenti-linguiste..

(1969)

---

9. C'est plutôt d'une bonne sémiologie qu'ils auraient besoin.

appendices

1. LES RELIGIONS DE LA PRÉHISTOIRE.

Sous ce titre, et dans ce petit livre d'allure rapide, se dissimule une importante mise à jour concernant — indirectement — nos moyens de réfléchir sur le langage aux temps préhistoriques [1]. C'est un sujet sur lequel on dispose de peu de choses, une fois écartées les hypothèses métaphysiques et psychologiques, généralement invérifiables, sur l'origine du langage. L'article de Tovar, « Linguistics and Prehistory » (*Word*, 10 (1954), n° 2/3) hésitait encore entre quelques généralités (sur l'origine du langage et l'origine de l'homme impossibles à distinguer l'une de l'autre ; ou la possibilité pour la linguistique de remonter le cours de la préhistoire jusqu'à l'origine de l'homme lui-même), et une exploration scientifique mais limitée à la frange la plus récente entre période historique et périodes non encore historiques, définies comme celles où « les textes sont rares, obscurs ou complètement absents » (*Ibid.*, p. 336) : ce qui réduit l'investigation linguistique, sur la préhistoire, aux moyens éprouvés certes mais réduits de l'hydronymie, de l'oronymie, de la toponymie, de l'anthroponymie. La préhistoire de son côté remontait beaucoup plus haut par ses documents capables de fournir des indications indirectes : jusqu'au moustérien évolué (environ — 50 000) pour l'utilisation d'objets ayant déjà peut-être une valeur symbolique, et les premières « incisions régulièrement espacées » sur plaquettes de pierre ; au moins jusqu'à l'aurignacien (environ — 30 000), qui livre d'indiscutables figures gravées ou peintes (Leroi-Gourhan, p. 85). Mais jusqu'ici l'interprétation de ces documents, y compris les « signes » préhistoriques, était scientifiquement pauvre. Elle était demeurée le domaine des spéculations liées à la « divulgation » (p. 77) de l'art préhistorique par l'abbé Breuil, courant dont l'auteur fait ici justice avec une sévérité discrète.

---

1. André Leroi-Gourhan, *Les Religions de la préhistoire*, P.U.F., 1964.

L'ouvrage n'utilise pas ses documents pour essayer d'en déduire des connaissances linguistiques sur la préhistoire. Il se borne à cet égard à poser comme acquise la fonction symbolisante chez l'homme (p. 6 et 78). Mais il vaut d'abord parce qu'il élabore « un inventaire de tout ce que les Paléolithiques ont laissé d'images » (p. 81), entre — 30 000 et — 9 000, inventaire conduit sur 110 grottes ornées connues, et statistiquement élaboré pour les 2 260 figures des 63 grottes « suffisamment bien conservées pour être lisibles » (p. 95).

C'est sans doute sur le problème sémiologique des pictogrammes — lié à l'étude des figures pariétales, p. 95-105 — que l'auteur nous laisse un peu sur notre faim. Sans doute par prudence ; peut-être aussi parce que son thème, l'étude de la religion préhistorique (même à travers son art graphique) ne l'inclinait pas à traiter le problème des pré-écritures : celui du passage des dessins quelconques (s'il en est de tels) aux pictogrammes, puis des pictogrammes liés à une situation à des pictogrammes liés à un énoncé linguistique. Deux phrases suggèrent que les préhistoriens peuvent nous dire plus à ce sujet. La première (n'est-ce qu'une hypothèse ?) reste ambiguë : « De 60 000 à 30 000 avant notre ère, un pas a été franchi, celui du symbolisme graphique. On peut supposer un langage abstrait aux Paléanthropiens, mais de manière gratuite car rien n'en apporte de preuve, tandis qu'à partir du moment où la pensée verbale se double de l'expression graphique, des témoins restent » (p. 144). La seconde promet plus : « L'homme du cheval et du bison a laissé des milliers de figures qui sont, sinon des textes, du moins des vestiges d'une littérature orale qu'on peut traiter comme telle » (p. 76). Il suffira peut-être de signaler que les linguistes et les sémiologues seraient heureux d'avoir une analyse circonstanciée des faits qui permettent d'écrire de telles phrases pour inciter quelque spécialiste de l'anthropologie préhistorique à nous offrir cette étude.

Mais c'est surtout par l'inventaire et l'analyse des symboles ou signes (p. 93-95) préhistoriques, très nombreux, présents dans toutes les cavernes du paléolithique supérieur, que le livre est neuf et précieux. Jusqu'ici leur interprétation était livrée à « de vagues similitudes de formes et des coïncidences ethnographiques » (p. 93). Leroi-Gourhan propose une analyse convaincante, fondée à la fois sur la statistique mécanographique des localisations des signes dans les grottes (p. 82, 93) et leur succession chronologique, depuis l'aurignacien jusqu'au magdalénien récent. Le résultat, c'est — derrière un polymorphisme graphique qui déroutait à première vue, parce que les signes s'étalaient sur 20 000 ans — la réduction à un lot très restreint de « signes » : le groupe α, vraisemblablement lié à l'évocation du sexe mâle, depuis sa figuration réaliste jusqu'à une quinzaine de stylisations de moins en moins identifiables ; et le groupe β, pour le sexe féminin, depuis la vulve reconnaissable jusqu'à toutes ses stylisations (y compris ses « synonymes » : la blessure et la main). Nous n'avons pas à préjuger de l'accueil que les préhistoriens feront à cette thèse. Si elle est acceptée, elle fournira une base de réflexion intéressante à l'histoire de l'écriture, à travers laquelle ainsi que l'a dit Meillet le linguiste peut souvent essayer d'apercevoir le reflet de faits linguistiques en partie identifiables. Ici, dans l'ensemble, on peut dire que cette analyse de « l'art » paléolithique montrerait comme on est encore très loin, avec ces « signes », des idéogrammes ou hiéroglyphes de l'énéolithique immédiat antérieur à la période historique en Chine, à Sumer, en Egypte.

Est-ce plutôt du côté des peintures rupestres (du Tassili, de l'Ennedi, etc.) ou du côté des comptabilités, auxquelles semblent attacher tant d'importance des sumérologues comme Maurice Lambert, qu'on trouvera le passage vers les écritures idéographiques proprement dites ? En tout cas, la linguistique et la sémiologie ont à attendre, chacune à sa façon, des préhistoriens plus qu'elles ne leur ont demandé jusqu'ici sur ce point.

Un autre aspect, curieux, du travail de Leroi-Gourhan — et lui-même l'a bien mis en lumière — c'est que, s'il est correct, il réalise l'analyse structurale d'un système de communication dont il livre toutes les relations distributionnelles, mais dont le sens lui reste inaccessible. On ne possède pas « la clé de la symbolique paléolithique » (p. 105). L'analyse des images fournit « une légende sans paroles » (p. 82). Ou, mieux encore, dit Leroi-Gourhan, de ce commun langage des cavernes « on retrouve la syntaxe » (p. 113), mais non la sémantique, une « réalité de chiffres » (p. 111) dont on ne sait pas les valeurs. C'est, pour le linguiste, une espèce de démonstration presque parfaite de ce que donnerait une description linguistique distributionnelle pure ; et pour le sémiologue, une expérience analogue, celle de phénomènes de communication (probablement) mais dont la structure, peut-être impeccablement mise au jour, ne révélerait pas *ipso facto* la fonction signifiante [2].

(1965)

---

2. Ce texte a été publié dans *La linguistique*, 1965, 2, p. 144-146.

2. LE GESTE ET LA PAROLE.

Ces deux volumes [1] ont l'ambition de présenter une synthèse, fondée à la fois sur l'état présent des faits acquis et sur des vues très personnelles, concernant l'histoire géologique de l'homme comme espèce animale. Cette synthèse fait appel à la paléontologie, à la préhistoire, à l'ethnographie, à la sociologie, à l'esthétique.

Malgré quelques références terminologiques ou conceptuelles au teilhardisme, il ne s'agit pas d'une construction métaphysique, mais d'un exposé aussi proche que possible des données scientifiques. La séparation reste toujours visible entre la présentation des faits et l'interprétation personnelle de l'auteur. La vision teilhardienne est d'ailleurs expressément appréciée comme « une approche mystique puissante, mais qui apparemment est marquée du sceau de toutes les apocalypses » (II, 267).

Dans ces pages, la linguistique trouve une mise à jour sur les problèmes posés par l'origine, ou plutôt par l'âge, du langage. Or, à cet égard on ne possédait guère jusqu'ici que les développements très généraux, et vieux d'un demi-siècle, qu'Henri Berr avait esquissés sur l'œil et la main, la station droite et le cerveau, dans son Avant-Propos à *L'humanité préhistorique* de J. de Morgan, et auxquels il se borne à renvoyer le lecteur dans sa préface au *Langage* de Vendryes.

Depuis cinquante ans, les données de la paléontologie sont devenues beaucoup plus précises et plus sûres. L'auteur analyse en détail les rapports de dépendance qui existent entre capture mobile des aliments et symétrie bilatérale dans le règne animal ; entre vie terrestre et libération de la tête par rapport au squelette ; entre mécanique de la mâchoire (liée à l'alimentation) et structure du crâne ; entre station verticale, libération partielle ou totale des membres antérieurs pendant la locomotion, face courte, et volume du crâne.

---

1. André Leroi-Gourhan, *Le Geste et la parole,* 2 vol., Albin Michel, 1964-1965.

Sur l'âge du langage, Leroi-Gourhan apporte, au nom de la paléontologie et au sien propre, des vues franchement nouvelles. Tout d'abord, les découvertes préhistoriques en Afrique du Sud (Australanthrope, Zinjanthrope) reportent l'apparition de l'espèce *homo* beaucoup plus loin dans les temps géologiques qu'on ne l'imaginait il y a trente ans : vers la fin de l'ère tertiaire, il y a peut-être un million d'années (I, 182), ce qui allonge considérablement les temps d'évolution de tous les phénomènes proprement humains, notamment la communication.

En effet, concernant le langage, Leroi-Gourhan pense qu'on peut se fonder sur deux espèces de « preuves indirectes » : la structure du cerveau, d'une part ; et les rapports entre outillage et langage, d'autre part.

Sur le premier point (I, p. 107-128), l'essentiel est l'observation, chez les animaux puis chez l'homme, du développement continu du cortex en avant du sillon de Rolando. La géographie cérébrale établit que dès l'Australanthrope le cerveau de l'espèce *homo* possède des aires qui lui sont propres, et qui sont celles où se trouvent aujourd'hui les centres d'intégration du langage — alors que ces aires sont absentes chez les grands singes, chez qui le cerveau se trouve emprisonné sans possibilité d'expansion, entre le massif frontal et le massif iniaque. Leroi-Gourhan en tire la conviction que « chez l'Australanthrope et l'Archanthropien, [...] la possibilité topographique des centres d'intégration du langage est présente » (I, p. 314, n. 45 ; cf. aussi I, p. 127 et 169). L'*homo sapiens* y ajoutera le développement des lobes frontaux (I, 169-187).

En second lieu, la préhistoire apporte aujourd'hui la preuve que dès l'Australanthrope il y a fabrication d'outils. Ici, le point d'appui de la thèse de Leroi-Gourhan, c'est que l'outil préhistorique n'est jamais déterminé par « le hasard des fractures » du matériau, mais correspond toujours à un stéréotype [fonctionnel] attesté par des millions d'exemplaires (I, 133). Or, selon lui, « il y a possibilité de langage à partir du moment où la préhistoire livre des outils » :

a) « puisque outil et langage sont liés neurologiquement » (I, 163) ;

b) « puisque l'un et l'autre sont indissociables dans la structure sociale de l'humanité » (*ibid.*) (« Il n'y a probablement pas de raison pour séparer, aux stades primitifs des Anthropiens, le niveau du langage et celui de l'outil puisque, actuellement et dans tout le cours de l'histoire, le progrès technique est lié au progrès des symboles du langage ») ;

c) en effet, toute l'histoire connue montre qu'à partir du moment où il faut choisir entre plusieurs comportements, ce choix entre les chaînes opératoires qui constituent l'apprentissage implique une transmission par le langage (II, p. 20, 26-27, 32, 66).

Les sciences que l'auteur cite à la barre pourront contester ces vues ; mais, pour le linguiste, elles ont le mérite de substituer à beaucoup d'hypothèses gratuites sur l'origine du langage des données objectives — configuration du cerveau, outils — sur lesquelles il y a objectivement prise.

A côté de cette paléontologie du langage, l'auteur propose une analyse absolument nouvelle des origines du graphisme et de l'écriture (notamment I, p. 261-300 ; mais aussi II, p. 67-68 et 139-162). Sa thèse est que les premiers graphismes (— 35 000 environ) sont probablement des tracés conventionnels, abstraits, servant vraisemblablement de support mnémotechnique à « un contexte oral irrémédiablement perdu » (I, p. 266). (La base de cette thèse est le *churinga* des Australiens.) La conséquence importante en serait que « l'art figuratif est, à son origine, directement lié au langage, et beaucoup plus près de l'écriture au sens le plus large que de l'œuvre d'art » (I, p. 266). Ces tracés primitifs ne sont pas des *pictogrammes,* en ce sens que les dessins ne sont pas lisibles comme une histoire : il faudrait en connaître le contexte oral pour les interpréter : ce sont des *mythogrammes,* au sens propre (I, p. 268, 275). L'auteur connaît les autres hypothèses sur les origines de l'écriture (encore que sa bibliographie sur ce point ne mentionne que Marcel Cohen, seulement pour *L'Ecriture,* 1953 ; et J.-G. Février, 1948). Il les rejette un peu vite à notre gré : d'une part, dit-il, les seules vraies pictographies que nous connaissions (Esquimaux, Indiens) sont postérieures au contact des groupes sans écriture avec des voyageurs ou colons des pays à écritures (I, p. 269-270) ; d'autre part, les liens entre origine des écritures et procédés comptables (I, p. 270) sont sans doute réels, et peut-être très importants pour le passage à l'écriture linéaire, mais ils sont très postérieurs au symbolisme paléolithique « churinguien » et ne suffisent pas à rendre compte de l'histoire tout entière de l'invention de l'écriture. C'est tout le schéma classique : pictogramme > idéogramme > phonogramme, qui est remis en cause.

Nul doute qu'un ensemble de vues aussi neuves ne doive faire discuter. C'est le sort de toutes les synthèses, qui sont de plus en plus nécessaires à nos sciences éparpillées. On ne peut que remercier l'auteur d'avoir eu le courage d'affronter ce risque. On chicanera sûrement quelques-unes de ses extrapolations teilhardiennes. On aurait tort de ne voir qu'elles -— qui occupent au demeurant peu de place — dans l'ouvrage [2].

(1964)

---

2. Ce texte a été publié dans *La Linguistique*, 1966, 2, p. 139-141.

3. Peinture et langage.

Le sujet du livre de René Passeron, *L'Œuvre picturale et les fonctions de l'apparence* (Paris, Vrin, 1962) n'est rien d'autre que ce problème : la peinture est-elle un « langage » [1] ? Son mérite est de l'aborder de face, et de le traiter sans littérature sur la peinture.

L'ouvrage est une description de l'acte de peindre à partir de toutes ses données, des plus matérielles comme le subjectile, jusqu'aux plus immatérielles comme le contenu du tableau pour le peintre et pour l'amateur. A la fois philosophe, chercheur en psychologie comparative, bon connaisseur de Saussure et peintre, Passeron réalise une enquête interdisciplinaire de type rare, sur laquelle il appartient aux philosophes, aux esthéticiens, aux psychologues, aux critiques d'art de se prononcer. Mais il consacre une trentaine de pages centrales, à « La Peinture comme langage », trop intéressantes aux yeux du linguiste pour qu'on ne le dise pas bien haut : le livre, un peu ardu peut-être, est important pour tous ceux qui s'intéressent à la sémiologie.

Pendant trop longtemps, dire que la peinture est langage a été une métaphore commode. Tous les moyens qu'ont les hommes de communiquer entre eux, et peut-être d'exister ensemble, étaient nommés langages. Les linguistes ont réagi contre cet emploi lâche du terme en montrant que les langues naturelles ont des propriétés très spécifiques, qu'on ne retrouve pas dans les autres moyens ou systèmes de transmission qu'emploient les hommes entre eux : rites, spectacles de toutes sortes, arts plastiques, etc.

Au lieu de poser *a priori* que la peinture est ou n'est pas un langage, puis d'essayer de le démontrer, Passeron cherche ce qu'est, spécifiquement, la peinture. Après avoir décrit les conditions de l'élaboration du tableau, il aboutit à cette constatation que, même considéré comme objet, celui-ci existe,

---

1. Voir aussi, du même auteur, *Clefs pour la peinture*, p. 116-135.

non pas comme objet, mais parce qu'il transmet quelque chose à quelqu'un. La peinture entre alors, objectivement, dans le domaine des moyens de communication entre hommes.

Passeron rejoint ici les linguistes qui distinguent aujourd'hui la fonction de communication du langage, consciente et voulue, d'avec sa fonction d'expression, toujours involontaire, par laquelle le locuteur ne cherche pas à communiquer d'abord quoi que ce soit à qui que ce soit, mais *s'exprime* au sens propre, s'extériorise, se manifeste pour soi. Ce qui explique pourquoi le sens du tableau peut être si différent de son sujet ; pourquoi ce sens « n'est pas forcément celui que l'intention créatrice de l'artiste voulait lui donner » ; pourquoi le tableau peut « signifier quelque chose sans le vouloir, avouer inconsciemment, se livrer — avec son caractère, son passé, ses désirs — sans intention expressive, et même en dépit d'une intention de rester secret ». La peinture serait donc, au départ, non pas un moyen de communication, mais un moyen d'expression. C'est la distinction de Meyerson pour qui l'expression (de soi), à la différence de la communication par signes ou symboles, transmet quelque chose uniquement comme le résultat d'une conduite humaine *interprétable*.

Ainsi, la peinture ne transmettrait d'abord qu'une conduite du peintre, « inexprimable sans doute par le langage articulé », avec « les sentiments et les expériences vécues qui trouvent en lui une sorte d'exutoire ». L'originalité de Passeron, sur ce point, est de ne pas s'immobiliser sur ce résultat de son analyse : puisque la peinture a comme objet premier et profond non pas la communication, mais la pure expression de soi, ce n'est pas un « langage » ; et le problème est résolu. Non : puisque la peinture, ensuite, est regardée, exposée, vendue, elle devient moyen de propager quelque chose : il n'y avait donc pas là un, mais au moins deux problèmes. De la même façon, dit Passeron, le pont de Tancarville exprime un aspect du génie humain, alors qu'il est fait pour traverser une rivière. Si la peinture, d'abord expression, devient peut-être ensuite communication, c'est parce que les amateurs commencent à regarder le tableau comme l'anthropologue regarde le pont de Tancarville : ils interprètent à travers lui des indices d'une richesse affective, d'un tempérament, servis par une prestesse technique ; ils enrichissent continuellement leur sensibilité en associant des peintures à des états émotionnels d'expérience quotidienne ou picturale : c'est finalement toute l'histoire qui transforme la peinture en moyen de communication. « Le « signe » pictural (si l'on accepte encore de nommer ainsi le tableau), d'abord inventé par le peintre, et gratuit en un certain sens, trouve *a posteriori* un signifié dans la communauté d'expérience émotionnelle entre le peintre et ceux qui regardent sa peinture. « Si tout signe pictural inventé devient symbole, c'est parce que certains amateurs ultra-sensibles, très attentifs à toute peinture nouvelle, feront du signe nouveau le symbole des émotions qu'ils auront reçues de la nouveauté même de cette peinture. » De cette façon, et de cette façon seule, « la peinture la plus éloignée des traditions et des habitudes prend son statut de peinture authentique dès qu'elle se fait langage », par l'adoption qu'en fait une communauté pour y reconnaître quelque chose : elle ne se fait moyen de communication que par un processus historique. Ainsi se trouve justifié le mot paradoxal de Picasso, que la peinture, cela s'apprend, comme le chinois.

L'ultime originalité de cette analyse, c'est qu'elle ne s'en tient pas encore là. Passeron pouvait légitimement se satisfaire de sa démonstration de la dialectique du tableau, qui, né comme expression, se transforme en moyen de communication. Mais le saussurien en lui se pose une dernière fois la question : La peinture invente-t-elle finalement des signes au sens linguistique du terme ? Bien qu'il ait parlé du tableau comme un signifiant ou comme un signe pictural, et de la peinture comme un langage, ses analyses et ses conclusions sont plus strictes que son vocabulaire. La peinture, dit-il, n'invente pas vraiment de signes, elle ne se laisse pas non plus facilement ramener à un langage. Il va trop vite en disant que, « créant des signes au sens strict, elle cesserait aussitôt d'être moyen d'expression » : toutes les langues naturelles, systèmes de signes, cumulent en effet sans incompatibilités ces deux fonctions, la communicative et l'expressive (et peut-être, dans une histoire de la peinture, saisirait-on le passage de l'indistinction de ces deux fonctions à la volonté de plus en plus délibérée de privilégier la seconde ?). Mais Passeron marque bien que la peinture n'a pas de signes parce qu'elle ne fonctionne pas au moyen d'unités stables et définies une fois pour toutes — sauf les conventions de la mauvaise peinture. Elle est chaque fois construction unique, et non système avec lequel on puisse construire indifféremment des milliers d'énoncés picturaux. Plus encore, Passeron souligne que le regardeur d'une peinture « n'entrera jamais en dialogue avec le peintre », au sens où le locuteur et l'interlocuteur communiquent entre eux. La communication par la peinture est à sens unique, jamais réversible (l'action d'un public sur le peintre est autre chose), jamais réciproque. Est-ce que, quand nous regardons un tableau de Piero della Francesca, nous pouvons dire que celui-ci communique avec nous, ou bien qu'il nous communique quelque chose ? Et nous, communiquons-nous avec lui ? Ne faudrait-il pas plutôt dire qu'il agit sur nous ? Que nous nous projetons en lui ? En suggérant ces questions, Passeron dégage la peinture des métaphores sur le langage pictural, qui, fournissant des réponses métaphoriques, masquent notre ignorance de ce qui se passe vraiment. Parler de la peinture comme langage a sans doute été une première hypothèse de travail utile ; mais démontrer que la peinture ne fonctionne pas comme le langage nous met sur la voie des vraies recherches. Pour en saisir la spécificité, sans doute faudra-t-il au moins provisoirement dire de la peinture ce que Martinet dit du langage : « Il est probable que les rapports de l'homme et de la peinture sont de nature trop particulière pour qu'on puisse ranger celle-ci dans un type plus vaste de fonctions définies. » Quand tous ces moyens ou systèmes différents auront été soigneusement décrits dans ce qu'ils ont de *sui generis,* alors la sémiologie pourra les regrouper selon leurs ressemblances, s'il y en a, mais seulement plus tard. Et sans doute la psychologie expérimentale, la psychologie sociale, l'histoire et la sociologie se révéleront-elles plus aptes que l'allégorie linguistique (sur le vocabulaire de Klee, la grammaire de Mondrian, la syntaxe de Kandinski, etc.) à nous dire ce que l'homme fait vraiment quand il regarde un tableau [2].

(1964)

---

2. Ce texte a été publié dans *Le Monde,* 14-15 juin 1964.

4. LA SÉMIOLOGIE GRAPHIQUE.

La sémiologie, telle que l'avait rêvée Saussure, est la science générale des signes, c'est-à-dire de tous les systèmes de communication dictincts des langues naturelles. Jusqu'au maître de Genève (et même ensuite) on a confondu par décret tous ces systèmes sous le nom de langage, ou de langages, sans s'assurer au préalable s'ils avaient tous le même type de fonctionnement que les langues naturelles, les mêmes types d'unités, les mêmes types de règles de combinaison de ces unités entre elles : bref, s'ils appartenaient bien à la même famille de systèmes de communication que les langues. Saussure avait suggéré d'étudier de ce point de vue les écritures elles-mêmes, qui ne parallélisent pas exactement le langage parlé, l'alphabet des sourds-muets, les rites symboliques et les coutumes, les formes de politesse, la pantomime, les signaux visuels (comme les codes maritimes), la mode. Vaste programme, pour lequel l'intérêt ne s'est réveillé vraiment qu'après 1950.

Parmi ces systèmes de communication, très efficaces, entre les hommes, il y a le dessin, la représentation graphique en général ; et c'est le fonctionnement de ce système que décrit scientifiquement pour la première fois la *Sémiologie graphique* de Jacques Bertin [1]. Pour se rendre compte de la place qu'a prise dans notre civilisation ce moyen de communiquer, que l'on compare le grand atlas de Drioux et Leroy, en 1887, qui offre un seul diagramme pour une centaine de cartes, avec n'importe quel atlas scolaire actuel, où le nombre des graphiques ou schémas, diagrammes et cartons, représente le double ou le triple de celui des cartes, au moins quelques centaines. Ici aussi Saussure est un précurseur, et le célèbre *Cours de linguistique générale* offre une vingtaine de figures dont une bonne moitié de dessins : d'ailleurs instructifs, par leur côté archaï-

---

1. Jacques Bertin, *Sémiologie graphique*, Gauthier-Villar et Mouton, 1967, 431 p.

que et métaphorique, graphiquement balbutiants, souvent moins clairs à lire que le texte qu'ils veulent illustrer. Bertin a raison, il va falloir enseigner la communication graphique, l'art de transcrire une information donnée, d'un système de signes quelconques, — souvent une langue, — en un système de signes graphiques, exactement comme on a enseigné à lire et à écrire à tout le monde il y a un siècle. Cet art est beaucoup moins connu qu'on ne le suppose, quand on fait confiance aux dessinateurs comme on faisait confiance aux écrivains publics autrefois : soit parce que le dessinateur n'est qu'un copiste agent d'exécution, et n'a pas les qualités qu'il faut au « rédacteur graphique » ; soit parce qu'il est séduit, c'est-à-dire fourvoyé, par la recherche d'effets esthétiques ou typographiques aux dépens des lois de construction ou de lisibilité du dessin.

L'imposant ouvrage de Bertin est donc un traité, organique et complet, de traduction graphique. Il étudie d'abord comment le rédacteur graphique extrait d'un document, formulé dans un code-source, les signifiés qu'il va devoir transcrire dans un code-cible graphique : c'est l'analyse de l'information. Il recense ensuite les moyens de l'information : les signifiants qui constituent le code graphique lui-même, c'est-à-dire les unités graphiques minimales : points, lignes, zones. Puis les unités plus nombreuses qu'on peut construire à partir des premières en faisant varier leur taille, leur valeur (du noir au blanc, par tous les gris perceptibles), leur grain (variation de la finesse des constituants d'une tache : points ou lignes), leur couleur, leur orientation, leur forme. Puis les grandes classes de représentations graphiques qu'on peut construire avec elles : diagrammes, réseaux, cartes, symbolismes graphiques. Il dégage enfin les propriétés fonctionnelles de ces hiérarchies d'unités graphiques, ainsi que leurs règles de construction, et de lisibilité.

On aurait tort d'imaginer, sur le vu de cette table des matières à peine commentée, qu'il s'agit là d'un simple manuel, ou même traité, de dessin technique à l'usage des dessinateurs et des typographes, et rien de plus. En fait, l'ouvrage mérite à plein son titre, il donne la théorie complète de la sémiologie graphique. C'est même la première théorie organique d'un système sémiologique (ou sémiotique) autre que les langues naturelles. La tentative de Roland Barthes, de construire une espèce de psychanalyse sociale des comportements (mode, cuisine, etc.) a été conduite, dans ses *Eléments de sémiologie,* à partir d'un certain nombre de concepts empruntés à la linguistique structurale : langue et parole, signifié et signifiant, code et message, diachronie et synchronie. Mais ces

concepts, copiés empiriquement et provisoirement *a priori,*
puis plaqués du dehors sur une réalité sociale donnée, non
linguistique, aboutissent à parler de tous ces faits sociaux
comme de langages, sans avoir démontré s'il y a par leur
truchement communication ou autre chose, et de type linguistique ou non. D'où les impasses qui ont fait que Barthes
publie des essais, stimulants certes, plus que des travaux
convaincants. Christian Metz, qui a suivi d'abord la même
voie pour essayer d'analyser la communication filmique, s'en
dégage peu à peu parce que les concepts linguistiques ne
s'appliquent pas comme des calques sur la réalité cinémato-
graphique. La seule tentative d'analyser un système (peut-être)
de communication non linguistique sans recourir *a priori* au
schéma linguistique a été *L'œuvre picturale et les fonctions
de l'apparence,* de René Passeron — livre qui serait plus
connu s'il portait son vrai titre : c'est au moins l'ébauche
poussée d'une *Sémiologie de la peinture.*

Les analyses de Bertin sont capitales sur le plan méthodologique en matière de sémiologie parce qu'il est parti de la
réalité graphique brute, sans présupposés, ni emprunts conceptuels à la trop tentante linguistique structurale. Les structures
qu'il met en évidence sont les structures spécifiques du code
graphique, déduites de son propre fonctionnement, presque
toujours sans parallélisme avec celles de la linguistique, sauf
au niveau le plus général du code, du signifiant et du signifié.
Par exemple, les unités graphiques minimales universelles :
dimensions du plan, taille, valeur, grain, couleur, etc., sont-elles
des unités oppositives et distinctives ? Oui. Mais sont-elles
assimilables aux phonèmes de la linguistique ? Ou aux traits
pertinents ? Ne sont-elles pas en même temps des unités significatives minimales, des monèmes ? C'est probable ; et Bertin
se serait perdu à vouloir faire entrer dans un cadre linguistique *a priori* les réalités qu'il découvre ici. Et ce qu'il appelle
« l'image », cette unité graphique saisie comme réponse unique
à une question, sur un schéma, dans un moment de perception,
est-ce là le monème, ou le mot ? ou déjà la phrase minimale
puisque c'est un rapport ? Et les diagrammes, les réseaux,
les cartes, unités supérieures construites à partir des précédentes, seraient-ce encore des phrases, ou déjà des discours
au sens linguistique ? Ni l'un ni l'autre, et Bertin fait bien
de ne pas chercher de telles traductions linguistiques : il
s'agit chaque fois d'un ensemble de messages coprésents dans
un espace, où l'analyse d'un regard sélectionne à un moment
donné le message utile. Au lieu de tâtonner à la recherche
de parallélismes hasardeux ou forcés entre linguistique et dessin, Bertin a pris le taureau par les cornes, et gagné son pari.

Au laboratoire de cartographie de l'Ecole pratique des hautes études, par un effort interdisciplinaire dont témoignent les seize noms qui escortent celui de Bertin sous le titre, la communication graphique a façonné son instrument de travail optimum, et trouvé par surcroît ce qu'elle ne cherchait pas, le Saussure de la sémiologie graphique [2].

(1968)

5. MESSAGES ET SIGNAUX.

Voici la plus récente des publications du seul linguiste qui depuis quinze ans s'est donné pour tâche de constituer la sémiologie rêvée par Saussure, puis esquissée solidement par Buyssens dans *Les Langages et le discours* (Bruxelles, 1943 ; réédité en 1967 comme partie de *La Communication et l'articulation linguistique,* Bruxelles)[1]. Depuis quinze ans, le mot *sémiologie* (ou *semiotics,* ou *sémiotique*) est devenu un mot à la mode, sans véritable bénéfice encore visible pour cette théorie des systèmes de communication, dont Prieto reste à ma connaissance le seul représentant sérieux. Passeron, dans *L'Œuvre picturale et les fonctions de l'apparence,* et Bertin, dans sa *Sémiologie graphique* sont les seuls, à côté de lui, à avoir fourni des contributions importantes à la description de deux systèmes sémiologiques particuliers, la peinture et la représentation graphique ; tandis que Christian Metz essaie de voir clair dans une sémiologie du cinéma, qui est très loin encore d'être élaborée même dans ses grandes lignes (voir ses articles, réunis dans *Essais sur la signification au cinéma,* Klincksieck, 1968).

Comme Prieto est un chercheur au sens propre, qui ne semble pas avoir construit une thèse ou une hypothèse *a priori* pour essayer de la faire cadrer ensuite avec les faits, son œuvre s'est développée pas à pas, lentement, depuis ses articles, « Signe articulé et signe proportionnel » (*B. S. L.,* 1954), « Contributions à l'étude fonctionnelle du contenu » (*T. I. L.,* 1956), « Figuras de la expresión y figuras del contenido » (*Miscelánea Martinet,* La Laguna, 1957), « D'une asymétrie entre le plan de l'expression et le plan du contenu » (*B. S. L.*), jusqu'à sa « Sémiologie » (dans le volume *Langage* de l'Encyclopédie de la Pléiade) et jusqu'à ses *Principes de noologie* (La Haye, Mouton, 1964), en dix ans de véritable « work in progress ». Ce serait une erreur de penser que *Messages et*

---

1. Luis J. Prieto, *Messages et signaux,* P. U. F., 1966.

signaux est uniquement la synthèse organique, en langage plus accessible, dans une collection propédeutique, de ces dix années de recherches. En fait, d'une part ce petit volume reste d'une lecture assez ardue, et d'autre part il représente une formulation plus complète, plus riche et plus vaste que tous les textes antérieurs.

Le point de départ de Prieto était le désir d'analyser comment fonctionne le système des signifiés d'une langue : recherche purement linguistique au départ. Mais, dès 1960, avec « La Sémiologie », il s'est trouvé conduit, pour analyser ce fonctionnement, à considérer d'autres systèmes non linguistiques, et son œuvre est sûrement aujourd'hui le répertoire le plus étendu d'analyses ou d'esquisses de ces systèmes, code de la route, feux de signalisation, codes maritimes, sémaphores des marées, signaux par pavillons, utilisations diverses des chiffres, etc. Il est donc passé d'une espèce de sémantique structurale à la sémiologie saussurienne. Son recours au terme *noologie* semblerait indiquer qu'il distingue ses analyses d'une sémiologie, pour mieux marquer — c'est le sous-titre de ses *Principes* — qu'il recherche les fondements d'une théorie fonctionnelle du signifié, et non pas une description et une classification de tous les systèmes de signes. Dans son dernier ouvrage, il ne consacre que les douze dernières pages à cet aspect de la question.

Le principal mérite de ce dernier volume, comme du précédent d'ailleurs, c'est la rigueur axiomatique de sa démarche. Il définit explicitement et formellement tous ses termes de base. Ses définitions sont toutes fondées sur des critères objectifs opératoires : par exemple, l'indice est « un fait immédiatement perceptible qui nous fait connaître quelque chose à propos d'un autre fait qui ne l'est pas » (« Sémiologie ») ; le signal est un fait « produit pour servir d'indice » (*ibid.*), donc « un indice artificiel » (*Messages,* p. 15 ; cf. aussi p. 41). De plus, il se tient à l'usage univoque de ces définitions, sans aucune contamination de l'usage littéraire ou quotidien. Toute l'analyse descriptive de l'acte sémique (acte de communication), Prieto s'astreint à la faire en termes de théorie des ensembles, et c'est peut-être la partie la plus instructive de son ouvrage, parce que cette théorie ici n'est pas utilisée comme un élément extérieur, à la mode littéraire du jour (on peut tout décrire en termes de la théorie des ensembles : le problème est de savoir si on y gagne d'apprendre ou d'apercevoir quelque chose qu'on ne savait ou qu'on ne voyait pas). Il se trouve que le fonctionnement d'un signal obéit à une logique interne — sens exclu, sens admis, sens favorisé — qui ne peut être adéquatement décrit qu'en termes logiques d'exclusion, d'inclusion et d'intersection. C'est probablement une liaison authentique entre logique et communication (et non pas entre logique et langage, ou langue) que Prieto redécouvre et manifeste ici, peut-être pour la première fois depuis qu'on parle de logique formelle en linguistique. Il fait bien sentir par contrecoup qu'on utilisait souvent jusqu'ici cette logique formelle pour décrire ou classer des faits linguistiques, et non pour expliquer l'acte de communication lui-même. Ce serait donc un contresens de critiquer la lenteur et l'apparente lourdeur de sa démarche, d'y trouver un excès de formalisation logique hors de proportion avec le résultat qu'on en tire. Un contresens aussi de déplorer qu'il perde tant de temps à nous démontrer par le menu quelque chose qui est en sémiologie l'équivalent des trente-deux propositions d'Euclide, alors que nous brûlons de faire des mathématiques linguistiques supérieures. Il suffit de comparer l'utilisation de la logique formelle chez Prieto avec celle qu'en faisait Hjelmslev dans les *Prolegomena* ou dans « La Stratification du langage » (*Word,* 10, 1954) pour mesurer la différence entre une application extrinsèque, arbitraire, de cette même logique, à un objet dont on n'a pas saisi la logique interne, et auquel on applique du dehors une espèce de façade logique plus ou moins euristique. L'apparente simplicité des exemples sémiologiques analysés chez Prieto (le bâton blanc des aveugles, la numérotation des chambres d'hôtel ou des autobus parisiens, les numéros de téléphone) ne doit pas dissimuler que l'analyse est ici fondamentale au sens propre. Elle explicite la démarche sémiologique la plus rigoureusement scientifique. Elle est l'apprentissage obligé des éléments « euclidiens » de cette science. Et Barthes à mon avis commettait sa plus grave erreur de méthode lorsque, cherchant à fonder l'analyse sémiologique de certains phénomènes sociaux déjà très complexes, il voulait, par impatience et par ignorance, sauter pardessus cet apprentissage, et faire l'économie de ces « éléments » trop élémentaires, et mentionnait avec trop de dédain ce fait que « la sémiologie n'a eu jusqu'ici à traiter que des codes d'intérêt dérisoire, tels le code routier » (*Communications,* 4, 1964, p. 1). Il y perdait la possibilité d'acquérir la formation scientifique nécessaire à ses propres recherches.

Ainsi donc, quand on retrouvera dans *Messages et signaux* tel ou tel concept familier depuis Saussure, ou Hjelmslev, ou Martinet, il ne faudra pas se hâter de penser que Prieto retraduit purement et simplement ces concepts en termes de logique formelle. Par exemple, à propos du fonctionnement de l'indice (« fournir une indication »), il dit ceci : « Une indication est toujours l'indication d'une classe. Mais, puisqu'une classe n'est ce qu'elle est que par rapport à son complément, et réciproquement, son indication implique nécessairement l'indication de son complément. C'est-à-dire qu'on ne saurait jamais indiquer une classe et seulement une classe : on indique toujours un couple de classes complémentaires » (p. 21). C'est vrai que c'est Saussure et son affirmation selon laquelle le signe est « purement négatif et différentiel ». Mais qu'on y prenne garde : l'analyse de Prieto explique le pourquoi logique de ce dont Saussure n'avait que la perception globale empirique. De la même manière, on pourrait d'abord penser que, dans sa section III, 7 (p. 38), Prieto ne fait que dire de façon moins imagée, et beaucoup plus ardue, ce que Saussure disait dans son fameux schéma de la page 156 du *Cours,* sur « ce fait, en quelque sorte mystérieux, que la pensée-son implique des divisions et que la langue élabore ses unités en se constituant entre deux masses amorphes ». Mais, là aussi, si on relit les deux textes côte à côte, on verra que Prieto fournit la démonstration logique de ce que Saussure lui-même ne réussissait à figurer, selon ses propres termes, que « très approximativement » (p. 156). Tout le long développement concernant « l'économie du coût » (p. 79-104) décrit minutieusement quelque chose que Martinet disait en quelques lignes dans « La double articulation du langage » (*T. C. L. P.,* 1949) : « On peut certes concevoir un système de signes arbitraires correspondant chacun à un type particulier de situation ou d'expérience » (cité d'après *La linguistique synchronique,* 1965, p. 16). Et les pages 107-113 de Prieto développent elles-mêmes, apparemment, quelques autres lignes du même article : « On pourrait certes envisager un système où, à chaque signifié, correspondrait un signifiant phoniquement homogène et inanalysable » (*ibid.,* p. 17). Mais ces développements, ici encore, sont des démonstrations logiques définitives. Martinet signalait déjà dans son propre texte qu'il avait « généralement dérouté les recenseurs du volume qui estimaient sans doute n'y retrouver que des vérités [...] faisant donc aisément figure de truisme » (*ibid.,* p. 26). La même attitude, vingt ans plus tard, à l'égard de Prieto, perdrait tout le bénéfice qui s'attache ici à démontrer ces « choses qui vont de soi » et dont la démonstration est souvent la marche de la science même. Il n'y a ni excès de logicisme ni excès de formalisation chez Prieto. Jamais il ne met dans son texte plus de logique qu'il n'est nécessaire : mais qu'on aille lire la section V, 6 (p. 66-67) et l'on verra ce que cette méthode austère et rigoureuse peut donner pour établir la liaison de base entre *structure, ensemble* et *logique,* par exemple.

Il y aurait encore beaucoup à dire et à glaner, sur ce petit livre essentiel. Par exemple, tout ce qu'il dit, avec beaucoup de prudence et de réalisme (pour un logicien) sur la notion de code (p. 34, 41) serait une bonne base pour réfléchir sur ce concept plus difficile à manier que beaucoup ne le croient. D'un point de vue tout à fait différent, tout ce qu'il dit sur le rôle des *circonstances* (définies p. 13 et 50) dans l'établissement de la communication est, ici aussi, la démonstration logique rigoureuse de ce dont Bloomfield n'avait fourni que l'intuition : la place théorique centrale de la notion de situation dans la communication (cf. aussi p. 14 et 118-127). On est même étonné qu'une linguiste aussi avertie que Jacqueline Thomas puisse écrire, en croyant corriger ce qu'elle avait dit dans *Le Parler Ngbaka* (p. 69-70), que « la notion de situation nous paraît extralinguistique, indéterminable et plutôt psychologique » (*La Classification nominale dans les langues négro-africaines,* C. N. R. S., 1967, p. 31, note 5). On peut même penser qu'en apportant la preuve logique du caractère fonctionnel des circonstances dans l'acte de communication, Prieto règle plus qu'un problème technique : il fournit probablement l'une des preuves les plus radicales du caractère social de la communication linguistique, liée à un appui sur le monde extérieur d'abord et foncièrement — et non accessoirement —, plutôt qu'à un mystérieux rapport interne originaire entre la pensée conçue comme première et le langage vu comme son produit nécessaire externe. Il s'agit là d'une incursion de bon aloi dans la « philosophie du langage », comme on disait autrefois, dont Prieto a placé très subtilement et très discrètement l'énoncé complet dans les six premières pages de son introduction, sous le titre : « Homme et signal », texte bref où tout est à peser [2].

(1969)

---

2. Ce texte a paru dans la revue *Lingua,* Amsterdam, vol. 22, n° 4, 1969, p. 384-389.

6. La communication et l'articulation linguistique.

C'est un plaisir de rendre compte de ce livre d'Eric Buyssens, et d'abord parce que c'est une occasion d'en évoquer la première édition (*Les langages et le discours,* Bruxelles, 1943, 98 p.), ainsi que l'influence de celle-ci, sur un nombre de linguistes trop restreint d'ailleurs. La date où il paraissait, le lieu même, l'incuriosité qui régnait encore à cette date au moins pour un public de langue française en ce qui concernait la linguistique structurale, le trop superbe isolement de la linguistique américaine même après 1945, expliquent assez qu'il soit resté trop ignoré de beaucoup, qui auraient dû s'en nourrir — malgré l'insistance de Martinet, et de Prieto, qui le signalent inlassablement à leurs lecteurs et à leurs étudiants. Charles Morris paraît l'ignorer totalement dans *Signs, Language and Behavior* (1950), et c'est bien dommage ; Borgstrom aussi, dans son grand article de *Norssk Tidsskrift for Sprogvidenskap* (1947). Barthes semble l'avoir lu trop tard, et sous-estimé gravement. On ne dira jamais assez que ce petit livre en moins de cent pages fondait véritablement la réflexion sémiologique.

Nous n'avons pas l'intention de procéder ici à la comparaison des deux éditions. L'auteur dit dans sa préface (p. 7) que « la première partie constitue une édition remaniée et augmentée de la partie correspondante du travail primitif », laquelle traitait de la sémiologie. Et que, « dans la deuxième partie, réservée aux langues, d'importants changements ont été apportés ». Ce serait une investigation historique instructive que l'étude de ces remaniements et de ces changements ; tout autant que celle des concepts déjà élaborés, maintenus et développés (les notions de « discours », de « rhèse », de « modalité » par exemple ; la notion d' « articulation », déjà posée page 61 de la première édition). On y verrait le cheminement d'un esprit théoricien à travers les théories des autres, ses réactions et ses adhésions, souvent très peu apparentes à ras de texte. Ce serait un autre travail, qui mérite d'être fait. On n'en relèvera ici qu'un aspect : parce que le livre de Buyssens est, et doit rester longtemps encore un manuel classique d'introduction à la sémiologie, il faut signaler que la bibliographie de la page 13, qui nomme Vendryes pour un article, Lévi-Strauss, Barthes et l'auteur de ces lignes, est beaucoup trop succincte. On doit au moins faire état de René Passeron, de Christian Metz, de Jacques Bertin, de G. Saint-Guirons, dont l'article « Quelques aspects de la musique considérée d'un point de vue linguistique » (dans *Etudes de linguistique appliquée*, 3, 1964) est sans doute dans ce domaine la première tentative, un peu étroite encore et formelle, à côté de *La Perception de la musique*, de Robert Francès (Paris, Vrin, 1958). Sans parler du Livre déjà évoqué de Morris, ni oublier les *Collected Papers* (Harvard University Press, 1960) de C. S. Peirce, toujours à méditer, sinon à suivre. Du côté de la communication animale existent les travaux de von Frisch, ceux de Konrad Lorenz (bien vulgarisés maintenant dans son volume *Il parlait avec les mammifères, les oiseaux, et les poissons*, Paris, Flammarion, 1968), et ceux de Kohler. Travaux dont on retrouvera un panorama chez Thomas A. Sebeok : « Communication in animals and in Men « (*Language*, 39, 1963) ; repris dans Joshua A. Fishman (*Readings in the Sociology of Language*, Mouton, 1968). Les ouvrages classiques de G. A. Miller (*Langage et communication*, Paris, P. U. F., 1956) et de Colin Cherry (*On Human Communication*, New York, Wiley, 1957) ne peuvent pas encore être négligés non plus. L'absence la plus sensible dans la bibliographie est celle de Luis J. Prieto, avec ses *Principes de noologie* et *Messages et signaux,* parce qu'il s'agit sûrement du meilleur lecteur qu'ait jamais eu Buyssens.

Ce qui frappe encore aujourd'hui dans ces quelque soixante pages de la nouvelle édition, c'est d'abord le côté ouvert d'un esprit curieux de tout : moins dans le domaine psychologique, où c'était normal entre 1920 et 1940, comme le montrent bien les grands numéraux spéciaux du *Journal de Psychologie,* ou *Le Langage* de H. Delacroix, que par l'attention apportée à la communication animale et à l'apprentissage du bébé considéré non pas du point de vue psychologique descriptif traditionnel, mais du point de vue fonctionnel de la communication sociale (p. 12, 21, 23, 27, 41, 44, 53, par exemple). D'ailleurs, ce qui ressort ici, c'est aussi l'insistance de l'auteur sur son point de vue « sociologique » (p. 7, 11, 14-15, 17-18, 27-28, 46, 54, 77, 90). On pourrait penser qu'il n'y a rien là d'original au temps de Meillet. Au contraire : Buyssens ne se place jamais au point de vue sociologique de ce dernier, presque toujours celui de l'explication des changements linguistiques par des facteurs sociaux ; mais toujours au point de vue du fonctionnement du langage dans l'établissement des rapports sociaux. En 1943, avec cette netteté, la chose est encore rare.

Ce qui frappe aussi, c'est justement cette netteté des formulations, leur limpidité constante. En quinze lignes (p. 15), il dit la même chose, de façon transparente, que le long exposé embarrassé de Bloomfield sur la « meaning » et ses « large-scale processes which are largely the same in different people », opposés aux « processus obscurs, hautement variables, très différents d'un locuteur à l'autre, mouvements musculaires de sécrétions glandulaires, tous processus non directement observables [*microscopic*] qui n'ont pas d'importance sociale immédiate » ; ou que Borgstrom, qui clarifiait un peu Bloomfield en opposant les « publicly observable phenomena » aux « private phenomena » dans la communication linguistique. Il reste encore aujourd'hui suggestif, et toujours stimulant : dans le peu qu'il dit de Cassirer (p. 24) ou de Bloomfield (p. 27) ; dans ce qu'il dit en trente-cinq lignes (p. 23) de l'art comme manifestation plutôt que comme communication au départ ; dans les quelques alinéas qu'il consacre au cinéma et au théâtre (p. 25-26, 57-59) ; dans les quelques pages sur la communication animale (p. 15-16, 29-30) où il y a encore aujourd'hui peut-être plus de sémiologie que dans le copieux article de Sebeok, dont la description des faits ne sépare jamais bien ce qui est pertinent de ce qui ne l'est pas. Il y a plus de sémantique dans une seule de ses petites phrases (« Le véritable problème, c'est d'extraire la signification de la situation sociale ») que dans beaucoup de travaux postérieurs. Et dans ce qu'il dit aussi, page 18-19, ou page 13, ou page 53, en quelques lignes chaque fois, il y a un jugement complet, remarquable et serein, sur les distorsions que Barthes a fait subir au concept de sémiologie, et à cause desquelles il confond ou risque de confondre à chaque instant l'interprétation de certains indices avec le décodage des signes. Même si l'on n'est pas d'accord avec Buyssens — mais on l'est souvent —, il fournit toujours, et même aujourd'hui, une saine base de départ à l'initiation et à la réflexion dans tous ces domaines.

C'est un problème de comprendre pourquoi ce petit livre n'a pas été plus lu, plus utilisé, plus célébré. On peut toujours rêver au sort qui eût été le sien si, par exemple, il eût été réédité, à Paris, vers 1948 ; et si possible avec une préface de Lévi-Strauss, ou de Merleau-Ponty — à qui on peut penser que sa lecture a cruellement manqué. Est-ce qu'il a été victime de sa trop grande clarté, de cette brièveté transparente qui n'impressionne pas avec des gros mots scientifiques ?

Certes il est toujours rapide, évidemment, jusqu'à devenir elliptique ; mais que de choses en si peu de pages ! Presque chacun de ses alinéas suggère un bel exercice de travaux pratiques qui, même aujourd'hui, fournirait assez souvent la matière d'un article nourri, et original. A-t-il écarté des lecteurs par certaines affirmations, personnelles jusqu'à la bizarrerie, plus voyantes que tout le reste pour des esprits critiques ? Par exemple, ce qu'il appelle l' « automatisme linguistique » (p. 12) et le fait qu'après avoir appris à parler aux enfants il faudrait leur apprendre à se taire ? Ou l'assertion que le mot *Fragile* sur une caisse de marchandises (p. 25) touche à la limite du domaine de la communication ? Ou la thèse selon laquelle le signifiant qu'est l'écriture a pour *signifié* les phonèmes du discours (p. 45) ? Ou encore celle selon laquelle « il est impossible de parler du système lexical d'une langue » (p. 53) ? (On touche ici au laconisme intellectuel quasi spartiate de l'auteur, qui ne cite même pas ses propres travaux, comme il pourrait et devrait le faire ici, en renvoyant son lecteur à des articles plus explicites et plus élaborés, comme « Le Structuralisme et l'arbitraire du signe », *Studii si cercetâri lingvistice,* 3, 1960, p. 403-416). Je tendrais à croire que si ce précieux petit livre a été handicapé par autre chose que sa grande originalité à sa date, c'est par son attitude envers le problème terminologique. Eric Buyssens a peut-être trop fait confiance au droit qu'on a, dans la recherche, de baptiser sans précaution. Etait-ce prudent, déjà, pour désigner les grands types d'énoncés, de réemployer le terme trop polysémique de « modalité » (p. 17) ? Etait-ce raisonnable de nommer par le trop vieux nom de « substance » (p. 13) cette partie de la « signification » que Saussure n'avait pas su bien isoler ni bien dénommer, par opposition à ce qu'il appelait la « valeur » d'un lexème ? (Et Buyssens semble avoir renoncé ici à un autre terme qu'il proposait apparemment pour le même concept, en 1960, dans l'article ci-dessus, celui de *désignant*). Quel besoin d'appeler « écriture lexicale » en français (calque inutile de l'allemand *Wortschrift ?*) « les écritures dont les unités représentent les unités lexicales du discours » (p. 47) pour lesquelles on a depuis toujours le terme d' « écriture idéographique », qui n'est pas moins propre, une fois bien défini, que celui qu'on lui substitue, ni d'ailleurs moins dangereux ? La série terminologique *sème, sémie, acte sémique* (p. 21), qui était pourtant utile, ne semble pas encore avoir triomphé : malgré Prieto et quelques autres, l'américanisme *sémiotique* paraît envahir sans vraie nécessité le marché terminologique ; *sème* est devenu de son côté polysémique, s'enchevêtrant de plus avec *sémème* et *sémième*. Cela n'est pas la faute de Buyssens ; mais par contre il a tenté (p. 40) d'opposer *discours* à *parole* et *langue,* par un raffinement conceptuel peu convaincant (qu'il a d'ailleurs jugé mal défendable en renonçant au premier titre de son ouvrage). Le danger de ce goût prononcé pour une terminologie personnelle est qu'on devienne allergique à la terminologie des autres, aussi solidement établie soit-elle : c'est ainsi que Buyssens répugne à l'emploi de *commutation,* qui n'apparaît qu'à la page 134. (Instructive aussi la réflexion, juste, sur ce qu'on appelle un mot invariable, page 119 ; juste, mais curieuse en ce qu'elle montre un linguiste oubliant dans le domaine de sa propre terminologie ce qu'on sait depuis Bréal sur l'arbitraire du signe en général.)

La deuxième partie de l'ouvrage (p. 75-169), qui est consacrée à la linguistique, est aussi personnelle sans être aussi originale. Comme on l'a dit, la comparaison du texte de 1943 avec celui de 1967 offrirait beaucoup d'intérêt historique aussi bien qu'épistémologique. On a le sentiment dominant que Buyssens enseigne ici *cum grano salis* ce qui est presque toujours le bien commun de tous les structuralismes européens actuels ; mais qu'il le dit toujours à sa manière, avec des réserves stimulantes, des désaccords qui réveillent l'attention (cf. le chapitre phonologique, p. 132-144), des quolibets méthodologiques ou théoriques qu'on aurait tort de ne pas prendre au sérieux (sur le phonème zéro, ou fictif, ou intermittent, page 142, par exemple). C'est toujours un excellent exercice, quand on n'est pas convaincu par lui, de s'obliger à répondre aux objections de Buyssens. Aussi ne conseillerais-je pas son livre, malgré tant de qualités pédagogiques, en première ligne pour s'initier et se former à la linguistique générale : son non-conformisme n'est saisissable que par allusion à des théories qu'il faut bien connaître d'abord. Mais il serait la meilleure des lectures en seconde ligne : pour inquiéter sur ce qu'on croit savoir, et pour vérifier si l'on possède réellement ce qu'on croit avoir compris.

On ne s'arrêtera ici que sur un problème, celui de sa théorie de l' « articulation », qui fournit le titre nouveau du livre — parce qu'il peint peut-être tout l'auteur. En bon saussurien, dès sa première édition, Buyssens avait aperçu l'importance de l'idée d'articulation. Dans sa réédition, cette notion (qui entre-temps a été élaborée par Hjelmslev et Martinet sous le nom de « la double articulation du langage ») devient centrale, et le langage est analysé comme offrant cinq ou six articulations. La « première articulation segmentaire intégrale », d'abord, celle qui divise le discours en unités de discours, dont la plus typique est la phrase. Une seconde articulation, dite

« longitudinale », celle qu'on étudie traditionnellement sous le nom de ligne mélodique et de prosodie de l'énoncé. Puis « l'articulation monémique » ou « articulation syntaxique intégrale et segmentaire » (la première articulation de Martinet, dans l'ensemble). Puis « l'articulation du mot », qui correspond aux analyses traditionnelles de la morphologie et de la formation des mots. Puis encore « l'articulation segmentaire formelle » (en gros, la deuxième articulation de Martinet). Enfin, « l'articulation longitudinale formelle », celle qui décompose les phonèmes en leurs traits phonologiquement pertinents. Ce qui frappe le plus dans cette présentation, c'est d'abord qu'elle n'est qu'une reformulation d'analyses déjà bien acquises d'une part ; et, d'autre part, que l'apport personnel en est constitué essentiellement par des innovations purement terminologiques, elles-mêmes contestables. (Pour la substance de ces constructions ou présentations, on pourra comparer les diverses théories des « niveaux » du langage, les cinq niveaux de Firth ou Halliday, les douze niveaux de Richens, les trois jeux de niveaux de P. L. Garvin ; ou celle de Benveniste au IXᵉ C.I.L. : du niveau mérismatique au niveau catégorématique). Chez Buyssens, l'articulation dite « intégrale » correspond aux unités significatives, mais élargie à toutes, du monème à la phrase ; l'articulation « formelle » aux unités distinctives, non significatives, mais élargie à toutes, depuis les traits pertinents jusqu'à la ligne prosodique (p. 95). Le terme « longitudinal » s'applique (p. 94) à la ligne mélodique (l'auteur ne veut pas l'appeler « suprasegmentaire » parce qu'elle est elle-même segmentable, ou segmentée, ou, comme il dit, « segmentaire ») et à l'analyse du phonème en traits pertinents (p. 145). Cette dernière articulation est appelée « longitudinale » *parce que* « les traits dont il vient d'être question ne sont pas des segments successifs, ils sont simultanés ». Il semble donc que le terme *longitudinal* ne soit là que par une symétrie verbale, artificielle, et forcée : page 50, *longitudinal* est posé comme synonyme de *simultané ;* page 94, la ligne mélodique et la ligne monémique se déroulant simultanément forment *donc* un ensemble qui est par définition une articulation longitudinale ; page 145, c'est la réalisation simultanée des traits pertinents constitutifs d'un phonème qui en fait une articulation longitudinale du phonème. On peut penser qu'il s'agit là d'une construction terminologique qui n'était pas absolument nécessaire, et qui n'est pas vraiment cohérente, ni enrichissante : l'usage de « intégral » ni l'usage de « longitudinal » ne sont univoques. En outre, et surtout, on peut craindre que cette présentation du langage comme étant six fois articulé n'obscurcisse la richesse théorique de la notion de double articulation comme critère spécifique des langues naturelles par rapport à tous les autres systèmes de communication. Buyssens, même si, comme toujours, il mérite d'être écouté attentivement sur ce point, est beaucoup trop allusivement rapide, pages 51 et 73, pour être convaincant. Et la meilleure analyse détaillée sur ces problèmes reste celle que Prieto nous a donnée dans la « Systématique sémiologique » des dernières pages (153-165) de *Messages et signaux*.

Tout cela ne diminue en rien la dette qu'un certain nombre de linguistes ont contractée vis-à-vis de Buyssens, ni la gratitude qu'ils vouent à ses leçons, d'orgueil modeste, d'indépendance intellectuelle (même vis-à-vis de Saussure) et de non-conformisme théorique (même excessif). Son petit livre est un des cinq ou six ouvrages de linguistique qui dans le dernier quart de siècle ont fait réfléchir. Avec ce petit livre et quelques articles, Eric Buyssens est, quoi qu'il fasse, un vrai théoricien, et de l'espèce assez rare des vrais héritiers de Saussure[1].

(1970)

---

1. Ce compte rendu a paru dans la *Revue belge de philologie et d'histoire*, 1969, n° 2, p. 533-538.

index[*]

A

Abeille (V. communication *animale*).
Alphabet (*des sourds-muets*), 11, 21.
ANDREEV (L.), 84.
APOLLINAIRE (G.), 36.
ARISTOTE, 193.
ARTAUD (A.), 93, 172.
Articulation, — *linguistique*, 19, 235-241 ; —*s phonétiques*, 202 ; *double — du langage*, 20, 52-53, 55-56, 74-75, 135-148.
AUXEMERY (F.), 141.
AVRON (P.), 173, 177.

B

BACHELARD (G.), 74.
BARJAVEL (R.), 118-122, 125.
BARRAULT (J.-L.), 173.
BARTHES (R.), 8, 11-13, 15, 67, 100, 189-197, 227, 232, 235-237.
Behaviourisme, 59-60, 63, 65-66.
BENVENISTE (E.), 17, 39, 45-51, 55-56, 78, 188, 201, 240.
BERR (H.), 218.
BERTIN (J.), 33, 226-230, 236.
BLANCHE (R.), 26, 30.
Blason, 33, 97, 103-115 ; — *comme signe d'appartenance*, 105-107 ; — *comme signe d'identité*, 104, 107 ; — *comme signe de propriété*, 104-105, 107 ; — *comme signe de reconnaissance*, 104, 107 ; — *et système de communication*, 106-115 ; *code symbolique du —*, 110-114 ; *fonction sémiologique du —*, 107-115.
BLOOMFIELD (L.), 41, 44, 46-47, 51-52, 54-57, 59, 66, 77, 234, 237.
BOAS (F.), 200-201.

BORGSTROM (G. A.,), 235, 237.
BOUCHER DE PERTHES (J.), 129, 132.
BOULANGER, 173.
Braille, 21, 27.
BRETON (A.), 183.
BREUIL (Abbé H.), 215.
BREZILLON (M.-N.), 129-133.
BUFFON (G.L. Leclerc de), 75.
BÜHLER (K), 68.
BURKARDT (F.), 157, 166.
BUYSSENS (E.), 11-14, 18, 20-21, 23, 33, 35, 38, 46, 48-49, 58, 60-61, 66-68, 71-72, 75, 78, 83, 85-86, 88, 91, 97, 99, 124, 152, 230, 235-241.
BYLAND (P.), 173.

C

CANTINEAU (J.), 68.
CARNAP (R.), 56, 61, 65.
Cartographie, (*comme système de communication non linguistique*), 32-36, 48, 75.
CASSIRER (E.), 237.
Catch, 190-192.
CHAMBADAL (L.), 144.
CHAMPOLLION (J. F.), 28.
CHARLOT, 173.
CHENDEL'S, 84.
CHERRY (C.), 75, 236.
Chiffres, 24.
Chimie, *la — et les signes*, 149-154 ; (V. aussi symbole *chimique*).
CHKLOVSKI (V.), 123, 125.
CHOMSKY (N.), 188.
CITRON (R.), 173, 177.
Classification, — *des codes*, (V. code).
CLERGUE (M.-L.), 155.
Code, — *de la route*, 13, 30, 75, 155-168, (V. aussi signalisation *routière*) ; — *sémiologique*, 14-

[*] Les pages auxquelles renvoie cet index peuvent traiter du thème sans contenir le mot même qui le désigne ici.

table des matières

CET OUVRAGE A ÉTÉ ACHEVÉ D'IMPRIMER
LE VINGT MARS MIL NEUF CENT SOI-
XANTE-QUATORZE SUR LES PRESSES DE
L'IMPRIMERIE CORBIÈRE ET JUGAIN, A
ALENÇON, ORNE, ET S'INSCRIT DANS LES
REGISTRES DE L'ÉDITEUR SOUS LE
NUMÉRO 1040

Imprimé en France

COLLECTION « LE SENS COMMUN »
dirigée par Pierre Bourdieu

GEORGES MOUNIN

INTRODUCTION A LA SÉMIOLOGIE

Loin des incantations thaumaturgiques, il a paru utile d'esquisser l'image modeste et solide, et surtout claire, des principes et des méthodes de la sémiologie, entendue au sens strict de science générale de tous les systèmes de communication par signaux, signes ou symboles.

Il faut se garder en effet d'appliquer mécaniquement les méthodes de la sémiologie à toutes sortes d'objets sans avoir préalablement démontré qu'on a affaire à un type de communication, et pas seulement à un ensemble de faits significatifs. On ne présente donc ici qu'un premier inventaire de ce qu'est la **sémiologie de la communication.** Lorsqu'elle ne se réduit pas purement et simplement à la théorie de la connaissance, la « sémiologie de la signification » s'attaque avec un outil qui n'est pas exactement fait pour cette tâche à l'étude des significations spécifiques de faits sociaux ou esthétiques. C'est sans doute par là qu'on pourra terminer la constitution de la sémiologie ; ce n'est sûrement pas par là qu'il fallait la commencer.

AUX ÉDITIONS DE MINUIT
7, rue Bernard-Palissy, 75006 Paris

ISBN 2-7073-0018-7